이경기의 영화 음악(OST) 총서 Vol.32

개봉이 끝나도 기억되는 영화음악 1,150 트랙 토픽

영화 음악 'Barbie Girl' 왜? 〈바비〉에서 들려오지 않을까?

Film music 'Barbie Girl Why? Wouldn't it be heard from Barbie?

이경기의 영화 음악(OST) 총서 Vol. 32

개봉이 끝나도 기억되는 영화음악 1,150 트랙 토픽

영화 음악 'Barbie Girl' 왜? 〈바비〉에서 들려오지 않을까?

발 행 | 2024년 05월 02일

저 자 | 영화 칼럼니스트 이경기

펴낸이 | 한건희

펴낸곳 | 주식회사 부크크

출판사등록 | 2014.07.15.(제2014-16호)

주 소 | 서울시 금천구 가산디지털1로 119 SK트윈테크타워 A동 305-7호

전 화 | 1670-8316

이메일 | info@bookk.co.kr

ISBN | 979-11-410-8228-4

www.bookk.co.kr

영화 음악
'Barbie Girl' 왜?
〈바비〉에서 들려오지 않을까?

이 경 기
(국내 1호 영화 칼럼니스트)

머리말

영화 음악을 창작하는 나의 접근 방식은 다른 사람과 대화를 진행하는 방식과 매우 유사하다. 가장 흥미로운 대화는 참여하는 각 사람이 대화에 기여할 수 있는 공간을 제공하고 또한 공간에 자유롭게 참여해서 경청할 수 있는 대화를 나누는 것이라고 본다. 음악은 바로 배우들이 제공하는 대사에 적극 합류할 수 있는 분위기를 만들어내는 것이 가장 중요한 기능이라고 본다.

- 〈조커 Joker〉(2019)로 아카데미 작곡상을 수상한
아일랜드 출신 여류 작곡가 힐두르 구오나도티르 Hildur Guðnadóttir

'공포, 웅장함, 유쾌함 또는 비참한 상황에 빠트릴 수 있다. 이야기 진행 속도를 빠르게 진행시키거나 느리게 할 수 있다. 이런 분위기에 빠져들게 만드는 것이 좋은 영화음악이다.

- 〈사이코 Psycho〉(1960) 등을 통해 알프레드 히치콕과
콤비 작곡가로 활동했던 버나드 허만 Bernard Herrmann

오디오를 통해 영화 화면에서 펼쳐지는 시각적 세계와 더 많은 조화와 연결을 시도하는 것. 앞으로 젊은 작곡가들이 점점 더 흥미로워할 만한 영화음악만의 특징이다.

- 50여 년 이상 활발한 창작 활동을 펼치고 있는
현존하는 최고의 영화 음악가 존 윌리암스 John Williams

〈스파이더-맨〉〈분노의 질주〉〈미션 임파서블〉 시리즈 〈트랜스포머〉 시리즈, 〈가디언즈 오브 갤럭시〉 Volume 1-3 등. 영화 애호가들의 구미를 당겨준 할리우드 블록버스터들이 꾸준히 극장가를 노크하고 있다.

관객들에게 뜨거운 호응을 받은 히트 영화는 필수적으로 관련 영화 음악 뉴스를 파생시키고 있다.

영화와 사운드트랙이 유기적인 협력 관계를 구축해 내면서 음악 애호가들의 구미를 당겨주고 있는 OST 관련 토픽과 에피소드도 쏟아지고 있다.

이번 책자 〈개봉이 끝나도 기억되는 영화음악 1,170 트랙 토픽-영화 음악 'Barbie Girl' 왜? 〈바비〉에서 들려오지 않을까?〉는 2023년 전 세계 극장가에서 환대를 받았던 핫이슈 작품.

1950년대 이 후 시기를 초월해 호응을 받고 있는 영화 음악 정보 까지 다채롭게 담겨져 있다. 관련 정보에 갈증을 느끼고 있는 열성 영화 음악 애호가들의 구미를 자극시켜 줄 내용을 풍성하게 수록했다.

탐 크루즈가 혼신의 액션 연기를 펼쳐 보였던 〈미션 임파서블: 데드 레코닝 PART ONE Mission: Impossible - Dead Reckoning-Part One〉을 제압하고 크리스토퍼 놀란 감독의 〈오펜하이머〉와 흥행 쌍두마차를 달렸던 마고 로비+라이언 고슬링 콤비의 〈바비 Barbie〉는 영화 음악 관련 뉴스로 주목을 받아냈던 최신작이다.

'〈바비 Barbie〉-그룹 아쿠아 후크 리듬을 차용한 'Barbie World (with Aqua)' 엔딩 크레디트 장식'과 '〈바비 Barbie〉 삽입 곡 'Closer To Fine'이 중요한 이유?' 등은 덴마크 팝 그룹 아쿠아의 히트곡이 왜 〈바비〉 영화에서 누락됐는지에 대한 사연을 기술해 놓았다.

호주 출신 바즈 루어만은 할리우드 쿠엔틴 타란티노에 버금가는 프로급 음악 선곡을 갖고 있는 것으로 인정받고 있는 감독. 록큰롤 황제 엘비스 프레슬리 전기 음악 영화 〈엘비스〉로 재기발랄한 음악 해설을 펼쳐 주었던 루어만 감독.

'바즈 루어만 음악 영화에서 들을 수 있는 베스트 노래 10'은 감독의 데뷔작 〈댄싱 히어로〉에서부터 〈물랑 루즈!〉 〈로미오와 줄리엣〉 등 주요 히트 작 10편에서 주목을 받았던 삽입곡을 해설해 놓았다. '〈엘비스 Elvis〉-오스틴 버틀러+마네스킨+도자 캣 등이 엘비스 클래식을 커버 버전으로 들려 줘'는 최신작 〈엘비스〉에 수록됐던 31곡의 트랙 해설을 담고 있다.

독자들은 음악을 통해 록큰롤 황제의 음악 여정과 업적을 재차 음미해 볼 수 있는 기회를 제공받을 것이라고 본다.

'바즈 루어만 Baz Luhrmann 〈위대한 갯츠비 The Great Gatsby〉 프린스 Prince 주제가 배제 시킬 수밖에 없었다!'는 익히 알려진 명작을 리메이크하면서 시도했던 팝 가수 프린스의 노래가 삭제될 수밖에 없었던 안타까운 사연을 르포한 기사이다.

'〈가디언즈 오브 갤럭시 Guardians of The Galaxy〉 최고의 사운드트랙은?' '〈분노의 질주 Fast & Furious〉 시리즈 역대 최고의 노래 베스트 15' '〈슈렉 Shrek〉 시리즈 흥행을 이끌어 낸 노래 베스트' 등은 프랜차이즈로 극장가를 노크했던 작품에서 흥행을 위해 제시했던 화려한 사운드트랙을 총력 해설한 알짜 영화 정보 기사라고 자부한다.

음악 해설을 통해 시리즈 작품에 대한 음악 연보를 일목요연하게 일독(一讀)해 볼 수 있을 것이다.

〈애스터로이드시티〉 〈슈팅 스타〉 〈본즈 앤 올〉 〈매직 마이크 라스트 댄스〉 〈엔니오〉 등은 개봉됐거나 미개봉 최신작에서 선곡 된 사운드트랙 해설을 담아내 신속한 정보를 갈망하는 열성 독자들의 구미를 당겨줄 것이라고 자부한다.

장인 감독 마틴 스콜세즈가 메가폰을 잡았던 〈더 울프 오브 월 스트리트〉 〈디파티드〉 등에서 들려오고 있는 다채로운 음악에 대한 해설도 감독의 연출 의도를 배경 음악을 통해 해석해 볼 수 있는 자료가 될 것이다.

한스 짐머의 최신작 〈더 썬〉 사운드트랙 해설, 쥬크박스 뮤지컬 신드럼을 몰고 왔던 〈맘마 미아〉 히로인 아만다 세이프리드, 다시 듣고 싶지 않은 아바 노래 곡명을 전격 밝힌 것, 〈라 라 랜드〉 오프닝 곡의 의미, 레이디 가가 〈스타 이즈 본〉에서 메인 주제가가 전격 교체된 사연, 〈앤트-맨과 와스프: 퀀텀마니아〉 예고편 노래로 'Goodbye Yellow Brick Road'를 선곡한 이유? 등은 필자가 해외 전문 매체에서 보도 된 기사를 신속하게 체크해서 국내 영화 음악 애호가들에게 제공하는 핫이슈이다.

'1950-1990년대 각 시대를 빛낸 록 음악 영화 열전 베스트 35'은 한 시대를 풍미했던 히트작 배경 음악을 총 정리한 알찬 영화 음악 리뷰 콜렉션 자료이다.

'레오나드 코헨 Leonard Cohen 노래가 테마곡으로 쓰인 영화와 TV 드라마 베스트 12' '린다 론스타트 Linda Ronstadt 'Long Long Time', 〈라스트 오브 어스〉 에피소드 3 주제가로 재차 인기몰이' '뮤지컬 영화에서 가장 로맨틱한 주제가 10 곡' '〈보헤미안 랩소디 Bohemian Rhapsody〉, 초고 제목은 〈몽골리안 랩소디 Mongolian Rhapsody〉' '비욘세 Beyoncé 10곡, 위대한 영화를 만들어 주다' '비디오 게임 영화 음악의 진수 '기타 히어로 Guitar Hero' 시리즈 추천 12곡' '비치 보이스 The Beach Boys 노래가 가장 잘 사용된 영화 10편' 등은 영화 음악과 유기적 협조 관계를 이루고 있는 저명한 팝 뮤지션과 그룹 노래들을 에세이 형식으로 해설한 읽을거리다.

책자에서 언급된 솔로 및 그룹 팝 뮤지션은 250여 팀이다. 인용된 영화 편수는 약 950여 편. 트랙 해설로 언급된 노래는 약 1,170여 곡이다.

앞서 기술했듯이 2023년 흥행가를 석권했던 핫 이슈작.

감동을 배가시켰던 배경 음악으로 인해 명작 반열로 추천 받고 있는 추억의 영화들.

이들 작품들을 사운드트랙 관점에서 에세이를 읽듯이 쉽게 구성해 여유롭게 구독하면서 관련 정보를 얻을 수 있도록 원고 구성을 해 놓았다.

영화 음악 애호가들의 최애(最愛) 책자가 된다면 더 할 나위 없는 기쁨이다.

* 〈타이타닉〉. 가난한 화가 잭 도슨.
대서양을 항해하고 있는 관광 유람선 타이타닉 선상.
두 팔을 번쩍 치켜세우면서 '내가 세상의 왕이다!
I'm the king of the world!'라고 외쳤다.
한국에서 영화 및 영화 음악 저술 분야에서 독보적인
'킹 King'이 되기 위한 또 한 권의 저작물을 상재(上梓) 한다.

2024년 5월
국내 1호 영화 칼럼니스트 이 경 기

Contents

1950-1990년대 각 시대를 빛낸
록 음악 영화 열전 베스트 35

The Best Rock Movie From Every Year Best 35

실존 인물의 업적을 회상해주고 있는 전기 영화.

다큐멘터리.

콘서트 영화 그리고 일반적 소재의 영화들.

이들 작품에서는 들을 수 록 감칠 맛 풍겨 주는 풍성한 사운드트랙으로 세월이 흘러도 꾸준한 환대를 받는 작품들이 다수 포진되어 있다.

다양한 장르에서 배경 음악이 좋아서 영화 역사 혹은 음악 영화 역사의 한 페이지를 장식하고 있는 라인-업들을 시대별로 조망해 보면 다음과 같다.

1-1. 〈블랙보드 정글 Blackboard Jungle〉(1955)

빌 헤일리와 코멧츠 Bill Haley & His Comets의 'Rock Around the Clock'은 1954년 앨범 'Thirteen Women (And Only One Man in Town)' B면에 수록된다.

1년 후 리차드 브룩스 Richard Brooks 감독은 글렌 포드 Glenn Ford, 시드니 포이티어 Sidney Poitier 및 빅 머로우 Vic Morrow 등을 출연시켜 폭력적인 도심 학교에서 교사가 겪는 고충을 묘사한 〈블랙보드 정글 Blackboard Jungle〉에서 이 노래를 반복적으로 사용한다.

〈블랙보드 정글〉. © MGM

영화는 흥행에 성공한다.

주제곡처럼 인용된 'Blackboard Jungle'은 빌보드 핫 100 1위.

아카데미에서 4개 부문 후보로도 지명 받는다.

특별한 언급: 비슷한 시기에 개봉된 〈이유 없는 반항 Rebel Without a Cause〉(1955)에는 록 음악이 전혀 포함되지 않고 있다.

그렇지만 냉소적이고 의기소침해 있는 제임스 딘의 무표정한 연기는 엘비스 프레슬리의 록 음악만큼 1950년대를 상징하는 10대 문화의 아이콘으로 남아 있다.

1-2. 〈걸 캔 헬프 잇 The Girl Can't Help It〉(1956)

제인 맨스필드 Jayne Mansfield. 1956년 〈걸 캔 헬프 잇 The Girl Can't Help It〉에서 첫 주역을 맡은 이후 단번에 섹스 심벌로 주목 받는다.

마피아 거물(에드먼드 오브라이언)이 홍보 담당자(톰 이웰)을 고용한다.

그의 재능 없는 여자 친구(맨스필드)를 노래하는 스타로 변신시키려는 유쾌

〈걸 캔 헬프 잇〉. © 20th Century Fox

한 음모가 펼쳐지고 있다. 사운드트랙에 참여한 뮤지션들은 팻츠 도미노 Fats Domino, 진 빈센트와 블루 캡스 Gene Vincent and His Blue Caps, 에디 코크란 Eddie Cochran, 플래터스 the Platters 등이다.

리틀 리차드 Little Richard는 타이틀곡을 불러주고 있다.

특별한 언급: 〈걸 캔 헬프 잇〉이 공개됐던 1956년. 〈블랙보드 정글 Blackboard Jungle〉이 예상 밖으로 히트를 친다.

서둘러 제작이 착수한 작품이 〈록 어라운드 더 클락 Rock Around the Clock〉이다.

빌 헤일리, 알란 프리드 Alan Freed 및 플래터스 Platters 등이 'Rock Around the Clock'이 전 미국 음악 시장에서 열띤 주목을 받은 이유에 대해 여러 히트 요인을 제시한다는 가상의 내용을 담고 있다.

1-3. 〈제일하우스 록 Jailhouse Rock〉(1957)

수많은 가수들이 자신들의 히트 곡을 기초로 해서 흥행을 위해 졸속 제작된 영화에 출연하는 것은 지금도 유행이 되고 있는 트렌드 중의 하나이다.

엘비스 프레슬리도 1950-1960년대 폭발적인 인기를 등에 업고 단번에 스타덤에 오른 직후 영화계로 곧바로 뛰어든다.

엘비스가 3번째 영화 출연작으로 선택한 〈제일하우스 록〉은 기준 이상의 작품성과 흥행성을 보증 받는다.

우발적 사고로 유치장에 갇혀 있는 죄수 빈스 에버렛(엘비스).

감방 안에서 전직 컨트리 가수였던 동료가 빈스의 가창력을 간파하고 그를 프로 가수로 데뷔시키기 위한 멘토가 되어 준다.

마침내 빈스는 TV 장기 자랑 경연 대회에 출전해 가수로서 유명세를 얻게 된다.

타이틀 곡 'Jailhouse Rock' 외에 'Treat Me Nice' '(You're So Square) Baby I Don't Care' 등을 통해 엘비스는 노래와 현란한 춤 솜씨를 펼쳐 주고 있다.

특별한 언급: 〈킹 크레올 King Creole〉에 이어 엘비스가 후속 작으로 출연한 작품이 〈제일하우스 록〉이다.

해롤드 로빈스 Harold Robbins 소설 '스톤 포 대니 피셔 A Stone for Danny Fisher'를 각색했다.

엘비스 프레슬리가 노래와 주역을 맡아 공개한 〈제일하우스 록〉. © MGM

원작은 전직 프로 권투 선수가 가수로서 전향한다는 것. 원작에서는 가수 데뷔곡으로 'Hard Headed Woman'을 불러 주는 것으로 묘사되고 있다.

1-4. 〈하이 스쿨 컨피덴셜 High School Confidential!〉(1958)

1950년대 당시 흥행가를 석권했던 소재는 록큰롤과 청소년 범죄를 융합시킨 소재였다.

〈하이 스쿨 컨피덴션! High School Confidential!〉은 마약의 폐단(弊端)을

〈하이 스쿨 컨티덴셜〉. © MGM

추가시킨다.

러스 탬블린 Russ Tamblyn이 지역 갱단에 연루되는 전학생 토니 베이커 역할로 출연하고 있다.

토니는 마약 거래에도 관여하고 있다.

그렇지만 알고 보니 토니는 마을에 은둔해 있던 거대 마약 조직을 체포하기 위해 파견된 잠복 경찰이라는 것이 밝혀진다.

오프닝 장면에는 제리 리 루이스 Jerry Lee Lewis가 트럭 침대에서 타이틀 곡 'High School Confidential!'을 불러 주는 인상적인 장면을 연출해 주고 있다.

1-5. 〈고, 자니, 고! Go, Johnny, Go!〉(1959)

〈고, 자니, 고!〉. © Hal Roach Studios

지미 클랜튼 Jimmy Clanton이 자니 역으로 출연하고 있다.

천부적인 노래 솜씨를 갖고 있는 고아 출신 자니.

재능을 눈여겨 본 알란 프리드와 척 베리에 의해 프로 가수로 새로운 인생을 개척해 나간다는 인간 승리 이야기다.

척 베리의 'Johnny B. Goode' 'Memphis, Tennessee' 'Little Queenie' 등이 배경 노래로 들려오고 있다.

에디 코크란 Eddie Cochran, 잭키 윌슨 Jackie

Wilson, 더 플라밍고스 the Flamingos 등 음악 재능을 갖고 있는 연기진들이 찬조 출연하고 있다. 록큰롤 초기를 개척해 나갔던 리치 발렌스 Ritchie Valens가 카메오로 출연하고 있다.

영화 개봉을 앞두고 비행기 추락 사고로 리치 발렌스, 버디 홀리 Buddy Holly, 빅 밥퍼 the Big Bopper 등 재능 있는 록큰롤 뮤지션이 사망하는 참변이 발생한다.

1-6. 〈G. I. 블루스 G.I. Blues〉(1960)

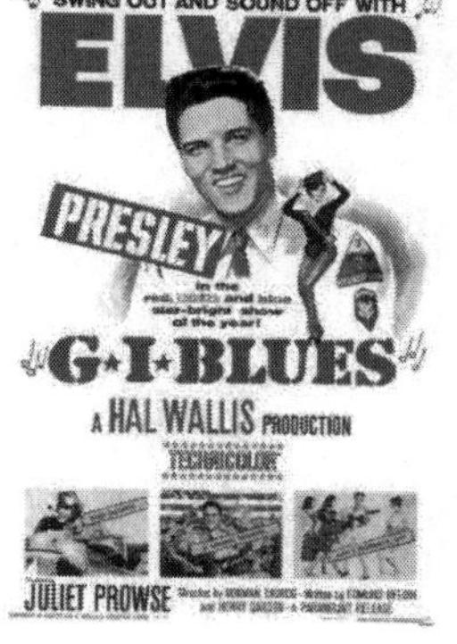

〈G. I. 블루스〉. © Paramount Pictures

엘비스가 군대 입대 전에 출연한 영화들은 기본 이상의 호응을 얻어낸다.

하지만 군 복무 이후 출연한 영화들은 흥행가에서 서서히 외면을 받는다.

엘비스 전기 작가 피터 구랄닉 Peter Guralnick은 '신중하지 못한 사랑 Careless Love: The Unmaking of Elvis Presley'을 통해 인기 추락 요인을 제시해 공감을 얻어낸다.

피터의 주장에 의하면 엘비스 매니저 톰 파커 Tom Parker 전직 대령이 인기 지수를 확장시킨다는 의도로 엘비스의 이미지를 중성화시키는 전략을 쓴 것이 오히려 악재로 작용했다는 것이다.

〈G. I. 블루스〉는 군 제대 이후 출연한 첫 작품으로 군 복무로 인한 2년 동안의 공백을 무사히 극복해낸다.

팝 팬들의 입장에서는 오랜만에 엘비스가 연기 겸 노래를 불러 준다는 것에 대해 큰 거부감을 느낄 필요가 없었다는 점이 기본 이상의 관심을 얻는 요소로 지목된다.

1-7. 〈블루 하와이 Blue Hawaii〉(1961)

〈블루 하와이〉. © Paramount Pictures

〈블루 하와이 Blue Hawaii〉의 빅히트로 인해 엘비스와 파커 대령은 모든 것을 얻게 된다.

흥미롭게도 영화는 빙 크로스비 흔적에 엘비스가 올라 탄 형국의 작품이다.

왜냐하면 타이틀 노래 'Blue Hawaii'는 1937년 빙 크로스비가 발표해 주목을 받았던 곡이기 때문이다.

노래하는 배우로 한 시대를 풍미했던 빙 크로스비가 출연했다고 해도 엘비스 만큼의 주목을 받았을 것이라는 여론은 이런 이유 때문에 제기된 것이다.

차드 게이츠(엘비스). 군대에서 막 제대를 한 상태.

서핑 보드, 해변 동료, 여자 친구와 함께 하와이로 귀환한다.

아버지는 차드가 '그레이트 서던 하와이안 프루이트 컴퍼니 The Great Southern Hawaiian Fruit Company에 합류했다가 가업을 이어 받기를 바라고 있다. 자유분방한 아들은 부친의 염원을 거스른다.

경직된 하와이 열대 과일 가공 회사의 운영주 보다는 여자 친구가 관여하고 있는 여행사에서 관광 가이드 일을 선택한다.

가업에 동참하는 것보다 해변에서 노는 것을 더 좋아하는 부유한 집안 아들 사연을 다룬 가벼운 로맨틱 코미디.

〈블루 하와이〉는 하와이 보트 위에서 관광객들을 대상으로 들려주고 있는 'Can't Help Falling in Love'를 불멸의 히트 곡으로 만들어준 영화이기도 하다.

아비게일 프렌티스(낸시 월터스)가 여행 가이드로 채용하기 직전 엘비스에게 질문하는 '학교 교사와 4명의 10대 소녀를 만족시킬 수 있다고 생각합니까? Do you think you can satisfy a schoolteacher and four teenage girls?' 라는 질문하는 대화가 영화 공개 이후 유행어로 회자(膾炙) 된다.

1-8. 〈팔로우 댓 드림 Follow That Dream〉(1962)

1962년 흥행 가에서는 록 음악 영화에 대한 열기가 가장 취약했던 해로 기록되고 있다.

엘비스가 출연했던 음악 영화는 〈팔로우 댓 드림 Follow That Dream〉 〈키드 가라하드 Kid Galahad〉 〈걸! 걸! 걸! Girls! Girls! Girls!〉 등 무려 3편이 연속 공개되는 성황을 이루게 된다.

엘비스 음악 영화 틈바구니에서 〈돈 노크 더 트위스트 Don't Knock the Twist〉, 은둔해 있는 가상의 팝 스타 디온 Dion 복귀를 위해 3명의 나이 든 쇼 매니저가 나선다는 〈텐 걸즈 어고우 Ten Girls Ago〉가 이 시기 전형적인 록 음악 영화의 자존심을 지켜 나간다.

〈팔로우 댓 드림〉. © United Artists

〈팔로우 댓 드림 Follow That Dream〉이 팝 음악사에 이정표를 남긴 사연은 하나가 있다.

록커 톰 페티 Tom Petty는 기회가 될 때 마다 생전에 엘비스를 만날 기회를 놓쳤다는 것에 대한 아쉬움을 토로하고 있는 것을 반복해서 들어야 한다는 점이다.

왜냐하면 이 영화를 관람하고 난 뒤 톰 페티는 장차 음악가가 되겠다는 꿈을 키워 나갔다는 것이다.

1-9. 〈바이 바이 버디 Bye Bye Birdie〉(1963)

〈바이 바이 버디〉. © Columbia Pictures

1963년 엘비스는 〈펀 인 아카풀코 Fun in Acapulco〉 〈세계 박람회에서 벌어진 일 It Happened at the World's Fair〉 등 2편을 공개했지만 〈바이 바이 버디 Bye Bye Birdie〉 앞에 잠시 주춤하게 된다.

인기 브로드웨이 뮤지컬 〈바이 바이 버디〉를 대형 화면으로 각색한 작품이다.

'에드 설리번 쇼' 마지막 공연을 마치고 군에 입대할 예정인 록 스타 콘래드 버디(제시 피어슨) 사연을 담고 있다.

버디는 10대 소녀(앤-마가렛)를 위해 노래를 불러 주고 있다. 이 장면에 보고 또래 소녀 팬들은 광분(狂奔) 한다.

딕 반 다이크, 자넷 리, 모린 스태플턴, 폴 린드가 출연하고 있다. 토크 쇼 사회자 에드 셜리번이 카메오로 얼굴을 비추고 있다.

노래하는 미녀 연기자 앤 마가렛이 불러주고 있는 'Bye Bye Birdie' 'How Lovely to Be a Woman'을 필두로 해서 스윗 애플 걸즈 틴즈 Sweet Apple Girl Teens의 아 카펠라 'We Love You, Conrad(We Hate You, Conrad)', 바비 라이델의 'The Telephone Song' 등은 풍성한 록 음악 향연을 만끽시킨다.

여기에 10대 고등학생들의 풍속도, 인기 스타를 대거 기용해 흥행몰이를 시도한 전략 등은 로저 코만 Roger Corman 감독이 프랭키 아발론, 아네트 퍼니첼로 등을 기용해 시리즈로 공개한 '비치 무비 series of beach movies', 팝 가수 클리프 리차드 Cliff Richard의 'Summer Holiday' 등이 발표될 수 있는 토양을 제공하게 된다.

1-10. 〈하드 데이즈 나이트 A Hard Day's Night〉(1964)

비틀즈는 영국에서 음악인으로 흥행에 성공하자마자 수많은 영화 출연 제안을 받았다고 한다.

한 동안 이런 태도를 유지했다.

보내진 대본은 읽어 보지도 않고 폐기처분 됐다고 한다.

시나리오 작가 아룬 오웬 Alun Owen과 리차드 레스터 Richard Lester 감독은 '비틀즈가 갑자기 찾아 온 스타덤에 갇혀 어떻게 정신을 유지하려고 노력했는지에 대한 이야기를 담았다.'는 내용을 듣고 호기심을 보인 뒤 급기야 비틀즈의 음악 영화는 일사천리로 촬영된다.

〈하드 데이즈 나이트〉. © United Artists

타이틀 곡 'A Hard Day's Night'는 1964년 4월 13일 밤 존 레논이 단숨에 완성했다고 한다.

그 날 낮. 레논은 영화 속에서 등장하는 욕조 장면을 촬영한 날로 알려졌다.

비틀즈 4인방이 텔레비전 콘서트 공연을 진행하기 직전까지 경험하게 되는 하루 반나절 풍경을 담고 있다.

비틀즈 멤버들은 열광하는 팬들과 자신들의 행동을 끊임없이 통제하려는 매니저로부터 끊임없이 도주하려고 한다. 링고 스타는 결국 체포되어 방송 시간 30분 전까지 스튜디오에 도착하지 못한다. 폴 맥카트니는 할아버지로부터 화음을 제공 받아 12곡 정도의 노래를 불러 주게 된다.

비틀즈 삶에서 약 2일 동안. 생방송 TV 공연을 준비하면서 겪게 되는 여러 사건 때문에 고군분투 한다는 것이 기본 줄거리로 펼쳐지고 있다.

재미있는 대본, 눈에 띄는 조연, 수많은 멋진 노래로 구성된 〈하드 데이즈 나이트〉는 록 음악 영화의 새로운 규범을 제시한 영화로 기록된다.

1-11. 〈헬프! Help!〉(1965)

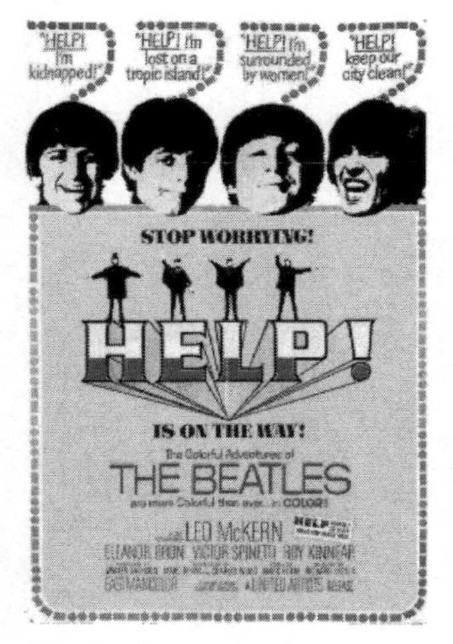

〈헬프!〉. © United Artists

〈하드 데이즈 나이트〉는 비틀즈 멤버들이 연기자 역할을 하는데 매우 곤혹스런 경험을 했다.

2번째 음악 영화 〈헬프! Help!〉는 전작의 경험 때문에 보다 수월했다고 한다.

링고 스타가 소유하고 있는 반지를 되찾기 위한 동양 출신 교주(教主)의 움직임이 중심 소재.

여기에 비틀즈 멤버들이 오스트리아 알프스와 바하마로 여행을 떠난다.

조지 해리슨 George Harrison이 심취하게 된 인도 전통 악기 시타르 the sitar의 존재가 드러나고 있다.

7 곡에 달하는 비틀즈 노래가 소개되고 있다.

존 레논은 '촬영 기간 동안 아침 식사로 마리화나를 피웠다.'라고 밝혔다.

이런 발언을 놓고 되짚어 보면 〈헬프!〉는 많은 부문에서 집중력이 다소 떨어지는 듯한 분위기를 엿볼 수 있게 한다.

1-12. 〈빅 T.N.T 쇼 The Big T.N.T. Show〉(1966)

전작 〈T.A.M.I 쇼 The T.A.M.I. Show〉는 롤링 스톤과 제임스 브라운의 존재감이 빛을 발하지 못하는 아쉬움을 남겼다.

후속 작 〈빅 T.N.T 쇼 The Big T.N.T. Show〉는 록과 리듬 앤 블루스 공연을 잘 융합시켰다는 호평을 얻는다.

레이 찰스 Ray Charles, 밴드 버즈 the Byrds, 로네츠 the Ronettes, 아이크 앤 티나 터너 레뷰 Ike & Tina Turner Revue 등 뛰어난 록 밴드와 팝 아티스트

들이 대거 출연하고 있다.

음악 비평가들은 이번 속편에 대해 '포크 록 장르를 주도했던 러빙 스푼풀 the Lovin Spoonful, 존 바에즈 Joan Baez, 도노반 Donovan을 비롯해 컨트리 싱어 로저 밀러 Roger Miller 등의 기여도가 보다 다양한 팝 문화를 접해 볼 수 있는 기회를 제공했다.'는 호의적 평가를 제시한다.

〈빅 T.N.T 쇼〉. © American International Pictures

1-13. 〈졸업 The Graduate〉(1967)

마이크 니콜스 Mike Nichols 감독은 〈졸업〉 사운드트랙을 위해 데이비 그루신 Dave Grusin에게 재즈 성향의 배경 음악과 함께 사이먼과 가펑클에게도 주제 음악에 관련해서 몇 곡을 의뢰한다.

재즈와 록 음악을 융합시킨 시도는 절정의 사운드트랙이 되는데 공헌하게 된다.

폴 사이먼은 〈졸업〉 사운드트랙 작곡 의뢰에 대해 별로 탐탁하게 여기지 않았다고.

감독 간청에 의해 'Punky's Dilemma'와 'A Hazy Shade of Winter'라는 두 곡을 작곡한다.

두 곡은 사이먼 앤 가펑클 앨범 'Bookends'에 수록되어 있는 노래들이다.

'The Sound of Silence'와 'April Come She Will' 등도 미리 작곡된 곡으로 영화와는 전혀 관계가 없었다.

이들 노래는 적선하듯이 감독에게 넘겨주게 된다.

법대를 갓 졸업한 뒤에도 확실한 인생 청사진을 찾지 못해 불안해하는 벤자민 브래독(더스틴 호프만).

그가 아버지 사업 파트너 부인과 바람을 피우면서 느끼는 소외감을 아이러니

〈졸업〉. © Embassy Pictures

하게도 폴 사이먼 노래가 완벽하게 반영해 주는 역할을 하게 되면서 영화와 배경 노래가 동반 히트 되는 후광을 얻게 된다.

〈졸업〉을 통해 가장 유명해준 노래가 바로 'Mrs. Robinson'.

폴 사이먼은 루즈벨트 대통령 영부인 엘리노어 루즈벨트 Eleanor Roosevelt를 칭송하는 의미에서 'Mrs. Roosevelt'를 작곡해 두었다고 한다.

마이크 니콜스 감독은 〈졸업〉의 강열한 분위기를 위해 'Mrs. Roosevelt'에 대한 사용 허락을 강력하게 요청했다고 한다.

마침내 사이먼의 노래는 벤을 유혹하는 로빈슨 부인의 행각을 묘사해 주는 배경 노래로 선곡 되면서 제목도 'Mrs. Robinson'으로 교체하게 된다.

〈아메리칸 파이〉 등 중년 부인들의 외도(外道) 장면에서는 단골로 'Mrs. Robinson'이 들려오고 있다.

데이브 그루신은 당시 주로 TV 쇼 배경 음악을 전문적으로 작곡해 오고 있는 상황이었다.

그루신은 〈졸업〉에서 사이먼 앤 가펑클 노래가 사용되지 않고 있는 장면의 배경 곡에 대한 작곡을 요청 받게 된다.

특별한 언급: 〈졸업〉이 개봉됐던 1967년에는 의미 있는 2편의 영화가 연이어 선보인다.

다큐 전문 감독 D. A 페니베이커 D. A. Pennebaker는 밥 딜런의 1965년 영국 순회 공연 실황을 담은 〈돈 룩 백 Don't Look Back〉을 발표한다.

가감 없는 콘서트 현장 분위기를 담아내 '시네마 베리테 음악 다큐멘터리'로 평가 받는다.

개봉 직후 '밥 딜런이 허용한 것보다 더 가깝게 그의 음악 세계를 알게 됐다.'는 소감이 쇄도했다.

또 한편의 의미 있는 영화가 비틀즈의 3번째 출연 영화 〈매지컬 미스테리 투어 Magical Mystery Tour〉의 개봉이다.

전체적으로 급조 된 엉성한 구성으로 인해 응집력이 부족했다.

하지만 'I Am the Walrus'와 'The Fool on the Hill' 등과 같은 일부 음악 장면은 칼라 영상으로 담겨져 깊은 인상을 남겨 주었다는 호의적 평을 듣게 된다.

1-14. 〈노란 잠수함 Yellow Submarine〉(1968)

비틀즈는 프레드 선장과 동행해서 노란 잠수함을 타고 페퍼랜드로 간다. 그곳에서 음악을 싫어하는 블루 미니즈를 구출해 주기로 한다.

\- 버라이어티

The Beatles agree to accompany Captain Fred in his yellow submarine and go to Pepperland to free it from the music-hating Blue Meanies.

\- Variety

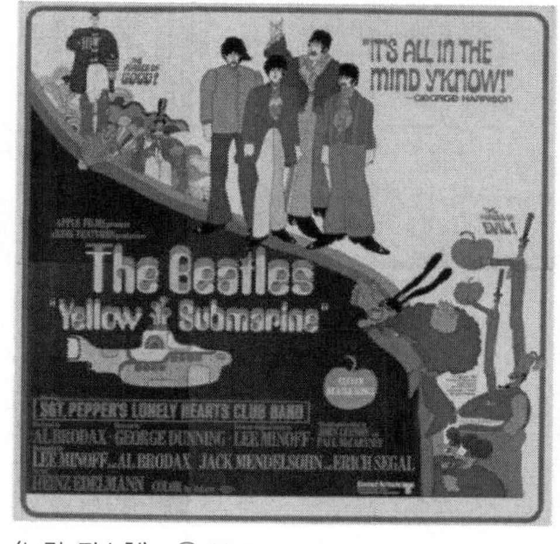

〈노란 잠수함〉. © United Artists

비틀즈는 애니메이션 〈노란 잠수함 Yellow Submarine〉 제작에 마지못해 협조한다.

극 마무리쯤에 모습을 드러낸 것은 계약상 의무 조항이어서 실행한 것이라고 알려졌다.

비틀즈는 4곡의 신곡을 포함해 총 12곡을 들려주고 있다.

존 레논의 'Hey Bulldog'는 짧게 들려준다는 이유로 노래를 중간에 삭제해 버리는 횡포(?)를 부린다.

우여곡절 끝에 개봉한 애니메이션은 시종 기발한 유머 감각, 눈부신 사이키델릭 한 비주얼 및 10여 곡이 넘는 비틀즈 노래 덕분에 모든 연령층에서 환대를 받는 등 흥행 돌풍을 일으킨다.

〈노란 잠수함〉은 비틀즈 매력을 젊은 세대들에게 홍보하는 가장 효과적 작품으로 대접 받고 있다.

특별한 언급: 〈노란 잠수함〉은 다큐멘터리, 일러스트를 활용한 아트 필름 스타일로 구성했다.

다큐와 아트 필름을 융합시킨 제작 방식은 록 밴드 롤링 스톤 Rolling Stones 이 'Sympathy for the Devil' 뮤직 비디오에서 원용한다.

프랑스 누벨 바그 영화 운동을 주도했던 장 뤽 고다르 Jean-Luc Godard는 1968년 5월 유럽 전역에서 발생한 대학생들의 반정부 움직임을 묘사하기 위해 비틀즈 '노란 잠수함'을 자료 화면으로 인용했다.

1-15. 〈미드나잇 카우보이 Midnight Cowboy〉(1969)

남성 호모, 남창(男娼)들의 일화를 묘사했다는 이유로 성인 관람 등급인 X 등급을 받는다. 아카데미 작품상을 따내는 이변을 일으킨다.

〈미드나잇 카우보이〉는 존 배리 John Barry가 배경 음악을 작곡했다.

몇 곡의 팝 음악이 첨부되고 있다.

시대적 분위기를 반영하기 위해 무명의 LA 출신 작곡가 워렌 지본 Warren Zevon이 만든 레슬리 밀러 Leslie Miller의 'He Quit Me'가 배치됐다.

뭐니뭐니 해도 프레드 닐 Fred Neil이 작곡하고 해리 닐슨 Harry Nilsson이 편곡하고 불러 준 'Everybody's Talkin'은 〈미드나잇 카우보이〉를 상징시키는 밀리언셀러 노래가 된다.

특별한 언급: 1969년은 〈미드나잇 카우보이〉와 데니스 호퍼 감독 〈이지 라이더 Easy Rider〉 등 기념비적인 작품이 연이어 공개됐다.

〈미드나잇 카우보이〉. © United Artists

1-16. 〈우드스탁 Woodstock〉(1970)

마약 drugs, 폭우 rain, 진흙 mud, 정치 politics, 억압 받지 않는 사랑 free love. 1960년대 히피 시대 the hippie era를 상징하는 단어들이다.

모든 요소를 담고 있는 다큐 음악 영화가 〈우드스탁 Woodstock〉.

1969년 8월 16일-19일까지 진행됐던 우드스탁 록 페스티벌 현장을 3시간 음악 다큐로 수록한 작품이다.

마이클 왜드리히 Michael Wadleigh 감독.

축제는 '평화와 음악을 위한 3일 Three Days of Peace & Music'이라는 취지를 내걸었다.

록 축제는 리치 헤이븐스 Richie Havens의 자유분방한 오프닝 곡 'Freedom'으로 서막을 알린 뒤 지미 헨드릭스 Jimi Hendrix가 대단원의 막을 선포하는 것으로 진행된다. 아카데미 장편 다큐 상을 수여 받는다.

특별한 언급: 우드스탁 록 페스티벌은 많은 음악인들에게 창작 열정을 자극시켰다고 한다.

〈우드스탁〉. © Warner Bros

록 밴드 롤링 스톤은 우드스탁 분위기를 모방해서 'Gimme Shelter'를 발표했다고 한다.

비틀즈도 우드스탁이 끼친 음악의 사회 문화적 여파를 실감했다고 한다.

1970년 해체 앨범 'Let It Be'에서 이런 영향을 담아내려고 고군분투했다고 전해진다.

1-17. 〈해롤드와 모드 Harold and Maude〉(1971)

〈해롤드와 모드〉. © Paramount Pictures

마이크 니콜스 Mike Nichols 감독이 사이먼 앤 가펑클을 기용해서 선보인 〈졸업〉에서 자극을 받고 제작됐다.

할 애쉬비 Hal Ashby 감독은 포크 싱어 캣 스티븐스 Cat Stevens에서 사운드트랙 제작을 요청하고 〈해롤드와 모드 Harold and Maude〉를 발표한다.

죽음에 집착하는 18세 소년.

그에게 인생을 즐기는 방법을 가르쳐 주는 할머니 출현으로 암울하고 재미있는 사연이 펼쳐지고 있다.

〈해롤드와 모드〉를 위해 캣 스티븐스는 주제가 역할을 하고 있는 'If You Want to Sing Out, Sing Out'을 포함해 'On the Road to Find Out' 'Tea for the Tillerman' 등을 불러주고 있다.

엘튼 존은 애초 사운드트랙을 제안 받았지만 자신의 음악 경력에 큰 도움이 될 것 같지 않다는 생각으로 고사(苦辭) 했다고 한다.

이런 정황으로 캣 스티븐스에게 기회가 돌아가게 된다.

1-18. 〈하더 데이 컴 The Harder They Come〉(1972)

〈하더 데이 컴 The Harder They Come〉은 음악 사적으로 지대한 공헌을 한 작품이다.

자마이카 토속 장르 '레게 Reggae' 존재를 서구 음악 시장으로 널리 알리는 공적을 세운 것이다.

〈하더 데이 컴〉. © New World Pictures

지미 클리프는 1940년대 실존 인물인 범죄자 아이반 호 마틴 역으로 출연하고 있다.

사운드트랙에서 타이틀 곡 'You Can Get It If You Really Want' 'Seating in Limbo' 'Many Rivers to Cross' 등 4곡을 불러 주고 있다.

자마아카 출신 음악 그룹 더 메이탈스 The Maytals가 'Pressure Drop' 'Sweet and Dandy' 등을 들려주고 있다.

1-19. 〈아메리칸 그래피티 American Graffiti〉(1973)

〈THX 1138〉에 이어 조지 루카스 감독이 발표한 2번째 장편 영화가 〈아메리칸 그래피티〉이다.

감독 자신의 10대 시절의 경험담을 극화했다.

1962년 여름 마지막 밤.

아이들이 학교가 다시 개학하기 직전 재미를 위해 지역 주변을 자동차로 순항하는 모습을 펼쳐주고 있다.

델 샤논 Del Shannon의 'Runaway', 크리켓 Crickets의 'That'll Be the Day', 델-바이킹 Del-Vikings의 'Come Go With Me' 등을 포함해서 비틀즈 출현 이전 시기에 히트 됐던 흘러간 록큰롤

이 40여 곡 이상 쉴 새 없이 흘러나오고 있다.

특별한 언급: 〈아메리칸 그래피티〉와 같은 시기에 공개된 마틴 스콜세즈 감독의 〈비열한 거리 Mean Streets〉.

이 영화에서도 록 밴드 롤링 스톤 the Rolling Stones의 'Jumpin Jack Flash'에서부터 밴드 크림 Cream의 'Steppin Out', 로네츠 the Ronettes의 'Be My Baby' 등 1960년대 유행했던 보컬 팝이 풍성하게 들려오고 있다.

1-20. 〈드라큐라의 아들 Son of Dracula〉(1974)

〈드라큐라의 아들〉. © Cinemation Industries

드라큐라 아들 다운 백작(해리 닐슨).

괴물 대회에서 스승이자 마술사 멀린(링고 스타)에 의해 명계의 왕 King of the Netherworld으로 즉위하게 된다.

다운 백작은 미모의 인간 엠버(수잔나 리)와 사랑에 빠진다.

왕권을 호시탐탐 노리고 있는 프랑켄슈타인 남작(프레디 존스)과 일촉즉발의 대결 상황에 놓이게 된다.

1970년대는 뛰어난 록 음악 영화가 풍성하게 공개된 시기로 기록되고 있다.

〈드라큐라의 아들〉은 흥미롭게도 팝 스타 해리 닐슨과 비틀즈 멤버 링고 스타가 연기자로 출연하고 있다는 것이 관람 욕구를 불러일으켰다.

해리 닐슨의 대표적 히트곡 'Without You'를 필두로 해서 영화를 위해 특별하게 작곡했다는 'Daybreak'와 'Down' 'At My Front Door' 'Remember'

'Moonbeam Song' 'Jump Into The Fire' 등이 사운드트랙에 포진하고 있다.

할리우드 개봉 당시 '최초의 록큰롤 드라큐라 영화 The First Rock-and-Roll Dracula Movie!'라는 선전 문구를 내걸었다.

1-21. 〈토미 Tommy〉(1975)

노라 워커는 영국 폭격기 조종사 남편이 실종되어 제2차 세계대전에서 사망한 것으로 추정된다는 말을 듣게 된다.

전쟁미망인이 된 노라.

홀로 아들을 출산하고 토미라는 이름을 붙여 준다.

토미가 청소년일 때 노라는 교활한 캠프 카운슬러 프랭크와 재혼한다.

얼마 지나지 않아 토미는 만나보지 못한 친부(親父)와 계부와 관련된 충격적인 경험을 겪게 된다.

토미는 귀머거리, 벙어리에 시각 장애인으로 전락한다.

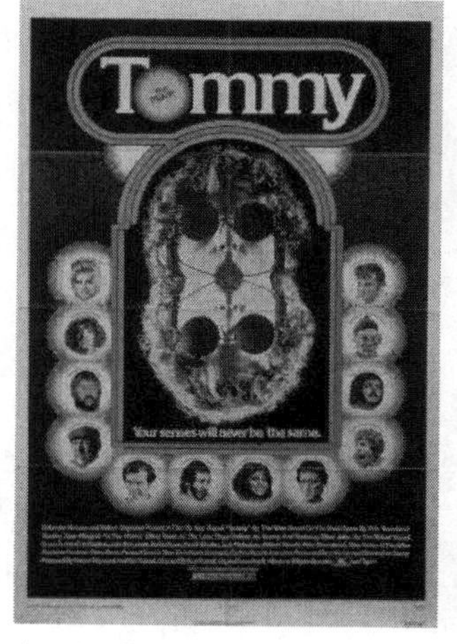

〈토미〉. © Columbia Pictures

주변 사람들은 자신들의 즐거움을 위해 토미의 상황을 이용한다.

노라는 토미가 겪는 심인성 장애에서 벗어나게 하기 위해 여러 가지 시도를 한다.

어느덧 청년으로 성장한 토미.

우연히 핀볼에 탁월한 재능이 있다는 것을 발견하게 된다.

직감을 적극 활용해 토미는 단시일내에 핀볼 마스터가 된다.

돈과 명예를 얻게 된 토미.

노라와 계부 프랭크도 덩달아 부자와 유명인으로 대접 받게 된다.

토미의 행적에 부러움을 느낀 주변 사람들의 요구에 따라 토미는 사람들의 귀를 멀게 하고, 음소거하고, 눈을 멀게 한다.

이 와 중 에 불만을 품은 사람들이 폭동을 일으킨다.

돌발 사건으로 노라와 프랭크는 사망하게 된다.

토미는 잔해에서 부모의 시신을 찾아 애도를 보낸다.

토미는 부모가 신혼여행 당시 떠오르는 태양을 축하했던 바로 그 봉우리로 올라간다.

〈토미 Tommy〉(1975)는 켄 러셀 Ken Russell이 각본 및 감독을 맡아 공개한 풍자 오페레타 환타지 영화다.

록 밴드 더 후 The Who가 1969년 발매한 록 오페라 앨범 'Tommy'를 근간으로 했다.

밴드 멤버 중 타이틀 역할을 맡은 리드 싱어 로저 탈트리 Roger Daltrey를 비롯해 앤-마가렛 Ann-Margret, 올리버 리드 Oliver Reed, 에릭 클랩튼 Eric Clapton, 티나 터너 Tina Turner, 엘튼 존 Elton John, 잭 니콜슨 Jack Nicholson 등 음악계와 영화계 스타들이 대거 초빙 받아 앙상블 캐스트를 펼쳐주고 있다.

리더 피트 타운센드는 음악 영화를 위해 신곡을 창작하는 열의를 보인다.

특별한 언급: 〈토미〉가 공개된 같은 해 런던에서 뜨거운 호응을 얻은 뮤지컬 '록키 호러 쇼' 영화 버전 〈록키 호러 픽처〉가 개봉된다.

저예산 SF와 호러 영화에 경의를 표하면서 글램 록으로 사운드트랙을 설정한 영화는 컬트 클래식이 된다.

심야 단골 상영작으로 각광 받으면서 관객이 화면을 향해 소리를 지르면 '시간 왜곡 the Time Warp'을 실행하는 방법을 가르쳐 주는 등 축제 분위기를 조성해 주었다.

1-22. 〈지구로 떨어진 사나이 The Man Who Fell to Earth〉(1976)

1967년부터 1970년까지 팝계에서 두각을 드러낸 데이비드 보위.

가뭄에 시달리는 행성으로 가져올 물을 찾는 외계인에 관한 영화 〈지구로 떨어진 사나이〉를 통해 록 스타에서 영화배우 겸업 선언을 하게 된다.

찬사를 받은 연기 덕분에 1983년 〈메리 크리스마스 미스터 로렌스 Merry Christmas Mr. Lawrence〉 〈라비린스 Labyrinth〉 등에 연속 캐스팅 된다.

팝 뮤지션은 이때부터 카메라 앞에서 알찬 부업 경력을 쌓게 된다.

〈지구로 떨어진 사나이〉. © British Lion Pctures

1-23. 〈토요일 밤의 열기 Saturday Night Fever〉(1977)

〈토요일 밤의 열기 Saturday Night Fever〉는 1970년대 말 전 세계를 '디스코 움직임 The disco movement'으로 몰아간다.

TV 영화를 전전하던 존 트라볼타.

그는 댄스 플로어에서 현란한 디스코 댄스를 펼쳐 보이는 브룩클린 노동자 청년 토니 마네로 연기를 통해 단번에 1급 흥행 배우로 등극하게 된다.

프로 안무가들을 동원해서 재현한 댄스 장면과 1,600만 장이 넘게 팔려 나간 비지스가 주도한 사운드트랙 덕분에 디스코는 국제적인 유행을 불러일으킨다.

〈토요일 밤의 열기〉. © Paramount Pictures

특별한 언급: 1977년 흥행가에서 〈토요일 밤의 열기〉에 이어 2번째로 주목 받은 음악 영화가 제리 가르시아 각본, 연출의 음악 다큐 〈그레이트풀 데드 The Grateful Dead〉이다.

1974년 10월 샌 프란시스코 윈터랜드에서 5일 연속 진행 된 밴드의 라이브 실황을 담고 있다.

1-24. 〈라스트 월츠 The Last Waltz〉(1978)

록 역사상 가장 유명한 하룻밤 콘서트 중 하나인 '라스트 왈츠'.

〈라스트 월츠〉. © United Artists

밴드 오리지널 라인업의 마지막 공연을 담은 다큐 음악 영화이다.

해산을 선언한 더 밴드의 고별 공연을 위해 밥 딜런 Bob Dylan, 에릭 클랩튼 Eric Clapton, 닐 영 Neil Young, 조니 미첼 Joni Mitchell, 머디 워터스 Muddy Waters, 밴 모리슨 Van Morrison 등 1급 뮤지션 12명이 흔쾌히 찬조 출연을 해주고 있다.

마틴 스콜세즈 Martin Scorsese는 더 밴드 the Band 멤버들과 인터뷰를 통해 그들의 음악 역사와 주요 노래에 대한 소견 그리고 공연 실황을 카메라에 담는다.

이 와 함께 찬조 공연을 위해 무대에 오른 에밀루 해리스 Emmylou Harris 및 스테이플 싱어스 Staple Singers에 대한 무대 공연도 화면에 수록한다.

특별한 언급: 1970년대는 〈버디 홀리 스토리 The Buddy Holly Story〉 〈그리스 Grease〉 〈내셔널 램푼 동물 농장 National Lampoon's Animal

House〉〈아이 워너 홀드 유어 핸드 I Wanna Hold Your Hand〉〈FM〉 등 음악 영화가 풍성하게 개봉되면서 향수감 가득한 정서를 전달시켜 주게 된다.

팝 뮤지션 중에는 톰 페티 Tom Petty, 핫브레이커스 the Heartbreakers, 린다 론스타트 Linda Ronstadt, REO 스피드왜곤 REO Speedwagon, 지미 부펫 Jimmy Buffett 등이 카메오 역할로 음악 영화 한 귀퉁이를 장식해 주게 된다.

또 하나 빠트릴 수 없는 음악 영화 〈더 루틀스: 당신이 원하는 것은 현찰 The Rutles: All You Need Is Cash〉은 음악 경력이 비틀즈 the Beatles와 비슷하다고 허풍을 떠는 뮤지션 에릭 아이들(몬티 페이돈)과 닐 아이네스(본조 독 두-다 밴드)의 음악 여정을 다룬 픽션을 가미시킨 TV용 모큐멘터리 mockumentary이다.

이들의 너스레는 관객들로부터 공감을 얻지 못해 흥행 참패작으로 사라진다.

비틀즈 앨범 'Sgt. Pepper's Lonely Hearts Club Band'를 모방한다는 것은 난공불락(難攻不落)이라는 것을 새삼 깨우쳐 주게 된다.

1-25. 〈지옥의 묵시록 Apocalypse Now〉 (1979)

〈지옥의 묵시록〉. © United Artists

조셉 콘라드 Joseph Conrad 소설 '어둠의 심해 Heart of Darkness〉를 베트남 전쟁으로 무대를 옮겨 프란시스 코폴라가 각색한 것이 〈지옥의 묵시록 Apocalypse Now〉이다.

가장 유명한 음악사용은 바그너의 클래식 'Ride of the Valkyries'.

전쟁광 길고어 중령이 헬기 편대를 이끌고 베트남 마을에 무차별 포격을 가하는 장면의 배경 음악으로 들려오고 있다.

뭐니 뭐니해도 강한 인상을 남겨 준 곡은 오프닝 및 클로징 크레디트를 장식해 주고 있는 음산한 분위기의 그룹 도어즈 The Doors의 'The End'이다.

육감적인 바니걸스들이 동물적 반응을 보이고 있는 수천명의 병사들 앞에서 공연을 하는 장면에서는 롤링 스톤의 '(I Can't Get No) Satisfaction'이 전쟁와중에 유유자적하게 베트남 해변에서 서핑을 하는 장면에서는 중창단 비치 보이스의 'Surfin Surfari'가 화면과 어울리는 화음을 들려주고 있다.

특별한 언급: 1979년은 의미 있는 음악 영화와 앨범이 발표된다.

록 밴드 더 후 The Who는 콘셉 앨범 'Quadrophenia'와 음악 다큐 〈더 키즈 아 올라이트 The Kids Are Alright〉를 발표하는 등 왕성한 활약을 펼친다.

펑크 록 밴드 라모네스 the Ramones 음악 여정을 다룬 〈록큰롤 하이 스쿨 Rock n Roll High School〉, 닐 영 Neil Young의 콘서트 실황을 담은 〈러스트 네버 슬립 Rust Never Sleeps〉 등이 영화와 음악 팬들을 모두 만족시킨다.

1-26. 〈블루스 브라더스 The Blues Brothers〉(1980)

존 벨루시(John Belushi)와 댄 애크로이드(Dan Aykroyd).

두 사람은 라이브 쇼로 유명한 '새터데이 나이트 라이브 Saturday Night Live'를 통해 유명세를 얻은 재능 꾼이다.

이들의 TV쇼 행적을 대형 스크린으로 각색한 〈블루스 브라더스〉를 통해 2 사람은 흡사 신의 지시(指示)를 받은 것처럼 춤과 연기에 대한 천부적인 재능을 유감없이 발휘한다.

〈블루스 브라더스 The Blues Brothers〉는 사운드트랙을 통해 1950년대와

1960년대 유행했던 블루스와 소울 음악을 소환시킨다.

〈블루스 브라더스〉. © Universal

이런 분위기에 신뢰를 주기 위해 전설적인 뮤지션 아레사 프랭클린 Aretha Franklin, 제임스 브라운 James Brown, 레이 찰스 Ray Charles, 캡 캘로웨이 Cab Calloway, 부커 T 앤 더 M. G Booker T and the M.G 멤버 스티브 크롭퍼 Steve Cropper와 도날드 덕 듄 Donald Duck Dunn 등이 실명으로 출연해 깜짝 연기와 짧지만 강렬한 음악 공연을 펼쳐주고 있다.

특별한 언급: 〈블루스 브라더스〉가 리듬 앤 블루스와 소울 장르의 매력을 전파시킨다.

이에 반발하듯(?) 같은 시기에 호주 출신 록 밴드 AC/DC의 1979년 12월 진행됐던 파빌리온 드 파리 공연 실황과 픽션 사연을 적절하게 결합시킨 음악 다큐 〈AC/DC: 렛 데어 비 록 AC/DC: Let There Be Rock〉이 공개된다.

영화 촬영 도중 밴드 리드 보컬 본 스코트 Bon Scott가 폭음 후유증으로 갑자기 사망하는 돌발 사태가 벌어졌다.

1-27. 〈헤비 메탈 Heavy Metal〉(1981)

〈헤비 메탈〉. © Columbia Pictures

인기 있는 공상 과학 및 환타지 만화 잡지에 연재 됐던 10여 가지 에피소드를 장편 애니메이션으로 제작한 것이 〈헤비 메탈〉이다.

사운드트랙을 위해 새미 헤이가 Sammy Hagar, 칩 트릭 Cheap Trick, 스티비 닉스 Stevie Nicks, 저니 Journey, 디보 Devo 및 블루 오이스터 컬트 Blue Oyster Cult 등이 적극적인 협조를 아끼지 않았다.

1-28. 〈핑크 플로이드의 벽 Pink Floyd: The Wall〉(1982)

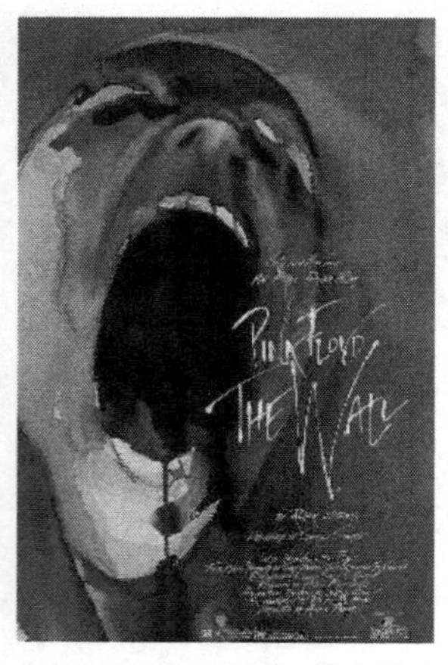

〈핑크 플로이드의 벽〉. © MGM

알란 파커 Alan Parker는 제랄드 스카프 Gerald Scarfe의 적극적 지원을 받아 프로그레시브 록 밴드 핑크 플로이드 Pink Floyd의 걸작 앨범 'The Wall'에 생명력을 불어 넣게 된다.

밴드 붐타운 랫츠 Boomtown Rats 멤버 밥 겔도프 Bob Geldof는 청중과 점점 더 멀어지는 록 스타 핑크 역할로 출연하고 있다.

레코드 노래와는 약간 다른 버전이 사운드트랙으로 사용되고 있다.

영화는 'When the Tigers Broke Free'를 들려주면서 화려한 록 향연이 시작될 것임을 선포하고 있다.

'5:11 AM (The Moment of Clarity)'은 로저 워터스(Roger Waters)가 발매할 앨범 'The Pros and Cons of Hitch Hiking'에서 미리 제공 받아 영화 사운드트랙에 수록한 것으로 알려졌다.

특별한 언급: 1982년에는 의미 있는 음악 관련 작품이 흥행가를 강타한다.

에이미 핵커링 감독, 카메론 크로우가 시나리오를 집필한 〈리치몬드 연애소동 Fast Times at Ridgemont High〉.

리치몬드에 재학하고 있는 학생들의 여러 에피소드는 1970년대 시대 배경에 어울리는 다채로운 음악을 들려주고 있다.

잭슨 브라운 Jackson Browne, 스티비 닉스 Stevie Nicks, 그래함 내시 Graham Nash, 포코 Poco, 새미 헤이가 Sammy Hagar, 지미 부펫 Jimmy Buffett, 밴드 고-고스 the Go-Go's, 쿼터플래시 Quarterflash 등의 노래를 들을 수 있다.

다큐 〈어! 뮤직 워 Urgh! A Music War〉, 펑크 록커의 스타덤에 오르는 과정을 보여주고 있는 〈레이디스 앤 젠틀맨, 페뷸러스 스테인스 Ladies and Gentlemen, the Fabulous Stains〉, 그룹 서바이버 Survivor의 'Eye of the Tiger'가 밀리언셀러 히트가 된 〈록키 3 Rocky III〉 등은 펑크 록과 뉴 웨이브 장르를 내세워 영화와 사운드트랙이 동반 히트 된다.

1-29. 〈빅 칠 The Big Chill〉(1983)

'히피 이상주의 죽음 The death of hippie idealism'.

로렌스 카스단 Lawrence Kasdan 감독이 〈빅 칠 The Big Chill〉을 통해 제시한 메시지로 알려져 있다.

베이비 붐 세대로 대학 생활을 같이 했던 동창 중 한 명이 자살한다.

참사(慘事)를 계기로 오랜만에 동기들이 재회하게 된다.

롤링 스톤 Rolling Stones의 'You Can't Always Get What You Want', 영 라스칼스 Young Rascals의 'Good Lovin', 아레사 프랭클린 Aretha Franklin의 '(You Make Me Feel Like) A Natural Woman', 마빈 게이 Marvin Gaye의 'I Heard It Through the Grapevine' 등을 들을 수 있다.

사운드트랙은 극중 시대 배경에 맞추어 1960년대 중, 후반 주목 받았던 록과 소울 장르의 노래 18곡이 빼곡하게 선곡되고 있다.

조지 루카스 감독의 〈아메리칸 그래피티 American Graffiti〉가 1950년대 록의 가치를 소환(召喚)시켰다.

이에 맞물려 〈빅 칠〉은 1960년대 유행했던 록큰롤을 통해 흘러 간 세월에 대한 향수심을 자극시켰다.

특별한 언급: 〈빅 칠〉과 같은 해 공개된 영화 중 1960년대를 배경으로 한 〈에디 앤 더 크루저스 Eddie and the Cruisers〉를 빼놓을 수 없다.

TV 방송국 뉴스 전문 여기자.

지금은 행방이 묘연한 1960년대 활약했던 록 밴드 리더 에디 윌슨 Eddie Wilson.

그가 아직 생존해 있다는 것에 확신을 갖고 밴드가 발표하지 못하고 행방불명된 음반 테이프와 에디 행적을 찾아 나선다.

주제곡으로 들려오고 있는 노래가 존 캐퍼티와 비버 브라운 밴드 John Cafferty and the Beaver Brown Band의 'On the Dark Side'.

브루스 스프링스틴 스타일 the Bruce Springsteen-esque의 곡으로 빌보드 탑 10에 진입하는 환대를 받았다.

1-30. 〈디스 이즈 스파이널 탭 This Is Spinal Tap〉(1984)

록 음악을 주제로 했거나 그와 흡사한 영화에서 자주 인용되는 문구는 다음과 같다.

11번으로 갑니다. These go to 11. 구토할 때는 먼지를 털어 낼 수 없다. You can't dust for vomit. 멍청함과 영리함 사이 아주 미세한 경계선. It's such a fine line between stupid and clever. 헬로! 클리블랜드 Hello! Cleveland! 섹시한 것이 뭐가 문제야? What's wrong with being sexy? 바지 속에 아르마딜로가 있

지! We've got armadillos in our trousers. 제기랄! 샌드위치. Shit! sandwich.

쇠퇴해 가는 영국 메탈 밴드에 대한 아쉬움에 대해 롭 라이너 Rob Reiner 감독이 선보인 즉흥 영화다.

'록 밴드 음악인들의 상황을 너무 현실감이 있게 묘사했다.'는 찬사를 받는다.

영화 개봉 이후에도 많은 음악가들은 이 영화가 풍자 코미디적인 요소를 담고 있다는 것을 눈치 채지 못할 만큼 공감을 했다고 한다.

사운드트랙에 수록된 노래 제목도 'Hell Hole' 'Sex Farm' 'Big Bottom' 'Stonehenge' 등 자극적이다.

하지만 음악을 가미한 코미디 영화 특성을 드러내 주고 있다는 긍정적 호응을 얻어낸다.

특별한 언급: 1984년 조나단 뎀 감독의 음악 다큐 〈스톱 메이킹 센스 Stop Making Sense〉가 공개된다.

록 밴드 토킹 헤즈 Talking Heads가 1983년 12월 할리우드 판타지 극장 Hollywood's Pantages Theater 진행했던 3일 동안의 실황을 담고 있다.

1984년 공개 된 음악 영화 중 〈퍼플 레인 Purple Rain〉도 빼놓을 수 없다.

록커 프린스 Prince가 연기자 진출을 선언했던 〈퍼플 레인 Purple Rain〉도 뜨거운 관심을 얻어낸다.

타이틀 노래는 빌보드 핫 100 1위를 차지한다.

케빈 베이컨 주연의 〈풋루즈 Footloose〉는 록 음악과 춤을 금지하고 있는 지극히 종교이고 보수적인 마을 분위기를 바꿔 보려는 10대들의 움직임을 묘사해 주고 있다.

시나리오 작가 딘 피치포드 Dean Pitchford가 구성한 스토리가 공감을 얻어낸다. 사운드트랙은 빌보드 Top 40에 무려 6곡을 진입시키는 밀리언셀러 음반이 된다.

1-31. 〈블렉퍼스트 클럽 The Breakfast Club〉(1985)

〈블랙퍼스트 클럽〉. © Universal Pictures

가족 모두가 자신의 16살 생일을 잊어 버리고 있다는 것을 알게 된 10대 소녀가 겪는 당혹스러움을 다룬 〈식스틴 캔들스 Sixteen Candles〉(1984).

존 휴즈 John Hughes 감독은 흥행 여세를 몰아 이번에는 한적한 교외에 거주하고 있는 10대 청소년들이 겪는 여러 문제를 다룬 〈블렉퍼스트 클럽〉을 발표한다.

휴즈 감독은 심플 마인드 Simple Minds의 'Don't You (Forget About Me)'를 주제곡으로 선곡해서 10대 관객들의 공감을 얻어낸다.

신세사이저를 적극 활용한 'Don't You (Forget About Me)'는 클로징 크레디트에서 다시 흘러나오면서 영화에 대한 애뜻한 기억을 오래 도록 간직시켜 주는 효과를 던져 준다.

특별한 언급: 〈블렉퍼스트 클럽〉이 공개 된 1985년 휴이 루이스의 율동감 넘치는 'Power of Love'는 로버트 저멕키스 감독의 시간 여행 로맨스극 〈백 투 더 퓨처 Back to the Future〉에 수록되면서 빌보드 1위에 당당히 진입한다.

극중 마이클 J. 폭스는 기타를 둘러매고 척 베리 명곡 'Johnny B. Goode'을 연주해 주어 주변을 깜짝 놀라게 만든다.

1-32. 〈페리스의 해방 Ferris Bueller's Day Off〉(1986)

존 휴즈 John Hughes 감독의 〈페리스의 해방 Ferris Bueller's Day Off〉에서는 음악을 통해 명장면을 다수 만들어 낸다.

관객들로부터 가장 많은 호응을 받았던 장면은 카메론(알란 럭) 아버지가 페라리 Ferrari 자동차를 몰고 등장할 때 옐로 Yello의 'Oh Yeah'가 들려오고 있다.

중년 남자가 주로 젊은 층이 애호하는 자동차를 몰고 한껏 호기를 부리는 장면은 영화 공개 이후 여러 대중 매체에서 '패러디 parody' 되는 여파를 남긴다.

음악 때문에 강한 여운을 남긴 2번째 장면은 페리스(매튜 브로데릭)가 퍼레이드 장소에서 웨인 뉴튼 Wayne Newton의 'Danke Schoen'와 비틀즈 the Beatles의 'Twist and Shout'를 립싱크로 불러 주는 장면이다.

〈페리스의 해방〉. © Paramount Pictures

3명의 교장이 시카고 예술 연구소 the Art Institute of Chicago가 주최한 명화 전시회를 찾는다.

이들이 조르쥬 세루랏 Georges Seurat의 'A Sunday Afternoon on the Island of La Grande Jatte'를 바라보고 있다.

이 장면에서 그룹 더 스미스 the Smiths의 대표적 히트 곡 'Please, Please, Please, Let Me Get What I Want' 연주 곡 버전이 들려오고 있다.

드림 아카데미 Dream Academy가 커버 연주한 음반을 사용하고 있다.

특별한 언급: 1986년 존 휴즈의 열성적 재능이 담겨 진 작품이 공개된다.

휴즈 영화의 단골 출연자 몰리 링월드가 주연을 맡은 하워드 더치 Howard Deutch 감독의 〈프리티 인 핑크 Pretty in Pink〉.

가난한 집안 출신 소녀.

배려심과 풋풋한 감정을 갖고 있지만 소녀만큼 넉넉지 않은 집안의 남자와 부유하지만 예민한 성격의 플레이보이 중 한 명을 선택해야 하는 처지에 놓이게 된다.

10대 소녀가 겪을 수 있는 사연을 로맨스 코미디로 구성한 글 재주꾼이 존 휴즈이다.

〈프리티 인 핑크〉에서도 풍성한 사운드트랙이 배치되어 있다. 신세사이저 팝을 주도한 그룹 OMD의 'If You Leave'는 가장 뜨거운 반응을 얻어낸다.

1986년은 사운드트랙이 풍성하게 발표된다.

〈탑 건 Top Gun〉에서는 베를린의 사랑의 테마 'Take My Breath Away'와 해롤드 팔터마이어 작곡의 '탑 건 찬가', 〈풋루즈 Footloose〉에서는 케니 로긴스의 타이틀 노래가 빌보드 상위권을 연이어 차지한다.

여기서 그친 것이 아니다.

펑크 록의 기이한 커플 사연을 다룬 〈시드와 낸시 Sid and Nancy〉, 벤 E. 킹의 동명 주제가를 사용했던 〈스탠 바이 미 Stand by Me〉, 〈블루 벨벳 Blue Velvet〉에서는 로이 오비슨의 명곡 'In Dreams'가 성격파 배우 딘 스톡웰 Dean Stockwell의 립-싱크 lip-synced 버전이 삽입돼 음악 애호가들의 이목을 집중시킨다.

록 밴드 주다스 프리스트 Judas Priest의 콘서트 실황을 담은 17분 짜리 다큐 〈헤비 메탈 파킹 롯 Heavy Metal Parking Lot〉이 발표됐다.

1-33. 〈라 밤바 La Bamba〉(1987)

2024년 기준으로 65년 전.

록큰롤 스타로 막 조명을 받기 시작한 리치 발렌스(Ritchie Valens, 1941년 5월 13일-1959년 2월 3일, 향년 18세)는 순회 공연장으로 이동하던 도중 아이오와 주 클리어 레이크 Clear Lake, Iowa, USA 상공에서 비행기 추락 사고로 그만 요절하고 만다.

같은 소형 비행기 탑승했던 버디 홀리 Buddy Holly, 빅 밥퍼 the Big

Bopper 등도 참변을 당한다.

〈라 밤바 La Bamba〉는 약 2여 년도 안 되는 짧은 음악 경력이었지만 불후의 명곡을 남기고 홀연히 사라진 리치 발렌스의 음악 여정을 다루고 있다.

〈라 밤바〉. © Columbia Pictures

루 다이아몬드 필립스 Lou Diamond Phillips가 환생한 듯 열성적 연기와 노래 솜씨를 발휘해 흥행작으로 끌어 올렸다.

로스 로보스 Los Lobos가 생전에 남긴 7곡의 리치 발렌스 노래를 커버한 것을 사운드트랙으로 활용하고 있다.

브라이언 세저 Brian Setzer가 에디 코크란 Eddie Cochran의 노래 'Summertime Blues'를 마샬 크렌쇼 Marshall Crenshaw가 버디 홀리 Buddy Holly 명곡 'Crying, Waiting Hoping'을 커버로 불러주고 있는 노래도 사운드트랙에 수록된다.

특별한 언급: 〈라 밤바〉가 공개된 1987년에는 척 베리의 60세 생일 축하 영화로 〈헤일! 헤일! 록큰롤 Hail! Hail! Rock n Roll〉이 공개된다.

영화에는 에릭 클랩튼 Eric Clapton, 로버트 크레이 Robert Cray, 린다 론스타트 Linda Ronstadt, 에타 제임스 Etta James 등 동료 음악인들이 찬조 출연해주고 있다.

〈더디 댄싱 Dirty Dancing〉은 비틀즈 이전 시대 유행했던 록과 소울 장르 음악을 다수 수록해 음악 애호가들의 환대를 받아낸다.

클리브랜드 지역 술집에서 활동하는 무명 밴드 사연을 담은 〈라이트 오브 데이 Light of Day〉는 마이클 J. 폭스와 콤비를 이루는 누이동생 역할로 록커 조안 제트 Joan Jett가 출연하고 있다. 이 영화에서는 브루스 스프링스틴이 타이틀 송을 불러주고 있다.

1-34. 〈서부 문명의 쇠락 2 The Decline of Western Civilization Part II: The Metal Years〉(1988)

〈서부 문명의 쇠락 2〉. © New Line Pictures

1980년대 초반과 중반 시기 L A를 근거지로 활동하는 헤비 메탈 밴드 활약상을 다룬 전편에 이어 페네로프 스피리스 Penelope Spheeris 감독이 의욕적으로 선보인 속편이다.

헤비 메탈 밴드 및 이들 장르 음악을 구사하고 있는 뮤지션이 대거 출연하고 있다.

라인업은 엘리스 쿠퍼 Alice Cooper, 폴 스탠리 Paul Stanley, 레미 Lemmy, 오즈 오스본 Ozzy Osbourne, 에어로스미스 Aerosmith, 오딘 Odin, 씨듀스 Seduce, 그룹 포이즌 Poison 주요 멤버 등이다.

특별한 언급: 1988년 록 밴드 U2가 진행한 '조슈아 트리 Joshua Tree' 실황을 담은 콘서트 영화 〈래틀 앤 험 Rattle and Hum〉이 공개된다.

영화에서는 밴드가 새롭게 발매했던 'Angel of Harlem' 'When Love Comes to Town' 등이 추가로 들을 수 있다.

1988년 발표된 음악 영화 중 가장 주목할 만한 작품이 TV 스페셜 다큐로 방영된 〈로이 오비슨과 친구들 Roy Orbison and Friends: A Black and White Night〉이다.

록큰롤 초기 시대를 화려하게 장식했던 로이 오비슨 Roy Orbison 음악 업적과 브루스 스프링스틴 Bruce Springsteen, 잭슨 브라운 Jackson Browne, 보니 레이트 Bonnie Raitt, 엘비스 코스텔로 Elvis Costello 등 음악계 동료들의 추모 사연이 담겨져 있다.

1-35. 〈커미트먼트 The Commitments〉(1991)

〈커미트먼트〉. © 20th Century Fox

로디 도일 Roddy Doyle의 동명 소설을 각색했다.

아일랜드 더블린에서 음악 활동을 펼치고 있는 이들이 소울 밴드를 출범시키면서 겪는 음악, 우정 그리고 사랑 이야기를 들려주고 있다.

나이 든 트럼펫 연주자를 제외하고 알란 파커 감독은 배우 대신 알려지지 않은 아일랜드 실제 뮤지션을 대거 캐스팅 했다.

〈원스〉로 일약 스타덤에 올랐던 글렌 한사드 Glen Hansard가 무명 시절 기타리스트 중 한 명으로 출연하고 있다.

오티스 레딩 Otis Redding의 'Try a Little Tenderness'와 앤 피블스 Ann Peebles의 'I Can't Stand the Rain' 등을 커버 버전으로 불러 주고 있다.

오리지널 버전과 비교하면 상당히 미흡하다는 지적을 받았다.

그럼에도 불구하고 음악적 열정을 인정받아 사운드트랙은 1,2 집이 연이어 발매되는 호응을 얻는다.

특별한 언급: 1991년 올리버 스톤 감독은 1960년대 급박하게 진행됐던 미국 정치, 문화, 사회 현상을 회고하기 위해 〈도어즈 The Doors〉를 공개한다.

밴드 보다는 기행(奇行)을 일삼았던 리드 보컬 짐 모리슨(발 킬머)의 행적에 초점을 맞추고 있다.

모리슨은 공연 중에 성기 노출을 감행해 '외설 재판 obscenity trial'을 받았다.

1971년 프랑스 파리의 한 호텔에서 마약 과용으로 인해 사망한다. 향년 27세.

<FM> 개봉 45주년,
흥행에서는 실패했지만
사운드트랙은 성공!

할리우드는 사실 이상한 세계다.

어느 경우.

영화는 절대 실패해서는 안 될 이유가 충분했음에도 불구하고 관객들로부터 철저하게 외면을 받는다.

반면 별다른 노력을 쏟지 않았지만 의외로 뜨거운 호응을 얻은 작품도 탄생되고 있는 곳이다.

1978년 4월 28일 개봉된 음악 영화 〈FM〉은 비평가와 관객들에게 부당하게 비난을 받았다.

개봉 45주년을 맞아 재평가되고 있는 음악이 돋보이는 영화 〈FM〉. © Universal Pictures

그러나 사운드트랙은 계속해서 팔려 나가 100만 장 이상이 팔려 나간다.

당연히 플래티넘이 되고 빌보드 차트 5위권에 진입하는 히트 곡을 탄생시킨다.

음악 영화 〈FM〉은 존 A. 알론조 John A. Alonzo가 메가폰을 잡았다.

마이클 브랜든 Michael Brandon, 에이린 브레난 Eileen Brennan, 알렉 카라스 Alex Karras, 크리본 리틀 Cleavon Little, 마틴 뮬 Martin Mull 및 캐시 예이츠 Cassie Yates 등이 출연하고 있다.

FM 라디오 방송국의 내부 갈등을 음악을 가미시킨 코미디 극으로 들려준다.

각본은 에즈라 색 Ezra Sacks이 집필했다.

Q-SKY 프로그램 디렉터이자 아침 음악 DJ 제프 두간(마이클 브랜든).

제프 두간은 대규모 팬들 성원을 등에 업고 인기 록큰롤을 전문적으로 방송하는 음악 전문 인기 진행자들을 결집시킨다.

제프는 회사 경영진이 더 많은 광고 시간을 판매하기 위해 청취율을 높여줄 것을 기대하고 있다는 것을 알게 된다. 그리고 방송국 내부에서는 전문적인 영업 관리자를 새로 고용했다는 것도 통보 받는다.

새로 부임한 영업 관리자 레기스 라마르(톰 타페이)는 매우 저렴한 비용으로 미 육군 광고를 방송해 달라는 청탁을 한다.

이런 제안을 거부하자 레기스는 방송국 고위 경영진에게 제프 행태를 고자질 한다. 제프는 육군에서 제공한 대로 광고 계약에 따라 이를 실행하라는 통고를 받는다. 부당함을 느낀 제프는 방송국을 그만 둔다.

제프 동료 음악 진행자들은 경연진의 부당한 광고 압력 행위에 부당성에 항의하기 위해 농성과 항의 집회를 진행한다.

일체 광고 없이 음악 방송을 진행하는 것에 대해 청취자들은 동조한다.

그리고 방송국 주변에 집결해 경영진들의 행태를 규탄하는 집회를 갖는다.

제프 듀간은 동료 음악 진행자들이 방송국을 장악했다는 소식을 듣게 된다.

수많은 청취자들은 방송국 주변에 집결한다.

경영진들은 방송국 내부 출입을 차단시킨다.

이에 음악 진행자들은 소방 호스를 활용해 제프를 2층 방송 부스로 끌어 올린다.

경찰이 출동해 방송국을 부당 점령한 음악 진행자들을 해산시키려고 한다.

완강한 거부가 진행되자 견인차가 정문을 부수고 경찰이 건물 안으로 진입한다.

음악 DJ들은 소방 호스와 사무 용품을 집어 던지면서 경찰에게 격렬하게 대항한다.

상황을 지켜 본 제프는 공권력과의 싸움은 잘못된 것이라고 지적한다.

제프는 흥분한 군중을 진정시키고 곧 음악 방송이 재개될 것이라고 밝힌다.

방송국 소유주 칼 빌링스(노만 로이드)는 방송국 주변에 집결해 있던 군중 틈바구니에서 제프의 이런 행태를 지켜보고 있다.

캐릭터 중 가장 인상 깊은 인물 중 한 명이 에릭 스완 역의 마틴 뮬 Martin Mull. 최종 직업 목표는 게임 쇼 진행자.

이런 포부를 성취하기 위해 현재는 음악 진행자로 청취자들에게 환상적인 음악 쇼를 펼치고 있다.

그는 방송국 내부 문제로 청취자들에게 혼란스러움을 주게 되는 상황이 오자 라디오 스튜디오에서 자신이 느끼고 있는 비통함을 토로하는 적극적 행동을 펼치고 있다.

영화 〈FM〉은 104분여 상영 시간 중 2/3 분량을 통해 미국 정치, 사회, 연예산업 문제점을 끊임없이 고발했던 로버트 알트만 감독의 연출 진행 방식을 따라가고 있다.

방송국 내부 비리를 폭로한 피터 핀치 주연의 〈네크워크 Network〉, 오토바이 폭주족을 등장시켰던 데니스 호퍼 감독의 〈이지 라이더 Easy Rider〉를 떠올려 주고 있다.

영화에서 등장하고 있는 방송 진행자 DJ들은 각자 다양한 개인적인 삶의 사연을 갖고 있다.

제프 듀간이 군대에서 만든 베트남 참전에 대한 정당성을 담은 일방적 정책 광고를 방송하도록 경영진으로부터 부당한 압력을 받고 있는 것이 가장 큰 갈등 요인으로 묘사되고 있다.

제프는 방송 중에 '내가 전에 당신에게 거절한 적이 있는 유일한 시간은 당신이 내가 당신을 위해 일하기를 원했을 때이다 The only time I've ever said no to you before is when you wanted me to come work for you'라는 발언을 하면서 무덤덤하게 베트남 전쟁에 대해 잠깐 언급하고 있다.

영화 〈FM〉은 방송 비리 문제를 들려주는 와중에 록큰롤 분위기와 중요성을 강조해 주고 있는 사운드트랙으로 음악 팬들의 관심을 촉발시킨다.

트랙 중 지미 뷔페 Jimmy Buffet과 린다 론스타트 Linda Ronstadt의 라이브 공연이 포함되어 흡사 콘서트 영화 같은 분위기를 제공해 주고 있다.

론스타트는 〈FM〉 사운드트랙을 통해 록 밴드 롤링 스톤 Rolling Stones의 'Tumbling Dice'와 워렌 지본 Warren Zevon의 'Poor Poor Pitiful Me'를

라이브 버전으로 불러주어 가장 많은 관심을 얻어낸다.

팝 팬들의 눈길을 끌고 있는 놓치지 말아야 할 장면이 2군데 있다.

록 밴드 REO Speedwagon이 극중 타워 레코드 Tower Records에서 레코드 사인을 하는 뮤지션, 록커 톰 페티 Tom Petty가 근황 인터뷰를 위해 방송국에 들르는 사람으로 각각 카메오 출연을 하고 있다는 점이다.

〈FM〉은 방송국을 실제적으로 운영하고 있는 부유한 산업가 칼 빌링스가 제프 듀간의 충직스런 모습과 그를 지지하는 수많은 열성 청취자들의 행동에 감동을 받는다.

제프가 주장했던 방송국 운영 방식을 전격 받아들이면서 극은 마무리 되고 있다.

메가폰을 잡은 존 A. 알론조 John A. Alonzo는 〈차이나타운 Chinatown〉 〈해롤드와 모드 Harold and Maude〉 〈스카페이스 Scarface〉 〈철목련 Steel Magnolias〉 등 수많은 고전 영화를 찍은 촬영 감독 출신이다.

카메라를 능숙하게 다룰 수 있다는 특기를 활용해 배우들의 강렬한 연기를 이끌어 내면서 모든 상황을 재미있는 속도로 진행시키고 있다는 찬사를 받는다.

〈FM〉에서 다룬 풍자 메시지는 〈에어헤드 Airheads〉 및 〈부기 나이트 Boogie Nights〉 등이 제작될 수 있는 자극을 제공했다는 지적도 받았다.

영화는 '1970년대가 끝나고 1980년대가 시작되는 와중에 방송사를 뒤흔들기 시작한 사건을 다루는 동시에 음악 자체의 독립적인 정신을 강조하는 메시지를 담아냈다.'는 평가를 받는다.

앞서 잠깐 언급했듯이 할리우드와 관객들은 매우 변덕스러운 존재들이다. 관객들은 영화가 제시한 다소 심각한 메시지 전달에 거의 반응하지 않는다. 영화는 곧바로 문화적 의식 표면 아래로 가라앉으면서 잊혀지게 된다.

하지만 풍성한 록큰롤을 담아 낸 사운드트랙은 세월이 흐를 수 록 더욱 빛을 발하고 있다.

할리우드 현지 비평가들은 '물론 〈FM〉이 미래 방송 산업에서 펼쳐질 상황을 정확하게 알 방법은 없다. 하지만 몇 년 뒤 24시간 뮤직 비디오 방송 MTV 출현으로 인해 자연스럽게 위력이 급감하게 되는 라디오 자체가 한때 누리고 있었던 방송 지배 시대에 대한 일종의 찬사 역할도 훌륭하게 수행하고 있다.'는 의미를 부여해 주고 있다.

영화 〈FM〉은 지금도 1970년대 발표한 작품 중 최고의 사운드트랙을 담고 있는 작품'으로 추천 받고 있다.

트랙에는 1070년대 록큰롤을 장식했던 환상적인 노래들이 다수 포진되어 있다.

론스타트의 라이브 트랙을 비롯해서 지미 뷔페의 'Livingston Saturday Night'이 주목을 받았다.

스틸리 댄 Steely Dan은 영화를 위해 타이틀 곡 'FM(No Static at All)'과 'Do It Again'을 작곡하는 열성을 보여 준다.

음악 향연은 여기서 그치는 것은 아니다.

톰 페티 Tom Petty의 'Breakdown', 밥 시거 Bob Seger의 'Night Moves', 스티브 밀러 Steve Miller의 'Fly Like an Eagle', 이글즈 Eagles의 'Life in the Fast Lane', 그룹 보스턴의 'More than a Feeling', 두비 브라더스 Doobie Brothers의 'It Keeps You Runnin', 그룹 퀸의 'We Will Rock You' 등 록 명곡들이 극중 음악 방송 진행자들에 의해 선곡되는 노래들로 흘러나오고 있다.

〈FM〉에 수록된 대부분의 노래들은 히트 음반에 속속 추가 된다.

타이틀 곡 'FM (No Static at All)'은 1979년 그래미 어워드 엔지니어 녹음상 Grammy Award for Best Engineered Recording'을 수여 받는다.

영화가 사운드트랙에 보낸 뜨거운 관심과 동행하지 못한 것은 큰 아쉬움이다.

그럼에도 불구하고 2023년 개봉 45주년을 맞아 〈FM〉은 '1970년대 록 역사의 중요한 측면을 포착한 컬트 클래식'으로 재평가를 받고 있다.

<가디언즈 오브 갤럭시 Guardians of The Galaxy> 최고의 사운드트랙은?

〈가디언즈 오브 갤럭시 Guardians of The Galaxy〉 프랜차이즈의 최신작인 3부가 2023년 5월 흥행가를 노크했다.

이번 작품은 공개 직후부터 'MCU 우주 가족이 프랜차이즈 최고의 모험을 제공하고 있다.'는 칭송을 받아 낸다.

영화 음악애호가들에게는 3부가 그동안 꾸준히 호응을 얻어 왔던 다양한 음악 선집인 '완전히 새로운 Awesome Mix의 도래를 의미하기 때문에 큰 선물이다.'는 반응을 보이고 있다.

작가이자 감독 제임스 건 James Gunn은 음악 선곡에도 일가견이 있는 것으로 이미 인정받고 있다.

극의 주인공 피터 퀼 Peter Quill과 친구들의 활약상은 사운드 트랙에 완벽하게 큐레이팅 되면서 다채로운 음악 선집인 '믹스테이프를 세상에 제공하고 있다.'는 환대를 받아낸다.

1부 사운드트랙은 250만 장 이상 판매 되는 호조를 보인다.

2집 사운드트랙은 빌보드 앨범 200 Billboard 200 차트에서 Top 5에 오르는 성과를 거둔다.

다양한 곡을 혼합시킨 앨범 특징은 그 자체로 새로운 음반 브랜드로 주목을 받아내기 시작한다.

이제 2023년 5월 'Awesome Mix Vol. 3'가 발매되면서 시리즈 음반 투어가 대미(大尾)를 장식하게 된다. 이런 기회를 맞아 매우 어려운 선택을 제시한다.

3편의 사운드트랙 중 가장 최상의 앨범은 어떤 것일까?

음악 애호가들에게는 매우 난감한 선택을 강요받게 되는 질문이다.

순위를 정한다는 것은 어찌 보면 불가능한 선택을 강요하고 있다는 볼멘소리도 제기되고 있다.

그럼에도 불구하고 할리우드 현지 음악 비평가들은 최고의 믹스 테이프를 선정하기 위한 여러 의견을 제시했다. 각 앨범의 특징은 다음과 같다.

2023년 5월 전 세계 주요 각국에서 동시 개봉된 〈가디언즈 오브 갤럭시 3〉. ⓒ Marvel Studios

3-1. 〈가디언즈 오브 갤럭시 1 Guardians of The Galaxy Vol. 1〉

머나먼 우주에서 불가사의한 오브-왕권을 상징하는 표장. 위에 십자가가 새겨져 있는 보주(寶珠)-를 훔친다. 이후, 지구 출신 피터 퀼은 이제 고발자 로난으로 알려진 악당이 이끄는 추격의 주요 표적이 된다. 로난과 그의 팀과 싸운다. 이어 그가 갖고 있는 힘으로 부터 은하계를 구하기 위해 퀼은 '가디언즈 오브 갤럭시'로 알려진 우주 영웅 팀을 결성해 은하계를 구하게 된다.

- 버라이어티

After stealing a mysterious orb in the far reaches of outer space, Peter Quill from Earth is now the main target of a manhunt led by the villain known as Ronan the Accuser. To help fight Ronan and his team and save the galaxy from his power, Quill creates a team of space heroes known as the 'Guardians of the Galaxy' to save the galaxy.

- Variety

'Ooga chacka, ooga-ooga-ooga chacka'.

피터 퀼이 우주선 스피커를 통해 틀어 줄 때 흥겹게 울려 퍼지는 곡이 독특한 오프닝 후렴구로 유명한 'Hooked On A Feeling'이다.

이 노래를 듣고 음악 애호가들은 밥 딜런 Bob Dylan, 메간 디 스텔론 Megan Thee Stallion, 콜 포터 Cole Porter 등 유명한 음악인들에게 곡을 의뢰한다고 해도 이 노래만큼 감정적 순간을 고조시켜 주는 노래를 창작하지는 못할 것이라는 의견을 내놓고 있다.

〈가디언즈 오브 갤럭시-믹스 테이프 1 Guardians of The Galaxy-Awesome Mix Vol. 1〉은 피터 퀼의 영웅적 행보를 격려하기 위해 노래 자체가 과소평가 되어 묻혀 있었던 곡과 반짝 주목을 받은 뒤 반쯤 잊혀진 팝클래식을 적절하게 선곡하고 있다.

'믹스테잎 1'은 영국에서 더블 플래티넘(200만 장), 미국에서 트리플 플래티넘(300만 장)의 판매고를 기록한다.

1부 앨범은 AM 라디오 시대를 장식했던 노래들이 다시 먼지를 털어 내고 팝 보물로 주목을 받아내는 공적을 세우게 된다.

〈가디언즈 오브 갤럭시-어썸 믹스 Guardians of The Galaxy-Awesome Mix〉. © Marvel Studios

음악 비평가들은 〈가디언즈 오브 갤럭시〉에서 10cc, 잭슨 파이브, 루퍼트 홈즈, 파이브 스테어스텝스, 데이비드 보위 등과 같은 걸출한 뮤지션들의 노래가 빠졌다면 흥행 성적에서 상당한 부진을 거두었을지도 모른다는 의견을 내놓고 있다.

음반 구매자들은 1부 트랙에서 들려오는 'I'm Not in Love'를 비롯해서 'Go All the Way' 'Escape (The Piña Colada Song)' 'Cherry Bomb' 'Ooh Child' 'I Want You Back' 등을 가장 선호했다.

박력 있고 흥겨운 이들 노래들은 우주를 떠도는 좀도둑 피터 퀼(크리스 프랫)이 감옥에서 만난 암살자 가모라(조 샐다나), 거구의 파이터 드랙스(데이브 바티스타), 현상금 사냥꾼 로켓(브래들리 쿠퍼) 및 그루트(빈 디젤) 등과 의기투합해서 인류 운명을 구한다는 모험극의 흥미를 높여주는데 일조했다는 찬사를 보내고 있다.

음악 애호가들은 술집 연회 장면에서 흘러 나왔던 여성 록 밴드 런어웨이즈 The Runaways의 박력 있는 곡 'Cherry Bomb'과 마빈 게이의 보컬이 매력을 더해 주고 있는 'Ain't No Mountain High Enough' 등을 최상의 선곡으로 언급하고 있다.

감독 제임스 건은 'Cherry Bomb'과 'Ain't No Mountain High Enough' 등은 스토리 전개상 매우 의미 있는 노래들이다. 퀼의 청소년기와 고향에 대한 향수를 떠올려 주는 곡이다. 엄마가 작은 영주 little lord를 만들어 줄 때의 풍경을 반추시켜 주는 노래이다. 이런 이유로 퀼이 겪고 있는 표류하는 삶의 뿌리가 되는 노래들'이라는 풀이를 제시하고 있다.

특히 인상 깊은 장면은 교도소 관리를 맡고 있는 교도관이 '그 노래는 내 노래야! That song belongs to me!'라는 비명을 지른다.

그는 곧바로 테이저 건을 맞고 신비한 붉은 유출물을 뒤집어쓰고 유치장에 갇히게 된다.

믹스테이프가 최고조에 달했다는 것을 상징시켜 주는 장면으로 풀이 받았다.

1부를 관람하고 극장 문을 나선 관객들은 'Ooga chacka, Peter. Ooga chacka'라는 리듬이 들려오고 있다는 소감을 밝혔다.

Tracks listings

1. 1. I'm Not in Love performed by 10cc
2. Come and Get Your Love performed by Redbone
3. Go All the Way performed by The Raspberries
4. Mad Scene from 'Lucia di Lammermoor' Written by Gaetano Donizetti, performed by Bergamo Musica Festival Orchestra and Chorus conducted by Antonino Fogliani
5. Hooked on a Feeling performed by Blue Swede
6. Escape (The Piña Colada Song) performed by Rupert Holmes
7. Moonage Daydream performed by David Bowie
8. Fooled Around and Fell in Love performed by Elvin Bishop
9. Cherry Bomb performed by The Runaways

10. Ooh Child performed by The Five Stairsteps
11. Ain't No Mountain High Enough performed by Marvin Gaye and Tammi Terrell
12. I Want You Back performed by Jackson 5

3-2. 〈가디언즈 오브 갤럭시 2 Guardians of The Galaxy Vol. 2〉

로난의 분노로부터 잰다르를 구해낸다.
이후 가디언즈는 영웅으로 받아들여진다.
이제 팀은 리더 스타 로드가 진정한 유산 뒤에 숨은 진실을 밝혀내도록 도와야만 했다. 그 과정에서 오래된 적들이 동맹으로 바뀌고 배신이 만발하게 된다.
그리고 가디언즈는 은하계를 지배하려는 파괴적인 새로운 위협에 맞서고 있음을 깨닫게 된다.

- 버라이어티

After saving Xandar from Ronan's wrath, the Guardians are now recognized as heroes. Now the team must help their leader, Star Lord, uncover the truth behind his true heritage. Along the way, old foes turn to allies and betrayal is blooming.
And the Guardians find they are up against a devastating new menace who is out to rule the galaxy.

- Variety

2부는 2017년 4월 19일 LA 프리미어를 통해 첫 실체를 드러낸다.
2부 사운드트랙에는 'The Difficult Second Album'이라는 애칭이 부여된다.

여러 곡절 끝에 속편을 제작했다는 것을 떠올려 주듯 2부를 위한 후속 음반도 여러 고심을 거듭한 끝에 록 뮤지션과 밴드의 곡을 선곡했다고 알려졌다.

하지만 이런 열의가 무색할 만큼 1부의 엄청난 호응은 2부 앨범에게는 저주받은 전력이 되고 만다.

2부는 1부 만큼의 뜨거운 반응이 약해졌다.

그렇지만 평균 이상의 판매고는 돌파하게 된다.

제임스 건은 대본 단계에서부터 자신이 염두에 두고 있는 노래들을 세심하게 음미한 뒤 스토리를 구성해 음악과 이야기에 몰입하도록 했다고 역설한다.

전체적으로 은하계에서 펼쳐지는 모험담을 위해 트랙 플레이리스트는 핵심적인 8곡을 응집력 있게 구성해서 매우 친숙한 분위기를 만들려고 했다는 풀이를 받는다.

1974년 발표된 영국 출신 그램 록 밴드 스위트 Sweet의 'Fox On The Run'은 묵직하고 번뜩이는 기타 연주가 일품인 노래이다.

샘 쿡의 'Bring It On Home To Me'는 달콤하고 진심 어린 영혼의 의미를 일깨워 주고 있다는 풀이를 받는다.

주로 아버지의 존재 의미를 깨우쳐 주는 영화에서 단골로 선곡되고 있는 그룹 칩 트릭 Cheap Tricks의 찬가 'Surrender' 그리고 컨트리 스타일 노래인 글렌 캠벨 Glen Campbell의 'Southern Nights' 등이 화려한 사운드트랙을 위해 차출된 대표적 노래들이다.

건 감독이 영화에서 최대 효과를 위해 심혈을 쏟아 선곡했다는 히든카드가 그룹 ELO의 'Mr Blue Sky'.

이 노래는 짐 캐리 주연의 사색적인 영화 〈이터널 선싸인 Eternal Sunshine〉과 〈슈퍼 마리오 브라더스: 영화 편 The Super Mario Bros. Movie〉, 케빈 제임스 감독의 〈폴 블라트: 몰 캅 Paul Blart: Mall Cop〉 등에서도 활용된 할리우드 음악 감독들이 꾸준히 좋아하는 노래로 유명하다.

'Mr Blue Sky'는 2부 오프닝 타이틀에서 그루트가 즐겁지만 매우 정중하게 춤을 추는 장면의 배경 음악으로 흘러 나와 강한 인상을 남겨 주는데 일조한다.

조지 해리슨(George Harrison)의 'My Sweet Lord'가 들려주는 히피적이고 거대 대국 인도(印度) 스타일의 선율은 에고 Ego 행성의 유토피아적 아름다움을 보여 주는 배경 노래로 흘러나오고 있다.

그룹 프리트우드 맥 Fleetwood Mac은 스티비 닉스 Stevie Nicks와 린제이 버킹햄 Lindsay Buckingham의 독특한 음색이 흥행 메이커 역할을 했던 록 밴드.

'지금 나를 사랑하지 않으면 다시는 나를 사랑하지 않을 거에요. If you don't love this soundtrack, how can you ever love music again?'라는 가사를 담고 있는 노래가 'The Chain'.

위풍당당한 슈퍼 히어로들이 영광스러운 표정을 드러내면서 슬로우 모션으로 걷는 장면의 배경 곡으로 사용되고 있다.

음악 비평가들은 절묘한 장면에 어울리는 곡을 선곡한 제임스 건 감독의 탁월한 음악 감각이 돋보이고 있다.

2부 사운드트랙을 구매하도록 만들어준 핵심 포인트'라는 칭송을 보내고 있다.

캣 스티븐스 Cat Stevens의 'Father and Son'은 스타-로드가 갑자기 만나게 된 아버지 처지를 이해하는 심정을 표현해 주기 위해 차출된 노래.

풍부하고 거짓 없는 감정을 드러내는 스타-로드의 행적.

노래는 영화의 씁쓸하고 달콤한 피날레를 채색해 주면서 관객들 눈가에도 어느 덧 눈물샘을 자극시켜 주고 있다.

Tracks listings

1. Brandy (You're a Fine Girl) performed by Looking Glass

2. Mr. Blue Sky performed by Electric Light Orchestra
3. Lake Shore Drive performed by Aliotta Haynes Jeremiah
4. Un Deye Gon Hayd (The Unloved Song) performed by Jimmy Urine
5. Southern Nights performed by Glen Campbell
6. The Chain performed by Fleetwood Mac
7. Come q Little Bit Closer performed by Jay and the Americans
8. My Sweet Lord performed by George Harrison
9. Wham Bam Shang-A-Lang performed by Silver
10. Bring It on Home to Me performed by Sam Cooke
11. Surrender performed by Cheap Trick
12. Father and Son performed by Cat Stevens
13. Guardians Inferno performed by The Sneepers ft. David Hasselhoff
14. Flash Light performed by Parliament

3-3. 〈가디언즈 오브 갤럭시 3 Guardians of The Galaxy Vol. 3〉

여전히 가모라를 잃은 충격에 휩싸여 있는 피터 퀼.
자신의 팀을 모아 우주와 자신의 우주를 지키려 한다.
성공하지 못하면 가디언즈의 종말을 의미할 수 있는 임무다.

- 버라이어티

Still reeling from the loss of Gamora, Peter Quill rallies his team to defend the universe and one of their own a mission that could mean the end of the Guardians if not successful.

- Variety

냉정하게 따져본다면 〈가디언즈 오브 갤럭시 Vol. 3〉 사운드트랙에는 앞서

〈가디언즈 오브 갤럭시 3-어썸 믹스〉. © Marvel Studios

선보인 1, 2부처럼 향수 감을 불러일으키는 선곡은 없다는 것이 특징이다.

3부에서도 피터 퀼 Peter Quill의 행적을 부추겨 주는 노래들이 주로 선곡되고 있다.

영화 오프닝을 알리는 노래는 록 그룹 라디오헤드 Radiohead의 가장 대표적 히트 곡 'Creep'이다.

가모라의 죽음으로 깊은 상처를 받고 있는 피터 퀼의 심정을 위로해 줄려는 듯 어쿠스틱 버전이 사용되고 있다.

2부에서 흘러 나왔던 'Mr. Blue Sky'처럼 가슴 아픈 마음의 상처를 위로해 주는 완벽한 '티즈 업 tees up' 역할을 하고 있다는 풀이를 받는다.

그룹 플레이밍 립스(The Flaming Lips)의 사이키델릭 찬가 'Do You Realize?'는 3부작 중 가장 파격적인 선곡으로 주목을 받아낸다.

플로렌스 더 머신 Florence + The Machine의 'Dog Days Are Over'는 영웅들의 위업에 격려를 보내는 카타르시스 피날레 곡으로 활용되고 있다.

그룹 비스티 보이즈 Beastie Boys의 'No Sleep Till Brooklyn'과 페이스 노 모어 Faith No More의 'We Care A Lot' 등은 다소 떠들썩하고 소란스러운 분위기의 노래들.

우주 공간에서 펼쳐지는 지옥과 같은 분위기를 상징시켜 주는 곡으로 원용되고 있다.

'Since You Been Gone' 및 'Crazy On You' 등 정통 록 음악은 우주 공간에서 펼쳐지는 영화 사연에 어느 정도 아나로그 정서를 담은 복고적 분위기를 선사해 주고 있다.

밴드 스페이스호그 Spacehog의 'In The Meantime', 더 리플레이스먼트 The Replacements의 'I Will Dare'에는 부드러움과 따뜻한 정서를 전달시켜 주고 있다.

2곡과 함께 정치, 사회적인 메시지를 적극 드러내 주고 있는 록커 브루스 스프링스틴 Bruce Springsteen의 'Badlands'.

이들 3곡은 배수의 진을 치고 전개되는 은하계 구출 작전의 응원가로 들려오고 있다.

사운드트랙 앨범 'Awesome Mix 1'과 '2'는 평이하게 감상할 수 있는 대중적인 노래들을 선곡해 기대 이상의 호응을 얻어낸다.

이에 비해 3부에서는 다소 이질적인 노래들을 융합시켜 '절충주의적인 혼합으로 구성되어 있다.'는 풀이를 받게 된다.

3부 음악 선곡을 위해 감독은 무려 300여 곡의 후보군에서 고심 끝에 선택한 노래들이여서 사운드트랙은 가디언즈 오브 갤럭시의 또 다른 표상(表象)이라는 자부심을 드러내고 있다.

빌보드는 '광대한 우주 공간에서 들려오는 최상의 믹스 사운드트랙 Superb mixed soundtrack from the vast expanses of outer space'이라는 평가를 내렸다.

Tracks listings

1. Creep (Acoustic Version) performed by Radiohead
2. Crazy on You performed by Heart
3. In The Meantime performed by Spacehog
4. Since You Been Gone performed by Rainbow
5. Reasons performed by Earth Wind & Fire
6. Do You Realize? performed by The Flaming Lips
7. We Care a Lot performed by Faith No More
8. Koinu No Carnival From Minute Waltz performed by EHAMIC
9. I'm Always Chasing Rainbows performed by Alice Cooper
10. San Francisco performed by The Mowgli's
11. Poor Girl performed by X
12. This is The Day performed by The The
13. No Sleep Till Brooklyn performed by Beastie Boys
14. Dog Days are Over performed by Florence and the Machine
15. Come and Get Your Love performed by Redbone
16. I Will Dare performed by The Replacements
17. Badlands performed by Bruce Springsteen

그룹 시카고 Chicago 노래가 가장 잘 활용된 영화와 TV 베스트 5

The Best 5 Uses of Chicago Songs in Movies or TV

록 그룹 시카고는 2023년 7월 4일 미국인들의 최대 국경일인 독립 기념일을 맞아 진행된 워싱턴 DC 국회의사당 앞 콘서트 장에서 가장 많은 환대를 받아 낸다.

첫 히트 곡 '토요일 공원에서' 등 열창.

'Hard To Say I'm Sorry' 등으로 전성기 구가.

그룹 결성 56년 동안 한결같은 음악활동.

시카고의 히트 곡 중 하나인 'Saturday in the park'에는 미국 독립 기념일을 언급하는 내용 때문에 장수 인기를 누리고 있다.

1967년 일리노이주 시카고를 근거지로 출범한 밴드 시카고. 장수 활동을 이어가고 있다. © wiki-pedia

주요 가사 내용은 이렇다.

Saturday in the park
I think it was the Fourth of July
토요일 공원
7월 4일 독립기념일로 생각 되요.

People dancing, people laughing
A man selling ice cream
Singing Italian songs
사람들이 춤추고, 웃었죠.
어떤 남자는 아이스크림을 팔았고
이태리 노래를 부르면서...

'Saturday in the park'는 미국 독립기념일 행사에서 벌어졌던 여러 일화를 노랫말로 담아내 히트 차트에 진입했던 노래이다.

히트 곡 'Saturday in the park' 덕분에 그룹 시카고는 미국 공영 TV PBS가 43년째 진행하고 있는 독립기념일 축하 콘서트 '캐피털 포스 Capitol Foutth' 간판 공연자로 무대에 등장했다.

해마다 진행되는 '캐피털 포스'는 정통 록, 힙-합, R & B, 컨트리 등 다양한 장르를 구사하는 뮤지션들이 초청돼 기념 공연을 진행하면서 다민족 국가 미국인들의 단합과 애국심을 음미해 보고 있는 가장 중요한 음악 축제 중 하나이다.

시카고는 'Hard To Say I'm Sorry' 'You're The Inspiration' 'If You Leave Me Now' 'Feeling Stronger Everyday' '25 or 6 to 4' 등의 대표적 히트 곡을 보유하고 있다.

1967년 일리노이 주 시카고에서 출범한 그룹 시카고는 애초 '시카고 트랜지트 어서리티 the Chicago Transit Authority'로 출발했다가 1968년 '시카고'로 명의 변경을 한다.

재즈, 리듬 앤 블루스와 팝 뮤직을 융합시키는 음악 장르를 시도해 2023년 현재까지 장수 활동을 이어오고 있다.

시카고는 피터 세트라 Peter Cetera(베이스), 테리 캐스 Terry Kath(기타), 로버트 램 Robert Lamm(키보드), 리 러프넨 Lee Loughnane(트럼펫), 제임스 팬코우 James Pankow(트럼본), 월터 파라자이더 Walter Parazaider(우드윈즈 woodwinds), 대니 세라파인 Danny Seraphine(드럼) 등이 주축 멤버로 활동한다.

2023년 현재는 로버트 램, 리 러프네인, 제임스 판코우, 월프레예스 주니어 Walfredo Reyes Jr, 레이 허만 Ray Herrmann, 닐 도넬 Neil Donell 등 10인조로 활동을 지속해 오고 있다.

원년 멤버들의 평균 나이는 백발로 뒤덮힌 70대 중, 후반이지만 음악적 열정은 20대이다.

1960년대 음악 활동을 시작했던 그룹 이글즈, 팝 스타 엘튼 존 등이 은퇴를 선언하고 있지만 시카고는 2023년 8월-11월까지 미국 주요 도시를 순례하는 공연이 예정되어 있는 등 노익장을 과시하고 있다.

50여 년 넘는 음악 활동은 음악 다큐 〈무대 의 마지막 밴드The Last Band

On Stage〉로 발표된다.

시카고는 7월 15일 통산 38집 앨범 'Born For This Moment를 발매했다.

서구 음악계에서는 '자존심 강한 지미 헨드릭스(Jimi Hendrix)와 같은 뮤지션이 시카고 밴드 기타 연주가 자신보다 낫다.'고 평가했다는 것으로도 시카고의 음악 수준이 어떠한 가를 짐작시켜 주고 있다.

시카고는 지미 헨드릭스(Hendrix)와 재니스 조플린(Janis Joplin)의 콘서트 오프닝 밴드로도 활동했다.

활동이 지속되면서 피터 세트라 등 일부 멤버들이 솔로 독립을 했지만 음악 경력을 지속적으로 구축해 세월이 흘러도 꾸준한 팬심을 얻고 있는 중이다.

시카고가 발표한 주옥같은 히트 곡들은 수많은 영화와 TV극 배경 노래로 차용되고 있다.

이들의 대표 히트 곡 'If You Leave Me Now'는 상업 영화에서 가장 많이 활용되고 있는 노래.

가성을 가미한 독특한 보컬을 과시하고 있던 시카고 출신 피터 세트라 Peter Cetera가 작곡했다.

〈쓰리 킹스〉 배경 노래로 선곡됐던 'If You Leave Me Now'. © Warner Bros

페르시아 걸프전 이후 4명의 미국 군인이 거액을 호가하는 금괴를 훔쳐 오기 위한 탈환 작전에 나선다는 것이 데이비드 O. 러셀 감독의 전쟁 코미디 〈쓰리 킹즈 Three Kings〉 (1999).

1991년, 미국이 걸프만에서 최첨단의 무기들로 이라크와 전쟁을 치르고 있다.

급박한 와중에도 일부 미군 병사들은 전투 한번 없는 무료한 나날을 보내고 있다.

전쟁이 끝나갈 무렵, 이라크 포로가 항문에 숨겨 둔 지도 한 장을 찾아낸다.

거기에는 이라크 대통령 사담 후세인이 쿠웨이트 왕족에게서 탈취한 금을 은닉해 두었던 비밀 장소가 표기되어 있었다.

마침내 금을 찾아내지만 막대한 물량의 금을 운반하는 것이 문제.

이때 이라크 반군 난민들을 만나게 된다.

이들은 미국 대통령 부시가 사담 후세인을 제거 작전에 참여하면 적극적인 도움을 주겠다는 했지만 전쟁이 끝나자 버림받아 정착할 곳이 없어진 상태.

이들이 금괴를 찾아 나선 미군 병사 쓰리 킹즈에게 조건을 제시한다.

금괴 운반을 도와주는 대신 자신들을 이란으로 망명시켜 달라는 것.

금을 운반하기 위해 이들의 도움이 절실한 상태.

그렇지만 정전 협상이 끝나 이들의 망명을 지원하는 것은 정전법 위반 행위.

복잡한 상황에서 이번에는 후세인의 군인들이 대거 출몰한다.

쓰리 킹즈는 금괴를 적극 활용해 이라크 반군 난민들을 이란 지역으로 이동시킨다.

미국 군사 법원은 쓰리 킹즈에게 정전법 위반과 군 명령에 대한 불복종 혐의로 출두 명령을 내린다.

하지만 이들의 혐의는 사면 받고 무사히 전역하게 된다.

쓰리 킹즈 중 아치(조지 클루니)는 할리우드 액션 영화 군사 고문으로 일하게 된다.

흑인 중사 칩 엘진(아이스 큐브)은 아치 일원으로 합류한다.

트로이(마크 월버그)는 아내와 함께 카펫 가게(carpet store)를 운영한다.

훔친 금은 쿠웨이트에 반환된다.

하지만 쿠웨이트 당국은 금괴 일부가 행방불명 됐다고 주장한다.

분실된 금괴 일부는 쓰리 킹스가 반란군으로부터 은밀하게 건네받았다는 추정이 제기된다.

극중 흑인 중사 칩 엘진(아이스 큐브)이 사막에서 이라크 후세인 반군의 추격을 받자 지프차를 몰고 급박하게 달리는 장면의 배경 노래로 'If You Leave Me Now'가 흘러나오고 있다.

그룹 시카고 노래가 사용된 영화와 TV극 대표적 작품 5편을 소개하면 다음과 같다.

4-5. 〈데스 노트 Death Note〉 –
I Don't Wanna Live Without Your Love

〈데스 노트〉. © Netflix

넷플릭스가 실사 영화로 제작했지만 많은 열성 팬들은 이번 버전이 원작의 여러 내용을 생략하고 변경된 것에 대해 불만을 제시한다.

원작 애니메이션에 대해 심각한 불신을 담은 작품이라는 지적도 받았다.

하지만 막상 영화를 관람한 이들은 〈데스 노트〉에 대해 '스토리가 일부 악의적인 설정이 있는 것은 사실이다. 하지만 의심할 여지없이 다른 사람에 대한 삶과 죽음의 힘을 부여 받았다면 거의 모든 사람의 도덕성을 시험할 수 있는 기회가 되기 때문에 이러한 설정 자체는 수긍할 만 하다.'는 소감을 밝힌다.

영화 공개 이후 '영화에서 진행된 살인은 확실히 끔찍했다.

누군가가 악마에게 자신의 목숨을 앗아가도록 강요하면 어떤 일이 일어날지

보는 것이 흥미로울 것이라는 점을 부인할 수 없다.'는 소감이 이어진다.

〈데스 노트〉에서는 그룹 시카고의 'I Don't Wanna Live Without Your Love'를 들을 수 있다는 것도 흥미 포인트가 됐다.

4-4. 〈베터 콜 사울 Better Call Saul〉 - Listen

〈베터 콜 사울〉. © American Movie Classics

형사 변호사 지미 맥길(Jimmy McGill.

월터 화이트(Walter White)와 제시 핑크맨(Jesse Pinkman)과의 운명적인 만남을 통해 몇 년 동안 겪는 시련과 고난을 다룬 미니 시리즈 범죄 드라마가 〈베터 콜 사울〉.

2015년-2022년 까지 매회 45분 내외 방영되는 장수 인기를 누린다.

시카고 그룹의 'Listen'이 주제곡처럼 선곡되고 있다.

4-3. 〈숀 오브 데드: 새벽의 황당한 저주 Shaun of the Dead〉 - If You Leave Me Now

숀은 29살 청년.

전자제품 판매원으로서 그저 하루하루를 따분한 일상을 보내고 있다.

DJ를 꿈이었던 숀은 이제 추억의 레코드판을 수집하는 것을 위안으로 삼고 있다.

삶의 유일한 기쁨은 동갑내기 여자 친구 리즈와 엄마가 존재한다는 것.

그런데 3년 동안 사귀던 리즈에게 어느 날 이별 통고를 받는다.

슬픔을 이기지 못하고 폭음을 하다 깨어나니 영국은 정체불명의 바이러스 천국으로 돌변해 있었다.

사람들을 먹어치우는 움직이는 시체 좀비들이 거리를 배회하고 있다.

백수이자 죽마고우 애드의 도움을 받아 엄마 바바라와 여자 친구 리즈의 안전을 위해 고군분투한다.

리즈와 헤어진 숀의 삶은 하룻밤 사이에 우울한 것에서 좀비들이 우굴거리는 암담한 상황으로 돌변하게 된다.

리즈로부터 결별 통고를 받고 겪게 되는 숀의 마음의 고통을 노출시켜 주는 노래로 시카고 명곡 'If You Leave Me Now'이 흐르고 있다.

실연이 던져 주는 고통이 세상의 종말보다 더욱 견디기 힘들다는 설정.

이와 같은 경험을 한 이들에게는 절대적 공감을 얻어 낸다.

〈숀 오브 데드: 새벽의 황당한 저주〉. © Universal Pictures, Studio Canal, Working Title Films

4-2. 〈모던 패밀리 Modern Family〉 – If You Leave Me Now

서로 성향이 다르지만 어떤 측면에서는 관련이 있는 얽히고설킨 3가족.

각자의 생활 방식과 처세술로 자신들 앞에 직면해 있는 시련과 고난을 해결해 나가고 있다.

〈모던 패밀리〉는 2009-2020년 동안 장수 방영된 TV 시트콤.

어떤 시청자는 특정 캐릭터를 좋아하지만 다른 사람들은 그를 참을 수 없는 존재로 무시하고 있다.

코믹성을 가미시킨 이 시트콤은 시종 재미있다.

등장인물 중 카메론 터커(에릭 스톤스트리트)는 많은 시청자들의 절대적 호감을 받은 인물 중 한 명이다.

그는 매우 강한 성격이지만 그는 산적한 현안을 능숙하게 해결하기도 한다.

이런 장점 때문에 그가 비록 많은 분란을 일으켜 지탄을 받고 있는 와중에도 일부 사람들은 그에게 수긍하거나 지지를 표명하고 있는 것이다.

카메론과 미첼(제시 테일러 퍼거슨)은 서로 다른 아이를 입양하려고 하면서 해프닝이 벌어진다.

아이를 키우기 위해 대리모를 찾는 소동도 펼쳐진다. 이런 떠들썩한 에피소드에서 들려오는 곡이 시카고의 'If You Leave Me Now'이다.

〈모던 패밀리〉. © 20th Century Fox Television

4-1. 〈데드풀 Deadpool〉 - You're The Inspiration

특수부대 출신 용병 웨이드 윌슨(라이언 레이놀즈).

암 치료를 위한 비밀 실험에 참여한 뒤 슈퍼히어로 데드풀로 재탄생하게 된다.

뛰어난 무술 실력과 유머 감각을 갖추게 된다.

그렇지만 단 한 가지 흉측하게 일그러진 얼굴을 갖게 된다.

데드풀은 자신의 삶을 망가뜨린 장본인들을 추격해서 응징하기 위해 복수 혈전에 착수하게 된다.

시카고 그룹의 히트 곡 'You're The Inspiration'은 〈데드풀 Deadpool〉에서 일그러진 외모를 갖고 있는 비호감 영웅 데드풀의 활약상을 위한 응원 곡으로 활용되고 있다.

〈데드풀〉. © Twentieth Century Fox, Marvel Entertainment

데드풀은 다소 불안정하고 전반적으로 둔한 성격을 갖고 있는 다소 기이한 영웅이다. 데드풀은 냉혹한 암살자이자 용병이다.

그럼에도 불구하고 타인의 불행을 해소시켜 주기 위해 적극 나서고 있는 캐릭터이다.

동시에 그는 감정적으로 너무 불균형해서 때때로 자신이 무엇을 해야 할지 모르는 사람처럼 행동하는 일탈된 모습을 보여주기도 하는 인물이다.

어느 측면에서는 안티히어로와 같은 흥미로운 인물이다.

그가 무엇을 할 지 아무도 예측할 수 없다.

'그대는 나에게 영감(靈感)을 주고 있다 You're The Inspiration'고 역설하는 노래 말이 괴짜 영웅 데드풀의 찬가(讚歌)로 들려오고 있다.

<나이브스 아웃: 글래스 어니언 Glass Onion: A Knives Out Mystery>(2022) - 냇 킹 콜, 비틀즈 등 팝 명곡 15곡과 배경 음악으로 구성

오래 알고 지내던 5명의 친구.

억만장자 마일즈 브론의 그리스 섬 집으로 초대 된다.

다섯 명 모두 예전부터 브론을 알고 있었다.

이들이 누리고 있는 지금의 부, 명성 및 경력에 대해 브론에게 빚지고 있는 상태이다.

메인 이벤트는 브론이 희생자가 되는 살인 주말 게임.

실제로 그들은 모두 브론을 죽일 이유가 있었다.

이 자리에는 세계 최고 탐정 브누아 블랑도 초대 받는다.

실제 발생한 억만장자의 살인 사건 게임의 진실이 본격적으로 파헤쳐지게 된다.
헬렌은 마일즈 사무실에서 앤디 냅킨을 찾아 그녀의 정체성을 그룹에 공개한다.
하지만 마일즈는 냅킨을 태워 증거를 제거하고 그의 친구들은 그에 대한 증언을 거부하게 된다.
블랑은 헬렌에게 할 수 있는 일은 다 했다고 말하고 밖으로 나간다.
분노에 휩싸인 헬렌은 마일즈 유리 조각품을 파괴한다.
헬렌은 모닥불을 피우고 블랑이 그녀를 미끄러뜨린 클리어 파편을 던져 저택과 모나 리자 Mona Lisa를 파괴시킨다.
그림의 파괴를 깨닫고 클리어가 위험하고 마일즈를 망치고 있음을 알게 된 그룹은 그에 대해 증언하기로 결정한다.
해변에서 헬렌과 블랑은 경찰 보트가 도착하는 것을 지켜보고 있다.

- 할리우드 리포터

〈나이브스 아웃: 글래스 어니언〉. © Netflix

〈나이브스 아웃: 글래스 어니언〉에서는 비틀즈의 명곡에서부터 다양한 노래가 살인 사건 진상을 파헤쳐 나가는 과정의 배경 음악으로 활용되고 있다.

비틀즈가 1968년 발매한 2장짜리 앨범 일명 'the White Album'에 수록 된 트랙에서 이름을 따서 명명 된 'Glass Onion'은 2019년 1부에 이어 리안 존슨 Rian Johnson 감독이 '나이브스 아웃 Knives Out' 프랜차이즈 두 번째 작품이다.

첫 번째 영화와 마찬가지로 'Glass Onion'에서는 나단 존슨 Nathan Johnson이 작곡한 배경 음악과 완벽하게 조화를 이룬 클래식 팝 록으로 구성된 사운드트랙을 제공하고 있다.

〈나이브스 아웃: 글래스 어니언 Glass Onion: A Knives Out Mystery〉에서는 완벽한 형사 베노이트 블랑(다니엘 크레이그)와 관련된 또 다른 사건의 행방을 쫓는 과정을 펼쳐주고 있다.

블랑은 이번 2부에서는 마일즈 브론(에드워드 노튼)이라는 억만장자가 코로나 바이러스 COVID-19 대유행 동안 약간의 재미를 위해 친구들을 그리스 개인 섬으로 초대 하면서 진행된다.

감독과 작곡가는 스토리 전개에 맞추어 익히 알려진 팝 클래식을 선곡해서 들려주고 있다.

* 〈나이브스 아웃: 글래스 어니언〉 사운드트랙 해설

5-1. Fugue in G Minor, BWV 578 Little performed by Tatiana Nikolaeva

〈나이브스 아웃: 글래스 어니언 Glass Onion: A Knives Out Mystery〉은 작고한 소련 피아니스트 타티아나 니코래바 Tatiana Nikolaeva가 연주하고 있는 요한 세바스티안 바흐의 '작은 푸가 Little Fugue'로 알려진 'Fugue in G Minor'를 들려주면서 본격적으로 진행된다.

CNN 인터뷰를 시작하는 클레어(캐스린 한)의 모습을 보여주는 장면까지 클래식 선율이 이어지고 있다.

바흐의 곡은 헬렌(자넬 모네)이 블랑 아파트로 가고 있는 후반부에서 다시 흘러나오고 있다.

5-2. Mothership Connection (Star Child) performed by Parliament

파티장에 참석한 미모의 등장인물 버디 제이(케이트 허드슨)의 모습을 보여주는 장면에서 정통 펑크 록으로 평가 받고 있는 'Mothership Connection (Star Child)'이 흘러나오고 있다.

5-3. Bach's Music Box – Little Fugue in G Minor performed by Brandon Frankenfield

바흐의 명곡 'Little Fugue'의 대체 버전 alternate version은 마일즈가 모든 친구들에게 풀어볼 것을 제안하면서 보내는 분할 된 퍼즐 상자의 칸막이 중 하나를 보여주는 장면에서 흘러나오고 있다.

상징적인 첼리스트 요-요 마 Yo-Yo Ma가 버디 제이가 진행하는 파티 게스트로 카메오 출연해서 깜짝 연주로 들려주고 있다.

5-4. Aeraki (To Thiliko) performed by Eleni Foureira

〈나이브스 아웃: 글래스 어니언〉. © Netflix

주요 등장인물들이 마일즈의 휴양지가 있는 섬으로 가는 배를 타기 위해 부두에 도착하게 된다.

이러한 장면에서 희미하게 들려오고 있는 곡은 그리스 팝 송 'Aeraki (To Thiliko)'이다.

5-5. Blackbird performed by the Beatles

마일즈가 자신의 개인 섬 명칭을 'The Glass Onion'로 명명한 것에서 짐작할 수 있듯이 그는 비틀즈에 대한 열렬한 팬이다.

영화에서 처음으로 듣게 되는 비틀즈 노래는 앨범 'The White Album'에 수록된 싱글 'Blackbird'이다.

이 노래는 마일즈가 해변에서 친구들을 맞이할 때 환영의 의미로 기타로 연주해 주고 있다.

이 장면에서 실제 에드워드 노튼이 직접 기타를 친 것인지는 확인되지 않고 있다.

5-6. Hourly Dong performed by Joseph Gordon - Levitt and Joseph Bonn

마일즈 소유의 개인 별장이 있는 섬 풍경을 보여 주는 장면에서 잠시 흘러나오는 곡이 'Hourly Dong'이다.

노래 중간에 들려오는 'dong'이라는 소리는 리안 존슨과 절친으로 알려진 조셉 고든-레빗 Joseph Gordon-Levitt의 목소리로 알려져 있다.

조셉은 리안 감독의 대부분 영화에 직접 출연하거나 카메오로 등장해 우애를 나누고 있는 것으로 잘 알려져 있다.

5-7. Under The Bridge performed by Red Hot Chili Peppers

마일즈가 섬에 초대 된 손님들을 위해 기타로 연주해 주고 있는 2번째 곡이 'Under The Bridge'이다.

수영장 주변에서 잠시 연주 되고 있는 'Under the Bridge'.

마일즈는 원곡을 불러 준 밴드 레드 핫 칠리 페퍼스 Red Hot Chili Peppers 기타리스트 존 프러시안테 John Frusciante에 대한 칭송을 이어가고 있다.

5-8. To Love Somebody performed by the Bee Gees

'To Love Somebody'는 1967년 6월 비 지스(Bee Gees)가 국제 음반 시장에 출반한 데뷔 앨범 'Bee Gees 1st'에 수록됐다.

빌보드 핫 100 17위까지 진입하는 성과를 얻는다.

섬으로 초대 된 이들이 저녁 식사를 위해 집결한다.

명화 '모나 리자 Mona Lisa'가 소개된다.

이어 음료를 나눠 주는 장면까지 흘러나오고 있다.

5-9. Take Me Home, Country Roads performed by Toots and the Maytals

저녁 식사 후. 초대 받은 사람들은 마일즈가 제시한 미스터리 게임을 블랑이 쉽게 해결하자 편한 마음으로 술을 마신다.

이때 거실에서 들려오는 음악이 그룹 투츠 앤 더 메이탈스 Toots and the Maytals의 'Take Me Home, Country Roads'.

컨트리 가수 존 덴버 John Denver를 떠올려주는 상징적 히트곡이 레게 버전 reggae cover으로 들려와 이채로움을 더해주고 있다.

5-10. Star performed by David Bowie

모두가 실망감을 드러내지만 거실에서는 파티가 계속되고 있다.

마일즈는 알파 DJ에게 보다 활기찬 노래를 틀어 줄 것을 요청한다.

이런 분위기에서 들려오는 노래가 'Star'이다.

데이비드 보위의 대표 히트 곡 'Star'.

버디가 춤을 추고 있는 와중에 듀크(데이브 뷰티스타)가 사망할 때 까지 들려오고 있다.

5-11. Abzorbing Dance performed by John Denon and Richard Paul Vallance

헬렌이 그리스에 도착한다. 저녁 식사를 위해 블랑을 만날 때 배경 음악으로 들려오는 곡이 'Abzorbing Dance'이다.

이 곡은 〈희랍인 조르바 Zorba the Greek〉에서 연주 주제곡으로 삽입돼 널리 알려진 'Zorba's Dance'를 토대로 해서 편곡한 곡이다.

5-12. Starman performed by David Bowie

데이비드 보위의 2번째 노래가 'Starman'.

1972년 4월 28일 싱글로 발매된 뒤 1972년 6월 16일 보위의 5집 앨범 'The Rise and Fall of Ziggy Stardust'에도 수록된다.

'Starman'은 1970년대부터 데이비드 보위 백 밴드로 활동했던 '스파이더스 프럼 마즈 The Spiders from Mars' 협연을 받아 콘서트 장에서 단골로 불리워졌던 곡이기도 하다.

헬렌이 블랑에게 섬에 집결한 멤버들의 면면과 모임에 대한 소개를 한다.

마일즈가 미래 촉망 받는 인물이 될 것이라는 부연 설명을 해주고 있는 장면이 플래시백 flashback으로 보여지고 있다.

이러한 장면의 배경 노래로 'Starman'이 들려오고 있다.

5-13. Cool Change performed by Little River Band

떠돌아다니는 히피족 데롤(노아 세간).

헬렌이 섬에 있는 모든 방을 수색하는 와중에 두 사람이 마주치게 된다.

이때 데롤이 듣고 있는 노래가 1970년대 후반 히트 됐던 'Cool Change'이다.

5-14. Mona Lisa performed by Nat King Cole

거실이 불길에 휩싸인다.

헬렌이 슬로우 모션으로 달려가 모나 리자 케이스를 열어 그림을 불태워 버린다.

영화에서 가장 돌발적인 장면에서 냇 킹 콜 명곡 'Mona Lisa'가 태평스럽게 흘러나오고 있다.

5-15. Glass Onion performed by the Beatles

떠들썩한 스토리가 정리가 되면서 엔드 크레디트가 시작된다.

〈나이브스 아웃: 글래스 어니언 Glass Onion: A Knives Out Mystery〉의 타이틀 작명에 결정적 영향을 준 비틀즈 명곡 'Glass Onion'이 흘러나오고 있다.

기존에 발매됐던 팝과 클래식 15곡의 외에 감독과 사촌 지간인 작곡가 나단 존슨 Nathan Johnson은 영화 분위기를 위한 배경 음악을 작곡한다.

타이틀 곡 'Theme from Glass Onion'에서 부터 주요 캐릭터와 스토리 구성에 어울리는 27곡에 달하는 트랙을 창작해 낸다.

나단이 작곡한 음원은 사운드트랙 음반 'the official motion picture soundtrack for the Knives Out sequel'로 발매된다.

개별적 음원은 Spotify, Apple Music, YouTube, Amazon 등을 통해 스트리밍 감상할 수 있다.

〈나이브스 아웃: 글래스 어니언〉. © Netflix

<노바디 Nobody>, 독특한 폭력성을 완화시켜 주는 다채로운 팝 선율

에미상 수상자 밥 오덴커크-〈베터 콜 사울, 더 포스트, 네브라스카 등에 출연-는 과소평가 되고 간과 된 아버지이자 남편 허치 맨셀 역으로 출연하고 있다. 삶의 모욕을 턱에 대고 있지만 결코 물러서지 않고 있다.

Emmy winner Bob Odenkirk-Better Call Saul, The Post, Nebraska- stars as Hutch Mansell, an underestimated and overlooked dad and husband taking life's indignities on the chin and never pushing back.

어느 날 밤 두 명의 도둑이 교외의 집에 침입하게 된다.

이때 허치는 심각한 폭력을 예방하기 위해 자신이나 가족을 보호하기를 거부하게 된다.

10대 아들 블레이크(케이지 문로, 〈섁크〉 등에 출연-는 아버지에게 실망한다.

아내 베카(코니 닐슨, 〈원더 우먼〉 출연-와는 더 멀어지게 된다.

When two thieves break into his suburban home one night, Hutch declines to defend himself or his family hoping to prevent serious violence.

〈노바디〉. © Universal Pictures

His teenage son, Brady-Gage Munroe, The Shack-is disappointed in him and his wife Becca-Connie Nielsen, Wonder Woman-seems to pull only further away.

사건의 여파는 허치의 오랫동안 끓어오른 분노와 일치하게 된다.

잠재된 본능이 폭발한다.

어두운 비밀과 치명적인 기술을 표면화 할 잔인한 길로 그를 몰아가게 된다.

The aftermath of the incident strikes a match to Hutch's long-simmering rage, triggering dormant instincts and propelling him on a brutal path that will surface dark secrets and lethal skills.

주먹, 총성, 삐걱거리는 타이어 속.

허치는 위험한 적-유명한 러시아 배우 알렉세이 세레브라코프, 〈아마존〉에 출연한 맥마피아-으로 부터 가족을 구하고 다시는 무용지물인 사람으로 과소평가 되지 않도록 해야 한다.

- 유니버셜 픽쳐스 프러덕션 노트 중

In a barrage of fists, gunfire and squealing tires.

Hutch must save his family from a dangerous adversary-famed Russian actor

Aleksey Serebryakov, Amazon's McMafia-and ensure that he will never be underestimated as a nobody again.

- Universal Pictures

속 시원한 분노 액션 이라는 호평을 받은 일리야 나이슐러 감독의 〈노바디 Nobody〉(2020).

사운드트랙은 친숙한 히트 곡으로 가득 차 있어 영화뿐만 아니라 음악 애호가들의 환호성을 불러 일으켰다.

평범한 중년 남자가 분노 조절이 안 되는 폭력주의자로 돌변하는 역할을 연기한 밥 오덴커크.

폭력적인 과거와 치명적인 기술을 드러내는 액션을 부추겨 주는 록큰롤이 풍성하게 흘러나오고 있는 것이다.

2021년 국내 극장가를 노크했던 영화는 키아누 리브스 주연의 〈존 윅 John Wick〉 프랜차이즈를 탄생시킨 작가 데렉 콜스태드 Derek Kolstad가 시나리오를 담당하고 있다.

작가의 영향은 확실히 눈에 띄고 있다.

재기발랄한 시나리오 작가가 제시한 흥미로운 전제는 강렬한 액션, 어두운 유머, 눈길을 끄는 노래로 가득 찬 거친 여정을 통해 펼쳐지고 있는 것이다.

배경 음악 작곡가로 참여한 데이비드 버클리 David Buckley는 '〈노바디〉 사운드트랙은 일상의 평범함을 포착하고 있다. 집합적인 노래는 주인공의 정체성 위기와 관련이 있다. The Nobody soundtrack captures the mundanities of everyday life and the collective songs correlate with the protagonist's identity crisis.'는 의견을 제시했다.

〈베터 콜 사울 시즌 6 Better Call Saul〉(2022)의 지미 역, 미니 시리즈 〈브레이킹 배드 시즌 4-5 Breaking Bad〉(2011-2012)의 사울 굿맨 역으로 유명세

를 얻었던 작가 겸 배우 밥 오덴커크 (Bob Odenkirk).

〈노바디〉를 통해 현란한 싸움 기술을 펼쳐 보이면서 왠지 모르를 즐겁고 스릴 넘치는 액션을 선사했다.

여기에 사운드트랙은 관객들에게 유쾌한 음악 여행으로 안내하고 있다.

〈노바디〉. © Universal Pictures

영화는 상징적인 니나 시몬 Nina Simone 노래로 시작되어 루더 엘리슨 Luther Allison의 클래식으로 이동하고 있다.

러시아 작곡가 차이코프스키와 미국 가수 앤디 윌리암스의 노래로 극중 분위기를 전환시키고 있다.

눈에 띄는 것은 〈노바디〉의 냉정하고 강력한 악당 율리안 쿠즈네소프(알렉세이 세레브라코프)는 기이하면서도 매혹적인 나이트클럽 공연에서 노래를 불러 주는 반전(反轉)을 펼쳐 주어 관객들의 허를 찌르고 있다.

이런 덕분에 영화는 2021년 범죄 스릴러 최상의 영화로 대접 받았다.

* 〈노바디〉 사운드트랙 해설

6-1. Don't Let Me Be Misunderstood performed by Nina Simone

관객들에게 허치 맨셀을 소개하는 오프닝 크레디트를 장식하는 노래가 'Don't Let Me Be Misunderstood'이다.

극의 후반부.

피투성이가 된 채 경찰 심문 실에서 허치가 태연하게 담배를 피우고 작은 새끼 고양이를 쓰다듬는 모습을 보여주는 장면에서 노래가 다시 이어지고 있다.

이 남자가 누구이며 어떻게 여기까지 왔는지에 대한 질문을 제기하는 〈노바디〉에서 훌륭하고 흥미로운 오프닝 곡으로 기억된다.

극이 엔딩으로 마무리 되면서 노래가 다시 흘러나오고 있다.

6-2. Heartbreaker performed by Pat Benatar

허치 이웃 집 남자 짐(폴 에시엠브레).

빈티지 자동차에 시동을 걸고 집 침입자에 대해 조치를 취하지 않은 허치에게 모욕적 행동을 보인다.

이어 차를 몰고 갈 때 잠시 들려오는 노래가 'Heartbreaker'이다.

허치가 짐이 애지중지 하는 자동차를 훔친다.

율리안의 친구들과 자동차 추격전을 벌이는 후반부에서 이 노래가 다시 흘러나오고 있다.

6-3. Life Is a Bitch performed by Luther Allison

집에 침입한 괴한에게 제대로 대처를 하지 못한 허치.

소극적인 행동을 한 자신에 대해 의기소침해진다.

문신 가게를 찾아가 도둑들이 치장하고 다니는 문신 중 하나에 대해 질문한다.

이러한 상황에서 들려오는 노래가 'Life Is a Bitch'이다.

6-4. Dvigai Popoy performed by Mandarinki

허치는 버스를 타고 있다.

갱스터가 몰고 있는 다목적 차량 허머 Hummer는 장애물에 충돌한다.

차 안에 있던 부상당한 남자가 비틀 거리면서 밖으로 나온다.

이러한 장면에서 들려오는 노래가 'Dvigai Popoy'이다.

6-5. I've Gotta Be Me performed by Steve Lawrence

갱스터가 버스에 탑승한다.

허치는 그들이 다른 승객을 괴롭히는 것을 그저 지켜만 보고 있다.

'나는 나여야 한다 I've got to be me'는 노래는 허치가 과거 폭력적이었던 행동이 분출하게 되는 전환점을 제공하게 된다.

6-6. Buhgalter (The Auditor) performed by Kombintsya

허치가 버스 안에서 갱스터와 싸우다가 창밖으로 쫓겨난다.

이어 더 많은 행동을 위해 버스에 탔을 때 'Buhgalter (The Auditor)'가 흘러나오고 있다.

6-7. Serye Glaza performed by Natasha Korolyova

〈노바디〉에서 가장 인상 깊은 악당 율리안.

율리안이 쇼가 진행되는 클럽으로 들어간다.

무대에서 가수와 함께 잠시 공연을 한 다음 한 남자를 잔인하게 죽이는 장면이 이어진다. 엉뚱하면서도 도도한 악인의 행동을 보여 주고 있다.

이런 장면의 배경 노래로 'Serye Glaza'가 흘러나오고 있다.

6-8. Piano Concerto No. 1 in B Flat Minor performed by Pyotr Ilyich Tchaikovsky

허치가 조깅을 한 뒤 샤워를 한다.

홀가분한 기분에 젖어 그의 삶에 새로운 활력을 불어 넣게 된다.

이러한 호쾌한 상황을 격려해 주려는 듯 고전 클래식 'Piano Concerto No. 1 in B Flat Minor'가 들려오고 있다.

〈노바디〉. © Universal Pictures

6-9. I Told Myself a Lie performed by Clyde McPhatter

허치는 율리안이 자신을 쫓고 있다는 사실을 알게 된다.

바버(콜린 살몬)를 찾아가서 율리안에 대한 정보를 얻어낸다.

허치는 자신의 행동이 아주 좋은 생각이라고 스스로에게 농담을 건넨다. 이런 분위기에서 흘러나오고 있는 노래가 'I Told Myself a Lie'이다.

6-10. I Won't Give You Up performed by Almost

율리안의 친구들이 허치 집에 도착한다.
그 때 허치는 가족을 위해 멋진 저녁 식사를 준비하고 있었다.
이러한 장면에서 배경 노래로 'I Won't Give You Up'이 흘러나오고 있다.

6-11. Funky Music Sho Nuff Turns Me On performed by Edwin Starr

허치가 율리안 일당들에게 납치되어 차 트렁크에 짐짝처럼 던져진다.
자동차가 이동하는 동안 허치는 수갑을 풀고 자동차를 추락시킨다.
이러한 긴박한 장면에서 'Funky Music Sho Nuff Turns Me On'가 흘러나오고 있다.

6-12. Straighten Up and Fly Right performed by Dean Hudson and his Orchestra feat

허치가 지하실에서 금 덩어리를 포장하고 있다.
이때 암살자들이 허치 집으로 쳐들어온다.
총격전이 벌이지고 괴한들이 죽어가는 동안 허치는 자신의 과거 이력과 사연을 중얼거린다.

'Straighten Up and Fly Right'는 이런 장면에서 흘러나오고 있다.

6-13. What a Wonderful World performed by Louis Armstrong

허치는 집안에 있는 LP 레코드를 찾아 플레이어에 걸어 놓는다.

시체가 널 부러져 있는 집안에 불을 붙여 집은 서서히 화마(火魔)에 휩싸인다.

모두 소각(燒却)시켜서 범죄 행각을 은폐하겠다는 의도를 보여 주는 장면에서 아이러니하게도 세상의 아름다움을 노래한 찬가 'What a Wonderful World'가 울려 퍼지고 있다.

6-14. The Impossible Dream performed by Andy Williams

율리안이 무대에서 노래하는 장면과 허치가 돈을 훔치는 장면이 자료 화면으로 보여진다.

허치가 돈과 권력을 갖고 있어 겉보기에는 무적(無敵)인 것 같은 적과 맞서다가 모든 것을 불태우는데 성공하게 된다.

율리안이 자신을 엉망으로 만든 것을 진정으로 후회하게 만들어 버린다.

이러한 상황을 보여주는 장면에서 앤디 윌리암스의 감성적인 보컬이 일품인 'The Impossible Dream'이 흘러나오고 있다.

노래의 끝 부분에서 허치가 율리안의 공연을 지켜보고 있는 클럽의 군중 속에 있음을 보여주고 있다.

6-15. You'll Never Walk Alone performed by Gerry & The Pacemakers

괴한들과 사활을 건 대학살 싸움을 벌이게 되는 허치.

그는 아버지와 입양된 형제 해리의 측면 도움을 받아 예상하지 못하는 기쁨을 맛보게 된다.

〈노바디〉에서 펼쳐지는 마지막 액션 장면에서 들려오는 노래가 'You'll Never Walk Alone'이다.

6-16. Let the Good Times Roll (Feel So Good) performed by Bunny Sigler

엔딩 크레디트가 진행된다.

허치 아버지와 의붓 형제가 무기로 가득 찬 레저용 자동차 RV(Recreational Vehicle)를 몰고 새로운 삶을 향한 여행을 떠난다.

〈노바디〉 포스트 크레디트 장면 post-credit scene에서 'Let the Good Times Roll (Feel So Good)'이 흘러나오고 있다.

전체적으로 거칠고 폭력적인 액션 장면 외에도 〈노바디〉 사운드트랙에는 다양한 아티스트가 적절하게 선택한 많은 노래가 포함되어 음반 시장에서 기대 이상의 호응을 얻어낸다.

영화에는 기존에 발표된 음악 외에도 유명 작곡가 데이비드 버클리 David Buckley의 오리지널 배경 음악도 다수 포함되어 있다.

영국 출신 미국 팝 아티스트 버클리는 2016년 〈제이슨 본 Jason Bourne〉 〈타운 The Town〉 〈천사는 추락하고 Angel Has Fallen〉 〈언힌지드 Unhinged〉로 작곡 역량을 인정받는다.

마이클 노에 Michael Noer 감독이 2018년 리메이크 한 〈빠삐용 Papillon〉 사운드트랙도 창작해 내면서 차세대 영화 음악 전문가로 자리를 잡아가고 있다.

* 〈노바디〉 선곡된 음악은 화면 분위기 더욱 좋게 만들어 〈노바디〉 사운드 트랙은 허치가 구사하는 놀라운 전투 기술만큼이나 영화의 대중적 호응을 확장시키는 비밀 무기 역할을 해낸다.

잔인한 스릴러 이야기 이상으로 영화를 향상시키는 데 도움이 된 것이 다채롭게 선곡된 음악이다.

이들 노래들은 액션 장면과 등장인물의 성향을 각인시키는데 일조하고 있는 것이다.

〈베이비 드라이버 Baperformed by Driver〉에서 사용된 에드가 라이트 Edgar Wright 감독의 연출 방식과 흡사하게 〈노바디〉에서도 전투 장면과 총격전 장면이 음악과 함께 흡사 춤추듯이 전개되고 있다.

화면의 폭력성과 대조되는 경쾌하고 귀에 쏙쏙 들어오는 노래들은 어둡고 때로는 코믹한 화면에 녹아들어서 기대 이상의 역할을 해낸다.

〈노바디〉 선곡 음악은 캐릭터의 성격을 강조해 주는 보완 역할도 해내고 있다.

극중 허치가 수집한 다양한 음반 콜렉션은 하루 일과를 마치고 차분하고 긴장을 푸는 방법으로 활용되고 있다.

암살단이 허치의 집을 침범하자 그는 자신의 차분한 면을 영원히 잠재우려는 것처럼 레코드 수집품에 불을 질러 버린다.

한 편 악당 율리안은 노래방 장면에서 그동안의 냉혹한 일면을 벗어 버리면서 약간의 휴머니티를 부여 받게 된다.

율리안은 순간적으로 강렬하고 잔인한 폭력을 행사하는 건조한 인물이지만 한편에서는 자신이 좋아하는 노래를 매우 즐겁게 불러주는 행동을 보이고 있는 인물이다.

이런 순간을 보여주고 있을 때 율리안은 시각적인 재미를 주고 있다. 동시에 음악이 그의 행동에 공감을 보낼 수 있는 여지를 제공하고 있다.

〈노바디〉. © Universal Pictures

<더 배트맨 The Batman> 작곡가는 록 밴드 너바나 Nirvana 노래를 들어 본 적이 없다?

〈더 배트맨〉 작곡가 마이클 지아치노 Michael Giacchino는 DC 영화를 촬영하기 직전까지 록 밴드 너바나 Nirvana의 주요 노래인 'Something in the Way'를 들어본 적이 없다고 밝혀 영화가 토픽을 제공했다.

맷 리브스 감독이, 로버트 패틴슨을 기용해서 공개했던 〈더 배트맨 The Batman〉(2022)은 'DC 확장 유니버스용 the DC Extended Universe'으로 개발된 작품이다.

영화는 브루스 웨인이 고담에서 2년째 범죄 조직과 전쟁을 치르고 있다.

이런 와중에 리들러로 알려진 연쇄 살인범을 사냥하면서 자신의 영역을 확장시켜 나간다는 스토리를 들려주고 있다.

배트맨은 범죄 조직을 추적해 나가면서 펭귄으로 더 잘 알려진 오스왈드 코블팟 Oswald Cobblepot과 캣우먼으로도 알려진 셀리나 카일 Selina Kyle을 만나게 된다.

로버트 패틴슨 Robert Pattinson, 조 크라비츠 Zoë Kravitz 및 폴 다노 Paul Dano가 이끄는 〈더 배트맨 The Batman〉은 광범위한 비평가들의 찬사를 받았다.

2억 달러의 제작 예산에 비해 7억 7천만 달러 이상의 수익을 올리며 흥행에 성공한다.

너바나 그룹이 1991년 5월 발매한 앨범 'Nevermind'에 수록됐던 'Something in the Way'는 〈더 배트맨〉 사운드트랙으로 선곡됐다. © DGC Records

익히 알려져 있는 배트맨에 대해 맷 리브스 Matt Reeves 감독의 접근 방식은 배트맨이 세계 최고의 형사로서의 지위를 적절하게 탐색하고 있다는 것을 펼쳐주게 된다.

데이비드 핀처 David Fincher 감독이 애착을 보이는 영화 〈세븐 Se7en〉을 연상시키는 완전히 어둡고 느와르 중심의 분위기로 극을 이끌어 나가 관객들의 뜨거운 호응을 받았다는 흥행 분석이 제기 됐다.

흥행 포인트를 조성해 나가는 핵심 요소 중 하나는 록 밴드 너바나 Nirvana가 1991년 발매한 노래 'Something in the Way'를 빠트릴 수 없다.

〈더 배트맨 The Batman〉에서 매우 중요한 설정이 되고 있는 것이 영화 음악 부문.

그런데 전체 배경 음악을 창작할 크리에이티브가 참여하기 전에 팝 트랙을 선곡할 것이라는 것을 인식하지 못했다는 것이 알려지면서 적지 않은 논란을 제공했다.

슬래시필름 SlashFilm과 인터뷰를 통해 작곡가 마이클 지아치노 Michael

Giacchino는 〈더 배트맨 The Batman〉 배경 음악 작곡을 위해 상당히 많은 노력을 했다고 밝혔다.

그는 주인공 패티슨이 캐스팅 되기 전부터 시나리오를 참고로 해서 사운드트랙을 구상하기 시작했다고 말했다.

이 와중에 제작자 워너 브라더스 측으로부터 너바나 Nirvana 히트곡 'Something in the Way'를 선곡했다는 통보를 받았으며 자신은 이 노래를 이전에 들어본 적이 없다고 덧붙였다.

인터뷰 주요 내용은 다음과 같다.

〈더 배트맨〉. © Warner Bros

이것은 정말 당혹스럽다.

나는 너바나 노래를 전혀 몰랐다.

나는 내가 모른다고 말하는 노인처럼 느껴졌다.

This is really embarrassing but I did not know that song. I did not know that song at all. I feel like an old man saying that I did not know.

물론 지금은 알고 있다. 곡을 만들 당시에는 아무 생각이 없었다. 나는 몰랐다.

나와 밴드가 어떤 식으로든 약간의 조정을 통해 예고편을 위해 함께 살 수 있었던 것은 영원한 행운이었다.

Of course, now I know it. At the time when I was writing, I had no idea. I didn't know. It was eternal luck that those two were able to, in some way with a little tweaking, live together for the trailers the way they did them.

정말 멋지게 작업됐다. 미리 계획된 것이 아니었다.

그것은 일종의, 맷 리브스 감독과 대본에 대해 오랫동안 이야기하고 캐릭터와 그 모든 것에 대해 이야기 한 후에 주제 음악을 만들었다

It worked out really nicely. It wasn't something that was planned ahead of time. it was just sort of, I wrote that theme after talking with director Matt Reeves for so long about the script and talking about the characters and all of that.

주제 음악은 쓰여 졌다. 잘 모르겠지만 영화 제작이 끝나기 2년 전에 완성했다. 맷 감독은 공식적으로 로버트 패티슨을 캐스팅하기 전에 그 주제 음악을 갖고 있었던 것이다.

The theme was written, I don't know, two years before the movie was even finished. Matt had that theme before they officially cast Robert Pattinson.

내 말은, 그렇게 일찍 주제 음악을 갖고 있었다는 것은 미쳤다는 것이다. 드문 경우다. 모두 해결 되었다. 그것은 단지 세렌디피티였다. 그냥 둔 둔 둔인 메인 배트맨 테마는 어떤 면에서 그들은 아주 멋지게 함께 살고 있다.

I mean, that was crazy to have it that early. It's rare that happens. It all worked out. It was just serendipity. The main Batman theme that is just that dun dun dun, in certain ways they kind of just live together so nicely.

7-1. 너바나 Nirvana 노래가 〈더 배트맨〉에게 완벽한 이유?

록 밴드 너바나 Nirvana의 'Something in the Way'는 리드 싱어 커트 코베인이 인생에서 가장 어두운 시기에 작곡했다는 노래이다.

이런 창작 일화를 염두에 둔다면 〈더 배트맨〉에서 브루스 웨인(패틴슨)이 자신의 현재 위상을 이해하는 데 가장 중요한 배경 역할을 하게 된다.

알프레드(앤디 서키스)가 배트맨을 적극 측면 지원하고 있다.

그렇지만 브루스는 대체로 자신이 세상에서 혼자라고 생각하고 있다.

암흑 도시 고담 Gotham 주변에서 범죄와 싸우는 주요 이유는 부모가 억울하게 피살된 것에 대한 복수의 일념이 더욱 강했다.

배트맨이 늘 어두운 마음 상태를 유지하게 된 주요 원인인 것이다.

작곡가 지아치노가 작곡한 배경 음악을 감독 맷이 적절하게 조정했다.

이런 조율 끝에 선곡한 너바나 Nirvana의 'Something in the Way'는 〈더 배트맨 The Batman〉이 개봉된 뒤 주제곡으로 손색없는 완벽한 역할을 해냈다는 환대를 받게 된다.

예고편과 DC 영화 자체에 수록된 뒤 너바나 Nirvana 트랙은 스트리밍 차트에서 인기 순위가 급상승 하는 반응을 얻게 된다.

맷 감독은 패틴슨을 21세기 새로운 어둠의 영웅으로 완전히 부각시키기 위해 〈더 배트맨 2 The Batman 2〉를 구상 중인 것으로 알려졌다.

만일 맷 감독의 〈더 배트맨〉 속편이 성사된다면 이번에는 '더 배트맨'에게 영감을 주게 될 트랙은 어떤 곡일까라는 궁금증도 제기 된다.

속편이 제작되기 전에는 HBO Max에서 스트리밍 되는 〈더 배트맨 The Batman〉을 시청하면서 영화 분위기에 걸맞게 들려오는 너바나의 사랑받는 노래를 재음미해 볼 것을 권유하고 있다.

7-2. 록 밴드 너바나 Nirvana의 'Something in the Way'는 어떤 노래?

1991년 9월 발매한 밴드 2집 앨범 'Nevermind'에 수록됐다.

어코스틱 록 Acoustic rock, 얼터너티브 록 alternative rock으로 규정된 'Something in the Way'는 미국 록 밴드 너바나 Nirvana 보컬 겸 기타리스트

커트 코베인 Kurt Cobain 이 작곡했다.

〈더 배트맨〉. © Warner Bros

2022년 슈퍼히어로 영화 〈더 배트맨 The Batman〉 예고편 배경 노래로 선택된 뒤 다시 조명 받는 기회를 얻는다.

빌보드 US Rock Digital Songs 판매 차트 2위, US Alternative Digital Songs 판매 차트 5위를 기록한다.

Amazon Music과 iTunes 디지털 음악 차트 모두 20위권에 오르는 관심을 받는다.

2022년 3월 26일 빌보드 핫 100 46위에 등극된다.

'Something in the Way'는 1990년 코베인이 곡을 만든 것으로 알려졌다.

2015년 11월 코베인의 주요 곡을 편집한 앨범 'Montage of Heck: The Home Recordings'을 통해 재발매 된다.

2015년 코베인의 음악 여정을 다룬 다큐 〈몬태지 오브 헥 Montage of Heck〉을 발표했던 브렛 모겐 Brett Morgen 감독은 'Something in the Way'에 대해 '3분 52초에 불과했지만 곡조 구성이 흡사 록 오페라와 같은 트랙'이라고 평가해 주었다.

'Something in the Way'은 1990년 11월 25일 시애틀 오프 램프 카페 The Off Ramp Café in Seattle에서 처음 라이브 공연으로 불리워진 것으로 기록되고 있다.

<더 썬 The Son>, 한스 짐머가 펼쳐주는 부자(父子)간의 갈등과 비극

다소 침울한 선율을 담고 있는 한스 짐머 작곡의 'Love Is Not Enough'는 플로리안 젤러 감독의 비극적 드라마 〈더 썬 The Son〉의 주요 테마 곡이다.

성공한 변호사.

뉴욕에서 재혼한다.

어느 날, 전처로부터 아들 니콜라스가 학교도 가지 않고 일탈된 행동을 한다는 연락을 받는다.

좋은 아버지가 되고 싶었던 피터(휴 잭맨).

아들을 재혼 가정집으로 데려 오지만 부자(父子) 관계는 계속 부딪히게 된다.

17세 된 아들 니콜라스(조지 코벨)는 급기야 자살을 시도해 치료 보호 시설에 수감된다.

피터와 전처 케이트(로라 던)는 협의 하에 보호 시설에 있는 아들을 퇴원시킨다.

집에 돌아온 니콜라스는 부모님을 위해 차를 끓이고 가족이 함께 영화를 보는 것에 대해 행복하게 이야기 한다.

아들이 샤워하러 가자 피터와 전처는 상황이 나아진 것 같다고 안심한다.

하지만 니콜라스는 결국 자살한다.

아들의 자살로 충격을 받은 피터.

몇 년 후 니콜라스가 살았더라면 어떤 삶을 살았을까 하는 상상을 하게 된다.

재혼한 부인 베스(바네사 커비)는 자신의 존재가 니콜라스가 죽음을 택한 비극적 상황에 대해 심한 자책을 한다.

한스 짐머가 사운드트랙을 맡은 〈더 썬〉. © See-Saw Films

2021년 발표한 〈더 파더 The Father〉로 많은 기대감을 모았던 플로리안 젤러의 신작이다.

〈더 선 The Son〉은 극작가인 젤러가 발표한 희곡을 각색한 것으로 알려졌다.

〈더 썬〉은 현대 가족 관계에 대해 되돌아 볼 수 있는 기회를 제공했다는 찬사를 받아낸다.

〈더 썬〉은 1급 연기자들의 대거 출연뿐만 아니라 독일 출신 영화음악 전문 작곡가 한스 짐머 Hans Zimmer가 배경 음악을 작곡했다는 것 때문에 관심을 더욱 촉발시켰던 작품이다.

짐머는 시대 역사극에서 진가를 발휘하고 있는 존 윌리암스 John Williams에 이어 2번째로 주목을 받고 있는 작곡가이다.

짐머는 〈다크 나이트 The Dark Knight〉 3부작, 〈글라디에이터 Gladiator〉 등 할리우드 블록버스터 대부분의 음악을 작곡했다.

애니메이션 〈라이온 킹 The Lion King〉(1994, 2019)에 이어 〈듄 Dune〉(2021)으로 아카데미 작곡상 2회 수상이라는 업적도 보유하고 있다.

〈더 썬〉 트랙 중 'Love Is Not Enough'는 영화 자체가 다루고 있는 밝지 않은 감성적 특성에 가장 잘 표현한 음악으로 주목을 받아냈다.

극적인 분위기를 조성해 주고 있는 현악 멜로디, 부풀어 오르는 맥박, 곡의 방황하는 화음 진행이 어우러져 침울하면서도 아름다운 메시지를 전달해 주고 있다.

'Love Is Not Enough'는 한스 짐머가 〈크림슨 타이드〉 〈글라디에이터〉 등에서 들려 주었던 웅장하고 다소 과격한 분위기와는 달리 매우 섬세하고 차분한 곡조를 유지시켜 한스 짐머의 폭넓은 작곡 범위를 보여주는 훌륭한 사례가 되고 있다는 찬사를 얻어낸다.

〈더 썬〉 사운드트랙 작업에 대해 한스 짐머는 '〈더 파더〉에 감명 받아 항상 플로리안과 함께 작업하고 싶었다. 이번 영화는 자신의 정신 건강을 유지하기 위한 투쟁과 연결된 모든 캐릭터가 보여주는 광범위한 감정을 묘사하는 데 매우 풍부하다.

오케스트라와 함께 할 수 있는 것처럼 감정을 공감하고 강화할 수 있다는 것이 놀랍도록 감동적이라는 것을 알았다. I had always wanted to work with Florian having been so moved performed by The Father. This film is so rich in its depiction of the struggle to maintain one's mental health and the wide swathe of emotions displayed performed by all of the connected characters, I found it remarkably moving to be able to enhance and frame those emotions as empathetically as I could with the orchestra'

는 소감을 드러냈다.

〈더 썬〉. © See-Saw Films

빌보드는 '다른 많은 영화 악보 사운드트랙과 비교할 때 상대적으로 짧다. 하지만 Love Is Not Enough가 어떤 징후라면 〈더 썬: 오리지널 모션 픽쳐 사운드트랙 The Son: Original Motion Picture Soundtrack〉은 아름답고 때로는 가슴 아픈 음악 컬렉션이 될 것이다. Although relatively short when compared to many other film score soundtracks, if Love Is Not Enough is any indication, The Son: Original Motion Picture Soundtrack will be a beautiful and at times heartbreaking collection of music.'는 리뷰를 게재한다.

Track listings

1. Waves 1
2. Love Is Not Enough
3. Mirror
4. Bridge
5. Waves 2
6. Nicholas
7. Divide
8: Waves 3
9. Mirage

플로리안 젤러 감독의 가족 3부 작 중 2번째 작품 〈더 썬 The Son〉 사운드트랙에는 탐 존스 Tom Jones, 어위 레온 Awir Leon 등 익히 알려진 팝 선율도 들을 수 있다.

〈더 썬 The Son〉에서 휴 잭맨은 두 번째 부인과 함께 살면서 전처 사이에서 출생한 어린 아들을 돌보는 변호사 피터 밀러로 출연하고 있다.

로라 던은 전처 케이트 밀러 역을 맡고 있다.

극은 부모의 이혼 등으로 우울증에 빠져 있는 아들의 관점과 동기를 이해하려고 노력하는 아버지 피터 행적을 펼쳐주고 있다.

한스 짐머는 123분짜리 영화에서 사용된 배경 음악 작곡을 진두지휘했다.

음악 감독 이안 닐 Ian Neil-〈로켓맨 Rocketman〉-이 익히 알려진 팝 명곡을 선정하는 작업을 한 것으로 알려졌다.

원작은 플로리안 젤러 Florian Zeller의 연극 'Le Fils'를 각색한 것이다.

* 〈더 썬〉 사운드트랙 삽입 곡 해설

8-1. It's Not Unusual performed by Tom Jones

거실 장면.

재혼한 아내 베스(바네사 커비)는 남편 피터와 전처 소생의 의붓 아들 니콜라스(젠 맥드래스)와 가정사에 대해 이야기를 나누고 있다.

화기애애한 분위기에 맞추어 베스는 레코드를 걸고 특별한 춤을 추게 된다.

이런 장면의 배경 노래로 탐 존스의 흥겨운 록큰롤 'It's Not Unusual'이 흘러나오고 있다.

탐 존스의 대표적 히트곡 중 하나인 'It's Not Unusual'은 윌 스미스 주연의 시트콤 드라마 〈프레시 프린스 오브 벨-에어 리유니온 The Fresh Prince of Bel-Air Reunion〉(2020)을 비롯해 〈플로라 앤 율리시스 Flora & Ulysses〉(2021) 〈렉스 Lex〉(2010) 〈다양한 고등학교 로맨스 Variations on a High School Romance〉(2010) 등에서도 들을 수 있다.

베스가 레코드 음반을 통해 들려 주는 이 곡이 흘러 나오자 피터는 춤 동작을 선보이고 노래는 스피커 시스템을 통해 크게 들려오고 있다.

어린 니콜라스는 계모 베스와 농담을 주고받으면서 댄스 공연에 합류하는 장면 등이 이어지면서 약 40여초 동안 흘러나오고 있다.

8-2. Wolf performed by Awir Leon

등장 인물들이 거실에 있는 장면이 계속되고 있다.

피터와 베스가 함께 춤을 추면서 서로 사랑스런 미소를 주고받는다.

이러한 장면에서 'Wolf' 흘러나오고 두 사람의 행동은 슬로우 모션으로 처리된다.

니콜라스는 혼자 서서 생각에 잠겨 있다.

장면이 전환되어 피터는 야외에서 조깅을 하면서 멀리 수평선을 응시하고 있다.

이때 피터는 베스로부터 니콜라스가 매트리스 밑에 칼을 숨겼다는 귀띔 전화를 받게 된다.

〈더 썬〉. Ⓒ See-Saw Films

<더 울프 오브 월 스트리트 The Wolf of Wall Street>(2013) - 월 스트리트를 농락한 희대의 사기 행각에서 들려오는 엘비스 프레슬리에서부터 존 리 후커 노래까지

1990년대 초.

조단 벨포트(레오나르도 디카프리오)는 파트너 도니 아조프(조나 힐)와 팀을 이루어 중개 회사 스트라튼 오크몽트를 출범시킨다.

창업 당시 20명 직원은 250명 이상의 직원으로 빠르게 성장한다.

거래 커뮤니티와 월 스트리트에서 그들의 지위는 기하급수적으로 증가하게 된다. 기업들이 그들을 통해 초기 공모를 제출할 정도가 된다.

In the early 1990s, Jordan Belfort teamed with his partner Donnie Azoff and started brokerage firm Stratton Oakmont.

Their company quickly grows from a staff of 20 to a staff of more than 250 and their status in the trading community and Wall Street grows exponentially.

So much that companies file their initial public offerings through them.

〈더 울프 오브 월 스트리트〉. © Red Granite Pictures

지위가 높아짐에 따라 그들이 남용하는 물질의 양도 늘어나고 거짓말도 늘어난다.

그들은 높은 거래에서 대박을 쳤을 때 직원들을 위해 호화로운 파티를 열어 다른 누구보다 주목을 받게 된다.

As their status grows, so do the amount of substances they abuse and so do their lies.

They draw attention like no other, throwing lavish parties for their staff when they hit the jackpot on high trades.

그것은 궁극적으로 'The Wolf Of Wall Street'라고 불리며 포브스 매거진 Forbes Magazine 표지에 등장한 벨포트로 이어진다.

벨포트의 거래 계획에 대한 FBI와 함께 그는 자신의 행적을 숨기고 재산이 늘어나는 것을 지켜볼 새로운 방법을 고안해 낸다.

That ultimately leads to Belfort featured on the cover of Forbes Magazine being called 'The Wolf Of Wall Street'.

With the FBI onto Belfort's trading schemes, he devises new ways to cover his tracks and watch his fortune grow.

벨포트는 궁극적으로 유럽 은행에 현금을 숨기는 계획을 세우게 된다.

하지만 FBI가 그를 매처럼 지켜보고 있는 가운데 벨포트와 아조프는 언제까지 그들의 정교한 부와 호화로운 생활 방식을 유지할 수 있을까?

거래 위반에도 불구하고 조단은 증언으로 인해 최소 보안 교도소에서 36개월의 감형을 받고 22개월을 복역한 후 2000년에 석방된다.

석방 후 조단은 판매 기술에 대한 세미나를 주최하면서 생계를 유지해 나간다.

- 버라이어티

Belfort ultimately comes up with a scheme to stash their cash in a European bank.

But with the FBI watching him like a hawk, how long will Belfort and Azoff be able to maintain their elaborate wealth and luxurious lifestyles?

Despite breaching his deal, Jordan receives a reduced sentence of 36 months in a minimum security prison for his testimony and is released in 2000 after serving 22 months.

After his release, Jordan makes a living hosting seminars on sales techniques.

- Variety

여러 장르의 다양한 노래가 포함 된 〈더 울프 오브 월 스트리트 The Wolf of Wall Street〉.

마틴 스콜세즈의 음악 감각이 선택한 야심찬 사운드트랙이 포진되어 있다.

공개 당시 마틴 스콜세즈는 다양하고 훌륭한 노래로 〈더 울프 오브 월 스트리트〉 사운드트랙을 채웠다는 찬사를 들은 바 있다.

파렴치한 주식 중개인 조단 벨포트 인생 이야기를 각색한 영화는 마틴 감독의 상징적 연출 스타일을 거쳐 범죄 극으로 극장가를 노크한 바 있다.

마틴 감독의 전작 〈좋은 친구들 Goodfellas〉 및 〈카지노 Casino〉와 마찬가지로 이번 작품에서도 다채로운 장르 음악이 화면 곳곳을 채우고 있다.

〈비열한 거리 Mean Streets〉에서 'Jumpin Jack Flash'이 들리는 가운데 로버트 드 니로가 등장한다.

〈더 울프 오브 월 스트리트〉. © Red Granite Pictures

이 장면으로 강한 인상을 전파시킨 마틴 감독은 음악과 등장인물의 성격을 절묘하게 결합시키는 데 탁월한 능력을 갖고 있다는 것을 인정받는다.

〈더 울프 오브 월 스트리트〉에서는 이러한 마틴 감독의 음악 선곡 테크닉이 자랑스럽게 이어가고 있다.

푸 파이터 Foo Fighters에서부터 디보 Devo, 엘비스 프레슬리의 팝 명곡에 이르기까지 다양한 아티스트가 초빙되고 있다.

다채로운 음악 스타일의 혼합은 영화의 빠르고 열광적인 속도를 만드는 데 큰 부분을 차지한다.

끊임없이 변화하는 사운드트랙과 해당 사운드트랙의 다양한 노래 덕분에 〈더 울프 오브 월 스트리트〉는 180여분에 달하는 상영 시간이 순식간에 지나간다는 찬사를 받는다.

마틴 감독은 이번 영화를 위해 수 백곡에 달하는 음원 라이브러리를 구축한 뒤 거기에서 다시 엄선해서 야심찬 사운드트랙을 구성했다는 일화가 전해지고 있다.

9-1. Spoonful performed by Howlin Wolf

조단이 하루를 보내기 위해 복용하는 많은 약을 나열할 때 흘러나오고 있다.

9-2. Hit Me With Your Rhythm Stick performed by Ian Dury

조단이 월 스트리트에 본격 입성한지 6개월 동안 많은 코카인을 흡입하게 된다.
그가 스트립 클럽에 있을 때 홀 안에서 'Hit Me With Your Rhythm Stick'이 들려오고 있다.

9-3. Tear It Down performed by Clyde McCoy

조단과 도니 아조프(조나 힐)이 함께 담배를 피울 때 배경 노래로 'Tear It Down'이 들려오고 있다.

9-4. Surrey with the Fringe on Top performed by Ahmad Jamal Trio

조단이 아내에서 재력을 과시하면서 다이아몬드 목걸이를 사주고 있다.
이러한 호기스런 장면에서 'Surrey with the Fringe on Top'이 흘러나오고 있다.

9-5. Stars and Stripes Forever performed by John Philip Sousa

이국적 모습을 풍겨주고 있는 댄서와 '행진곡 밴드 a marching band'가 사무실을 가로 질러 지나간다.

이러한 장면에서 'Stars and Stripes Forever'가 흘러나오고 있다.

9-6. Cloudburst performed by Lambert, Hendricks & Ross

회사에서는 다양한 종류의 성 노동자 sex workers를 채용하고 있다.

이런 상황에 대해 조단이 직원들에게 설명하는 장면에서 'Cloudburst'가 흐르고 있다.

9-7. Insane in the Brain performed by Cypress Hill

그룹 사이프레스 힐 Cypress Hill이 불러 주고 있는 'Insane in the Brain'은 힙 합 클래식으로 대접 받고 있는 곡.

조단이 주최한 하우스 파티 장소에서 들려오고 있다.

9-8. King Arthur, Act 3: What Power Art Thou performed by The Monteverdi Choir

조단과 도니는 '비어 퐁 게임 a game of beer pong'을 벌인다.

이 게임은 플레이어가 탁구공을 탁자 너머로 던지면서 상대방 맥주잔에 공을 떨어뜨리려는 이것을 마시는 게임.

팀은 번갈아 가며 상대방 컵에 탁구공을 던지려고 시도한다.

공이 컵에 떨어지면 상대 팀이 해당 컵 내용물을 모두 마시고 컵은 테이블에서 제거 된다. 상대방 컵을 모두 제거하는 첫 번째 팀이 승자가 된다.

'King Arthur, Act 3: What Power Art Thou'는 비어 퐁 게임을 진행하던 도니의 모습을 슬로우 모션으로 보여 주는 장면에서 흘러나오고 있다.

9-9. There is No Greater Love performed by Ahmad Jamal Trio

조단과 나오미(마고 로비)가 레스토랑에서 함께 근사한 저녁을 먹는 장면에서 배경 곡으로 'There is No Greater Love'가 흐르고 있다.

9-10. Boom Boom performed by John Lee Hooker

조단과 나오미가 저녁 식사를 끝내고 매우 즐거운 기분으로 자동차에 동승해서 함께 집으로 향한다. 조단이 운전하면서 귀가하는 장면의 배경 노래로 'Boom Boom'이 사용되고 있다.

9-11. Give Me Luv performed by Alcatraz

나오미가 난교(亂交)를 벌이고 있다는 집사 butler를 찾아 나선다.

집사 아파트로 추정되는 건물로 걸어 들어갈 때 'Give Me Luv'가 흐르고 있다.

9-12. Uncontrollable Urge performed by Devo

조단이 골프를 칠 때 'Uncontrollable Urge'를 들을 수 있다.

비서가 그를 방문하기 직전에 조단은 '쥐-구멍 rat-hole'이 어떻게 작동하는지 설명하고 있다.

〈더 울프 오브 월 스트리트〉. © Red Granite Pictures

9-13. In the Bush performed by Musique

비행기 안에서 과도한 약물에 취해 총각 파티 축제를 벌인다.

공중에서 벌어지는 난교(亂攪) 행위에서 'In the Bush'가 들려오고 있다.

9-14. Can't Help Falling in Love performed by Elvis Presley & the Jordanaires

해변에서 진행되는 조단과 나오미 결혼식.

이어서 진행되는 피로연장에서 조단의 추종자들이 엘비스 노래 'Can't Help Falling in Love'에 화음을 맞추어 주고 있다.

9-15. Baperformed by Got Back performed by Sir Mix-A-Lot

조단과 그의 친구들이 결혼식 장면에서 축하의 의미로 춤을 추고 있다.

이러한 장면에서 합창곡으로 불러주고 있는 노래가 'Baperformed by Got Back'이다.

9-16. Everlong performed by Foo Fighters

조단이 나오미에게 결혼 선물로 요트를 깜짝 선물한다.

조단이 재력을 과시하려는 행동을 할 때 배경 노래로 'Everlong'이 흐르고 있다.

9-17. Sloop John B performed by Me First and the Gimme Gimmes

조단이 보트에서 FBI 요원의 심문을 받는다.

조단은 요원들에게 빨리 현장에서 떠나 줄 것을 요청한다.

스위스 행 비행기를 타기 위해 복용하는 약에 대해 설명한다.

이러한 장면에서 'Sloop John B'가 계속 흘러나오고 있다.

9-18. Boom Boom Boom performed by The Outhere Brothers

조단이 우울증 약물에 취한 상태에서 나이트클럽에서 춤을 추고 있다.

이런 장면의 배경 노래로 'Boom Boom Boom'이 들려오고 있다.

9-19. I Need You Baperformed by (Mona) performed by Bo Diddley

조단은 나오미 숙모에게 자신의 이름으로 스위스 은행 계좌를 개설할 수 있도록 해달라고 설득하고 있다.

이러한 장면의 배경 노래로 'I Need You Baperformed by (Mona)'가 흘러나오고 있다.

9-20. Flying High performed by Bennett Salvay & Jesse Frederick

조단과 도니 아조프가 약물을 복용하고 효과가 나타나길 기다리고 있다.

이 와중에 두 사람은 시청률이 높은 시트콤 '패밀리 매터스 Family Matters' 9번째 시즌을 시청하고 있다.

이러한 행동을 보여주고 있는 장면의 배경 노래로 'Flying High'가 흘러나오고 있다.

9-21. Dream Lover performed by Clifford Grey & Victor Schertzinger

도니가 핸드폰 통화를 하는 사이 TV에서는 '뽀빠이 헤라클레스 만나다 Popeye Meets Hercules'가 방영되고 있다.

이러한 장면에서 귀에 익숙한 팝송 'Dream Lover'가 들려오고 있다.

9-22. Popeye the Sailor Man performed by Sammy Lerner

조단이 코카인을 복용한다.

마약 기운이 온 몸으로 퍼지면서 그는 뽀빠이가 시금치를 먹고 강력한 힘을 발휘하는 것 같은 기분에 휩싸인다.

이러한 장면의 배경 노래로 'Popeye the Sailor Man'이 흘러나오고 있다.

9-23. Hip Hop Hooray performed by Naughty performed by Nature

브래드(존 번탈)가 감옥에서 출소하게 된다.

그가 복역한 것을 위로해 주기 위해 호화 요트에서 축하 파티가 펼쳐진다.

'Hip Hop Hooray'는 이런 분위기를 부추겨 주기 위한 노래로 흘러나오고 있다.

9-24. One Step Beyond performed by Inspector 7

세무 당국으로부터 소환 통보를 받게 된다.

이 같은 조치에 대해 도니는 소변을 보면서 조롱을 보낸다.

이러한 돌발 장면에서 'One Step Beyond'가 흘러나온다.

9-25. Wednesday Night Prayer Meeting performed by Charles Mingus

조단과 도니는 이태리에서 휴가를 보내고 있다.
현지로 스티브 매덴(제이크 호프만)이 주식을 처분하겠다는 전화를 걸어온다.
이러한 장면에서 'Wednesday Night Prayer Meeting'이 흘러나오고 있다.

9-26. Gloria performed by Umberto Tozzi

이태리 현지에서 조단과 일행들이 배가 난파되는 사고를 겪는다.
다행히 이태리 선원들로부터 구조 된다.
별다른 사고가 발생하지 않고 마무리가 된 것을 축하하면서 조단과 이태리 선원들이 함께 흥겨운 춤을 춘다.
축하 분위기에서 흘러나오는 노래가 'Gloria'이다.

9-27. Ça Plane Pour Moi performed by Plastic Bertrand

조단은 주가 조작 혐의로 FBI로부터 전격 체포당한다.
법의 응징이 가해지는 이러한 장면에서 'Ça Plane Pour Moi'
가 흘러나오고 있다.

9-28. Get Us Down performed by Bennett Salvay & Jesse Frederick

조단이 시트콤 '패밀리 매터' 쇼를 시청하는 장면에서 'Get Us Down'이 들려오고 있다.

<디파티드 The Departed> - 롤링 스톤 + 나스 + 올맨 브라더스 명곡들, 경찰과 마피아 내부 전쟁 배경 노래로 선택

마틴 스콜세즈(Martin Scorsese) 감독의 최고 갱스터 영화로 추천 받고 있는 것이 〈디파티드〉.

미국 남부 보스턴 매사추세츠 주 경찰청. 프랭크 코스텔로(잭 니콜슨)가 주도하고 있는 범죄 조직에 대한 와해 작전을 펼친다.

자료 수집을 위해 신입 경찰 빌리 코스티간(레오나르도 디카프리오)을 검은 조직에 침투시키는 위험한 작전을 전개한다.

빌리는 보스턴을 배회하다 코스텔로의 신임을 얻기 위해 의도적으로 접근한다.

한편 경찰서 내 신참 경관 콜린 설리반(맷 데이먼).

뛰어난 업무 능력으로 특별 수사반에 배치된다.

특별 수사반의 가장 큰 임무는 코스텔러 제거 작전.

그런데 콜린은 경찰청에 투입된 코스텔로의 심복.

경찰청 움직임을 코스텔로에게 직보(直報)하기 위해 암약하는 마피아 첩자였다.

〈디파티드 The Departed / Infernal Affairs〉. © Warner Bros, Plan B Entertainment

갱단과 경찰은 상대방 조직에 위장 침투 요원을 각각 배치시킨 것이다. 빌리와 콜린은 서로의 임무를 수행하는 동안 양쪽 조직 모두 첩자의 존재를 간파한다.

언제 정체가 탄로날지 모르는 긴박한 상황이 조마조마하게 전개된다.

코스티건은 설리반을 코스텔로와 묶는 증거가 있다고 말한다.

브라운은 설리반을 엘리베이터에서 내려가게 한다.

로비에 도착하자마자 코스티간과 브라운은 자신이 코스텔로를 위해 일하는 또 다른 스파이임을 밝히는 설리반 친구 트루퍼 배리건(제임스 배지 데일)에게 피살당한다.

이어 설리반은 배리건을 총으로 쏴 죽이면서 경찰에서 제기되는 자신에 대한 의심을 제거하게 된다.

셜리반이 코스티간 장례식에 참석하고 집에 도착했을 때 디그남 하사(마크 월버그)가 그를 기다리고 있었다.

디그남은 냉혹한 표정을 지으면서 셜리반 머리에 총격을 가하고 현장을 묵묵히 떠난다.

– 버라이어티

홍콩 유위강+맥조휘 공동 감독 〈무간도 Infernal Affairs / 無間道〉(2002) 할리우드 버전이라는 것은 익히 알려진 사실.

마틴에게 아카데미 감독상을 안겨준 의미 있는 작품이다.

디파티드(The Departed)는 다양한 장르 노래로 구성된 풍부한 사운드트랙이 흥행에 일조했다.

마틴 감독은 TV용 음악 영화 〈노 디렉션 홈 : 밥 딜런 No Direction Home : Bob Dylan〉(2005)에 이어 다음해 〈디파티드〉를 발표한다.

한 때 유행했던 많은 대중음악으로 채워진 기억에 남는 사운드트랙도 갈채를 받았다.

〈디파티드 The Departed / Infernal Affairs〉. © Warner Bros, Plan B Entertainment

감독은 영화를 통해 단골로 설정했던 배경지를 뉴욕시에서 보스턴으로 이동한다.

이어 그 도시 경찰과 마피아 내부에서 펼쳐지는 속임수와 부패에 대한 이야기를 펼쳐주고 있다.

스콜세즈 감독의 여타 작품과 흡사하게 〈디파티드〉 또한 사운드트랙은 영화 스토리텔링에 필수적인 역할을 하는 동시에 관객들에게 캐릭터의 내면세계에 대한 통찰력을 짐작할 수 있는 기회를 제공했다는 찬사를 받는다.

법과 범죄 조직이 타협 할 수 없는 투쟁의 양면을 보여 주고 있는 〈디파티드〉.

스콜세즈가 이전에 공개했던 갱스터 영화보다 훨씬 더 웅장한 규모를 가졌고 캐릭터도 더 풍부함과 감정적 깊이를 펼쳐 주었다는 호평을 얻는다.

스콜세즈 영화에서는 다채로운 배경 음악을 접할 수 있는 것이 그의 연출 스타일의 특징으로 언급된다.

〈디파티드〉에는 전작 보다는 간결하고 집약적인 분위기의 사운드트랙을 구성했다는 풀이를 받는다.

감독은 록, 랩, 심지어 컨트리와 같은 이질적인 장르를 골고루 배치시키고 있다.

다소 어울릴 것 같지 않은 배경 음악들은 스토리 전개 과정과 적절하게 융합되면서 관객들에게 감정적 반응을 전파 했다는 평판을 듣는다.

다른 영화에서 발견되었던 불필요한 대중음악으로 채워졌던 사운드트랙과는 달리 〈디파티드 The Departed〉에서 들려오는 노래에는 각각 선곡 목적이 뚜렷했다는 지적을 받는다.

* 〈디파티드〉 사운드트랙 해설

10-1. Gimme Shelter performed by The Rolling Stones

마틴 감독이 영국 출신 록 밴드 롤링 스톤이 발표한 수많은 명곡을 자신의 작품 배경 음악으로 단골 활용하고 있다는 것은 영화 팬들도 인정하고 있다.

프랭크(잭 니콜슨)가 젊은 콜린 설리반(맷 딜런)을 만나 아일랜드 마피아 방식으로 그를 세뇌(洗腦) 하기 시작한다.

오프닝을 장식하고 있는 장면.

롤링 스톤의 팝 명곡 'Gimme Shelter'가 들려오고 있다.

10-2. I'm Shipping Up To Boston performed by Dropkick Murphys

〈디파티드 The Departed〉에서 최고의 음악 순간 중 하나로 꼽히고 있다.

코스티간(레오나르도 디카프리오)을 마피아 조직에 침투시키기 위해 그에게 고의로 교도소에 수감시킨다.

그의 범죄 기록이 마피아를 안심시키기 위한 수단으로 활용하려는 의도가 담겨 있는 조치였다.

이러한 비장한 장면에서 아일랜드 출신 미국 펑크 밴드 드롭킥 머피의 'I'm Shipping Up To Boston'이 흘러나오고 있다.

10-3. Thief's Theme performed by Nas

코스티간과 그의 사촌 숀(케빈 코리간)이 마약 거래를 한다.

이들 사이에 놓여 있는 자동차 라디오에서 그룹 나스의 'Thief's Theme'이 흘러나오고 있다.

이 장면은 배경 노래와 함께 주변의 모든 소리를 들려주는 디에제틱 사운드 diegetic sound로 처리 되고 있다.

스콜세즈 감독이 음악을 포함해 사운드를 통해 관객들도 장면에 대한 감정이 입이 될 수 있도록 처리한 장면으로 풀이 된다.

10-4. One Way Out performed by The Allman Brothers

〈디파티드 The Departed〉 배경 지역은 미국 북동부.

그렇지만 스콜세즈 감독은 코스티간이 크랜베리 주스를 주문하고 코스텔로 부하 중 한 명에게 모욕을 당하는 장면을 위해 남쪽 지역으로 배경지를 변경했다고 한다.

코스티간과 프렌치(레이 윈스톤)가 첫 대면을 갖게 된다.

이때 코스티간은 프렌치에게 코스텔로 갱단의 세력 구조에 대해 설명해 준다.

올맨 브라더스가 불러 주는 블루스 록 성향의 노래 'One Way Out'는 이러한 장면의 배경에서 들려오고 있다.

〈디파티드 The Departed / Infernal Affairs〉. © Warner Bros, Plan B Entertainment

10-5. Nobody But Me performed by Human Beinz

레오나르도 디카프리오 출연작 중 최고의 영화 중 한 편으로 평가되는 〈디파티드 The Departed〉.

코스티간(디카프리오)이 가게에 있는 두 명의 로드 아일랜드 항구 도시 프로비덴스 출신 마피아에게 폭력을 행사한다.

이런 행동은 코스티간이 어두운 조직원이라는 것을 의도적으로 드러내기 위한 행동이었다.

다소 돌발적인 상황과 어울리지 않는 비정상적으로 경쾌한 리듬을 갖고 있는 'Nobody But Me'가 이때 흘러나오고 있다.

이런 선곡 배치는 어두운 순간을 강조하는 동시에 화면에 드러난 희끗희끗한 비주얼 the grizzly visuals과 영리한 대조를 이뤘다는 호평을 받는다.

10-6. Let It Loose performed by The Rolling Stones

영화 초반부.

코스텔로와 프렌치가 코스티간에게 경찰이 되기 위해 여러 가지 심문을 하는 장면이 보여지고 있다.

록 밴드 롤링 스톤의 두 번째 노래 'Let It Loose'는 바로 이러한 장면의 배경 노래로 들려오고 있다.

노래는 두 사람이 코스티간의 부상당한 팔을 더 부러트리는 매우 폭력적인 장면 뒤에서 부드럽게 들려오고 있다.

스콜세즈가 롤링 스톤 음악을 사용해서 적절하게 효과를 보았지만 이러한 장면에서 선곡 됐던 'Let It Loose'는 기대만큼 강한 인상을 남기지 못했다는 아쉬움을 받았다.

10-7. Sweet Dreams (of You) performed by Patsy Cline

〈디파티드 The Departed / Infernal Affairs〉. © Warner Bros, Plan B Entertainment

'Sweet Dreams (of You)'는 영화에서 두 번 들려오고 있다.

노래 제목에서 '꿈'이라는 단어는 〈디파티드〉에서 제시했던 '주제적 가치 thematic value'를 적절하게 노출시켜 주는 설정으로 해석 된다.

코스텔로와 프렌치가 프랭크 아파트에서 충성심에 대한 이야기를 나누는 장면.

프랭크가 레스토랑에서 일단의 성직자들과 대면을 하는 장면.
이 두 장면의 배경 노래로 'Sweet Dreams (of You)'가 배치 됐다.

10-8. Well Well Well performed by John Lennon and the Plastic Ono Band

존 레논이 울부짖는 듯한 보컬을 들려주고 있는 노래가 'Well Well Well'.
이 노래는 프랭크 아파트에서 그가 코스티간과 레논의 예술적 능력 artistic abilities에 대해 의견을 나누는 장면의 배경 노래로 들려오고 있다.
불협화음이 흡사 소음처럼 들려오고 있는 것이 이 노래만의 특징.
'코스티간이 느끼고 있는 소용돌이치는 감정 상태를 완벽하게 보여주고 있다 the perfect illustration of Costigan's roiling emotional state during that moment'는 해석을 듣는다.

10-9. Bang Bang performed by Joe Cuba Sextet

마틴 스콜세즈(Martin Scorsese)에게 대망의 아카데미 감독상을 안겨 준 〈디파티드〉에는 예상하지 못한 다양한 음악이 등장하고 있다.
라틴 재즈는 〈디파티드〉의 다양한 사운드트랙 명단에 추가된 특색 있는 노래로 기억되고 있다.
코스티간이 지미 배그(믹 오루크)의 이빨을 부러뜨린다.
프랭크는 이런 행동을 지켜보고 코스티간에게 자신의 갱단의 주요 멤버가 됐다는 뜻으로 공식화 된 휴대폰 official cell phone을 건네준다.
이러한 장면에서 라틴 풍 연주 곡 'Bang Bang'이 들려오고 있다.

10-10. Sail On, Sailor performed by The Beach Boys

팻츠 클라인의 노래 'Sweet Dreams (of You)'가 거의 끝나갈 무렵.

프랭크 코스텔로는 레스토랑에서 식사를 하고 있던 일단의 성직자들에게 비난의 말투를 발설한다.

이러한 장면에서 희미하게 비치 보이스의 'Sail On, Sailor'가 들려오고 있다.

10-11. Baby Blue performed by Badfinger

코스티간이 자신이 믿었던 프랭크 코스텔로가 FBI 정보원이라는 사실을 마침내 알게 된다.

그리고 프랭크는 퀴넌 대위(마틴 쉰)의 집을 방문한다.

영화의 충격적인 반전(反轉)을 설정 해 주고 있는 이러한 장면을 강조해 주기 위해 'Baby Blue'가 들려오고 있다.

10-12. Chi Mi Frena in Tal Momento from Lucia di Lammer moor performed by Donzetti

잭 니콜슨은 연기 경력 동안 훌륭한 감독들과 함께 영화 작업을 해 온 행운아이다.

마틴 스콜세즈와의 협력을 통해 프랭크 코스텔로 연기를 탁월하게 열연해 2000년대 최고의 범죄 스릴러극이 되는데 견인차 역할을 해낸다.

프랭크가 극장에서 쇼를 관람하고 있다.

옆에 앉은 두 명의 여성과 용량이 넘치도록 과도하게 마약을 흡입하고 있다.

도니제티의 매혹적 오페라 '람메르무어 루치아' 중 아리아 'Chi Mi Frena in Tal Momento'는 극장 안에서 프랭크의 일탈된 행적을 보여주는 장면의 배경 선율로 흐르고 있다.

10-13. Comfortably Numb feat Van Morrison & The Band performed by Roger Waters

코스티간과 마돌린 마덴 여의사(베라 파미가)가 불륜을 시작하게 된다.

이러한 장면의 배경 노래가 'Comfortably Numb'.

오리지널 핑크 플로이드(Pink Floyd) 버전을 사용하는 대신 스콜세즈는 핑크 플로이드의 리드 보컬 로저 워터스(Roger Waters)의 'Live in Berlin' 공연 실황을 인용해서 삽입시키고 있다.

노래 가사 중 하이라이트는 '당신이 무감각해질 때 까지 멈추지 말라 not stopping until you're numb'는 것.

이 단락은 이전에 프랭크가 한 번 언급했던 대사 중 한 구절이다.

10-14. Tweedle Dee performed by LaVerne Baker

프랭크가 술집에 함께 있었던 코스티간에게 귀가 하라고 지시한다.

이런 모습을 지켜본 델라헌트(마크 롤스톤)는 코스티간이 경찰일지 모른다고 농단을 건넨다.

이러한 장면에서 술집에서 은은하게 들려오는 노래가 'Tweedle Dee'이다.

10-15. Sweet Dreams performed by Roy Buchanan

극의 종결 부분.

콜린 설리반(맷 데이먼)이 디그냄(마크 월버그)으로부터 버림을 받게 된다.

설리반은 디그냄의 총격을 받고 사망하게 된다.

설리반이 죽음을 당한 직후 암울한 장면과는 어울리지 않는 노랫말을 갖고 있는 'Sweet Dreams'이 흐르고 있다.

비극적 상황에서 낙천적 상황을 언급하는 노래를 배치한 것은 역설적인 음악 연출이라는 찬사를 듣게 된다.

카메라 화면은 쓰러져 있는 설리반의 몸에서 위로 올라가 창턱을 가로질러 미끄러지듯 달아나는 쥐의 모습을 보여주고 있다.

이러한 종결 장면에서 계속 흘러나오고 있는 로이 부차난의 'Sweet Dreams'는 이전에 들려왔던 팻츠 클라인의 'Sweet Dreams (of You)'와 주제적으로 연결된 노래라는 풀이를 받는다.

〈디파티드 The Departed / Infernal Affairs〉. © Warner Bros, Plan B Entertainment

<라 라 랜드 La La Land> 오프닝 곡 'Another Day of Sun', 영화 결말을 은밀하게 제시

야심 찬 여배우는 오디션 사이에 영화배우에게 라테를 제공하고 있다.

재즈 뮤지션 세바스찬은 어두침침한 바에서 칵테일 파티 공연을 준비하고 있다.

그러나 성공이 거듭되면서 그들은 연약한 사랑 관계의 구조를 약화시키는 결정에 직면하게 된다.

서로를 유지하기 위해 열심히 일한 꿈은 그들을 찢어 놓을 위협이 되고 만다.

\- 할리우드 리포터

Aspiring actress serves lattes to movie stars in between auditions and jazz musician Sebastian scrapes by playing cocktail-party gigs in dingy bars.

But as success mounts, they are faced with decisions that fray the fragile fabric of their love affair and the dreams they worked so hard to maintain in each other threaten to rip them apart.

– Hollywood Reporter

〈라 라 랜드〉. © Summit Entertainment, Black Label Media, TIK Films

〈라 라 랜드 La La Land〉는 부분적으로 씁쓸하고 달콤한 결말로 유명세를 얻었다.

그러나 사실 마지막 장면은 영화의 첫 번째 뮤지컬 곡을 통해 예고되어 있었다는 숨은 사실이 밝혀졌다.

〈라 라 랜드〉의 가슴 아픈 결말은 영화 오프닝 뮤지컬 노래에서 은밀하게 드러났다는 것이다.

다미엔 차젤 Damien Chazelle이 각본 및 감독을 맡은 로맨틱 뮤지컬 코미디 드라마 〈라 라 랜드 La La Land〉에는 아카데미 주제가 상을 수상한 'City of Stars'를 포함하여 훌륭한 노래가 많이 담겨져 있다.

오프닝 노래 'Another Day of Sun'은 여러 면에서 〈라 라 랜드 La La Land〉 전체 스토리에 영향을 미치는 곡으로 뒤늦게 풀이 받았다.

'Another Day of Sun'은 흥미로운 안무가 있는 멋진 곡.

그런데 가사 내용을 자세히 살펴 보면 〈라 라 랜드〉의 끝에서 미아(엠마 스톤)와 세바스찬(라이언 고슬링) 관계의 궁극적인 운명에 대한 힌트를 발견할 수 있는 메시지가 담겨져 있다는 것이다.

〈라 라 랜드〉 결말이 다가올 무렵 세바스찬과 미아는 꿈을 쫓기 위해 각자의 길을 가면서 헤어지게 된다. 미아는 성공적인 여배우가 된다.

세바스찬은 셉즈 Seb's라는 자신의 재즈 클럽을 오픈한다.

어느 날 밤, 세바스찬이 공연하는 도중 클럽에서 미아를 발견하게 된다.

영화는 만일 두 사람이 부부 커플이 됐다면 어떤 일이 벌어졌을 지에 대한 환상적이고 확장된 꿈의 장면을 펼쳐주고 있다.

〈라 라 랜드〉가 현실로 돌아오자 미아는 그에게 슬프게 미소를 짓는다.

세바스찬은 응답으로 고개를 끄덕인다.

이 엔딩은 씁쓸하고 예상치 못한 느낌이 들지만 〈라 라 랜드〉 오프닝 가사 내용을 음미한다면 마지막 장면의 미묘한 결말을 어느 정도는 예측할 수 있었다는 풀이가 제기 된다.

〈라 라 랜드〉 사운드트랙의 포문을 열고 있는 'Another Day of Sun'.

많은 운전자들이 로스 엔젤레스의 교통 체증 한가운데서 노래와 춤을 추며 할리우드에서 성공하기를 희망하는 방법을 노래하고 있다.

노래를 불러주는 첫 번째 드라이버 인 노란색 드레스를 입은 여성 (레시마 가자르)은 그녀가 연기 꿈을 추구 할 수 있도록 '산타페 서쪽 그레이하운드 역'에서 남자 친구를 떠났다고 언급하고 있다.

노래 후반부에서 그녀는 이렇게 노래하고 있다.

'아마도 그 졸린 마을에서 / 그는 불이 꺼진 어느 날 앉아 있을 거야/ 그는 내 얼굴을 보고 어떻게 생각할까?/ 그가 나를 어떻게 알고 있었는지.

Cause maybe in that sleepy town / He'll sit one day, the lights are down / He'll see my face and think of how / He used to know me'

가사는 할리우드에서 자신들의 포부를 실현하려는 희망자들 모습을 묘사하고 있다.

〈라 라 랜드〉. © Summit Entertainment, Black Label Media, TIK Films

동시에 〈라 라 랜드〉에서 미아와 세바스찬의 마지막 만남을 약간은 놀리고 있다.

미아와 세바스찬이 헤어진 후 세바스찬은 미아에게 연기 꿈을 계속 추구하기 위해 다가오는 영화 오디션에 참석하도록 권유하고 있다.

다미엔 차젤 감독의 영화 끝에서 세바스찬과 미아는 마치 서로를 알던 두 사람처럼 재즈 클럽에서 서로를 바라 보게 된다.

노래 'Another Day of Sun'에서 언급된 여인처럼 미아는 세바스찬을 떠나 자신의 꿈을 쫓고 있다.

노래 'Another Day of Sun'과는 달리 미아의 전 남자친구 세바스찬도 그의 꿈을 쫓고 있다.

〈라 라 랜드〉 엔딩은 전형적인 로맨틱 코미디 영화 피날레의 기대에 어긋나기 때문에 더욱 인상 깊은 여운을 남기고 있다.

미아와 세바스찬이 다시 결합하는 기존의 '영원히 행복하게 happily ever after'라는 전형적인 결말을 철저하게 외면하고 있는 것이다.

라이언 고슬링과 엠마 스톤은 뛰어난 로맨틱 콤비 연기를 펼치면서 관객들에게 세바스찬과 미아를 응원하는 분위기를 조성시켜 주었다.

통속적인 로맨틱 드라마가 가슴 아픈 이별을 차단시키는 무대를 설정시켜 주는 것에 비해 이번 영화에서는 마지막에 커플을 분리하는 신선한 결정을 내리고 있는 것이다.

세바스찬과 미아는 잠시 함께 지내고 정착함으로써 서로의 열정을 성취하는 것을 막고 있었다는 것을 간파했다.

이런 이유 때문에 각자의 길을 가는 것은 결국 두 사람 모두에게 이익이 되는 결정으로 풀이 받았다.

〈라 라 랜드〉는 외형적으로는 로맨스를 다루고 있지만 이야기핵심은 꿈을 추구하려는 야심 가득한 커플 사연을 들려주고 있는 것이다.

오프닝을 장식하고 있는 'Another Day of Sun'은 할리우드에서 성공하기를 희망하는 사람들에 대한 이야기를 다루고 있다.

미아는 그 과정에서 세바스찬을 떠나야 했다.

그렇지만 이런 결정을 통해 그녀는 마침내 꿈을 달성하는 성공을 손에 쥐게 되는 것이다.

아카데미 작품상 후보에 지명 받은 〈라 라 랜드〉.

라스트 장면.

미아와 세바스찬은 서로를 잠시 마주보며 말 없는 대화는 나누고 있다.

비록 그들은 현실에서는 더 이상 함께 할 수는 없다.

그렇지만 그들 사이의 사랑이 완전히 사라진 것은 아니라는 여운을 남겨주고 있다.

〈라 라 랜드〉. © Summit Entertainment, Black Label Media, TIK Films

세바스찬은 미아의 삶에 영향을 미쳤다.

미아도 세바스찬 인생 행보에 지대한 여파를 끼치게 된다.

반복해서 언급했지만 〈라 라 랜드〉 오프닝 곡은 라스트 설정을 드러내 주고 있다.

그렇지만 영화가 진행되는 동안 미아와 세바스찬이 축적해 나갔던 사랑스럽고 매혹적인 여정을 완전하게 무시하지는 않았다.

레오나드 코헨 Leonard Cohen 노래가 테마곡으로 쓰인 영화와 TV 드라마 베스트 12

캐나다 출신 팝 음유 시인 레오나드 코헨이 발표한 수많은 노래들은 사회 풍자극 〈내츄럴 본 킬러 Natural Born Killers〉, 애니메이션 〈슈렉〉, TV 드라마 그리고 1980년대 유행했던 하이틴 영화까지 다채롭게 배경 음악으로 선정됐다.

레오나드 코헨의 음악 경력은 밥 딜런 Bob Dylan이나 조니 미첼 Joni Mitchell 등과 같은 동료들이 유지했던 주류 음악인으로서 입지를 구축해 왔다.

코헨의 음악적 가치가 지속되는 것은 다양한 영화와 TV 드라마, 쇼 배경 음악으로 그의 노래가 채택되고 있다는 점을 빼놓을 수 없다.

연기가 자욱하게 덥혀 있는 듯한 독특한 목소리, 집중하지 않고 여러 곳으로 분산시키는 반주 패턴 그리고 낭송하듯 응얼거리는 창법들은 특정 영화 장면의 극적인 순간을 더욱 의미 있게 각인(刻印)시키는 역할을 해오고 있다.

많은 노래 중에 'Hallelujah'는 친근함을 풍겨주고 있는 녹색 괴물 〈슈렉〉에서부터 슬픔, 우아함, 웅장함을 묘사해 주는 배경 노래로 즐겨 활용되고 있다.

일선 감독들은 극중 이런 분위기를 고조시키기 위해 흡사 조건 반사를 연구한 구 소련 생리학자 이반 페트로비치 파블로프 이론을 입증시키듯 레오나드 코헨 노래를 떠올리고 있다는 의견도 제시하고 있다.

캐나다 출신 가수 레오나드 코헨. 2009년 발매된 라이브 앨범 'Live In London'. © Legacy Recordings

한편 잭 스나이더 감독의 〈왓치맨 Watchmen〉 섹스 장면 배경 노래로 'Hallelujah'가 쓰여 주변을 깜짝 놀라게 하기도 했다.

* 레오나드 코헨 노래가 사운드트랙으로 효과적으로 사용됐던 영화들

12-1. 〈브레이킹 더 웨이브 Breaking the Waves〉 - Suzanne

스코틀랜드 북부의 억압되고 종교가 깊은 공동체.

베스 맥닐이라는 순진한 젊은 여성이 덴마크 석유 굴착 장치 작업자 얀을 만나 사랑에 빠진다.

어느 날 얀은 사고로 목이 부러져 반신불구의 몸으로 돌아오게 된다.

얀의 상태 때문에 이제 두 사람은 정상적인 성적 관계를 즐길 수 없게 된다.

얀은 베스를 떠나 보내기 위해 다른 남자와 성적 행위를 하면 자신이 완쾌될 것이라고 둘러댄다.

〈브레이킹 더 웨이브〉. © Argus Film, Canal+

이런 말을 전적으로 믿고 있는 베스는 점점 일탈된 성적 행각으로 빠지게 된다.

그녀는 다른 남자와의 행위가 거듭될수록 신으로부터 보호를 받아 얀의 육체적 상태가 호전될 것이라고 믿고 있다.

덴마크 영화감독이자 도발적 영상 에이전트라는 애칭을 받았던 라스 폰 트리에 Lars von Trier.

항상 시적 혹은 아이러니한 효과를 위해 약간의 음악을 넣는 것을 좋아했다.

니콜 키드만 주연의 〈도그빌 Dogville〉에서는 미국의 빈곤과 불결함을 꼬집기 위해 영국 출신 데이비드 보위의 'Young Americans'을 선곡하는 심술(?)을 부렸다.

코헨의 'Suzanne'은 '당신에게 차와 오렌지를 먹이는, 중국에서 온 여성에 대한 찬가 ode to a woman who feeds you tea and oranges/that come all the way from China'를 담고 있는 곡.

이 노래는 〈브레이킹 더 웨이브〉 5번째 섹션 'Doubt'에서 흘러나오고 있다.

순진한 스코틀랜드 여성 베스.

석유굴착 노동자 Oil Rig Worker와 만나 뜨겁게 사랑을 나누게 된다.

하지만 연인 얀이 석유 시추 도중 추락 사고로 전신마비 환자가 된다.

얀은 베스에게 새로운 남자를 만나 사랑을 나누면 자신이 완쾌될 것이라고 말한다.

얀은 베스가 다른 남자를 만나 자신을 떠났으면 하는 바람으로 이런 거짓말을 한다.

순진한 베스는 얀의 완치를 위해 원하지 않는 이웃 남자와 섹스 행위를 하다 급기야 집단 강간까지 당하는 곤욕을 치른다.

트리에 감독은 여성에 대한 송가(頌歌) 메시지를 담고 있는 'Suzanne'을 역설적으로 극중 베스가 겪는 비극적 상황 배경 노래로 사용하는 삐딱함을 드러낸다.

1996년 칸 영화제 그랑 프리 the Grand Prix를 수여 받은 〈브레이킹 더 웨이브 Breaking the Waves〉.

이 영화에서는 코헨의 노래뿐만 아니라 모트 더 후플 Mott the Hoople 그룹의 화려한 곡 'All the Way to Memphis'에서부터 프로콜 하럼 Procol Harum 그룹의 무뚝뚝한 노래 'Whiter Shade of Pale'에 이르기까지 다양한 장르 음악을 들려주었다.

영화 제목처럼 음악을 알고 있는 관객들에게는 '부서지는 파도'처럼 큰 여운을 남겨준 작품으로 기억되고 있다.

12-2. 〈볼륨을 높여라 Pump Up the Volume〉 – Everybody Knows

부모 집 지하실에서 몰래 해적 라디오 방송국을 방송하는 조용한 피닉스 고등학교 외톨이 마크 헌터(크리스찬 슬레이터).

하지만 그는 마이크 만 잡으면 기성세대에 대한 반감과 사회 및 교육 문제에 대한 거침없는 비판을 제기한다.

'더티 해리' 형사가 공권력을 조롱하는 무법자들에게 냉혹하게 총구를 겨누듯이.

이 때문에 10대 청취자들에게 마크는 '거친 해리 Hard Harry'라는 찬사를 받으면서 그의 말 한 마디 한 마디는 주파수가 미치는 마을 전체를 동요시킨다.

'Everybody Knows'에서 속삭이듯 부드러운 보컬로 제시하고 있는 묵시록적 비통함은 〈볼륨을 높여라〉에서 반복되는 파괴와 선동을 자극시키는 음악 D.J의 상징이 되는 테마 곡으로 활용되고 있다.

마이크를 잡은 10대 청소년은 이 노래를 제시하면서 안일하게 굴복되어 있는 또래 청취자들을 안락한 영역에서 벗어나 부당한 행위에 대한 반박에 나서도록 충동질 하는 어두운 신호로 선곡되고 있는 것이다.

모던 록커 콘크리트 브론드 Concrete Blonde가 커버한 'Everybody Knows'는 마크가 마지막 방송을 알리는 오프닝 노래로 선곡하고 있다.

코헨의 또 다른 곡 'If It Be Your Will'도 마크 행적을 응원해 주는 노래로 들려오고 있다.

〈볼륨을 높여라〉. © New Line Cinema

12-3. 〈맥케이브와 밀러 부인 McCabe and Mrs. Miller〉 - The Stranger Song

서부 시대. 혹독한 겨울.

카리스마는 있다고 하지만 왠지 멍청한 도박꾼 존 맥케이브.

창녀들이 시중을 드는 선술집을 차리기 위해 태평양 북서부 마을에 도착하게 된다.

〈맥케이브와 밀러 부인〉. © Warner Bros

업소에서 잔뼈가 굵은 마담 밀러 부인이 술집 영업을 위한 인테리어 공사가 시작되자 현지에 도착한다.

밀러 부인은 영업 이익을 균등하게 나누는 조건이면 자신이 축적한 사업 노하우를 제공하겠다고 맥케이브에게 제안한다.

매춘 사업은 번창한다.

맥케이브와 밀러 부인은 가치관 차이에도 불구하고 서서히 가까워진다.

그러나 마을에 광산 산업 개척을 위해 대기업이 진출하면서 맥케이브가 운영하는 술집 운영권에 관심을 쏟는다.

하지만 맥케이브가 대기업에게 술집 운영권을 넘기는 것을 거절하면서 예상하지 못한 여러 곤혹스런 상황에 직면하게 된다.

로버트 알트만이 1973년 공개한 '안티-서부극 anti-Western'.

반골 기질을 갖고 있는 감독은 자신과 예술 취향이 흡사한 코헨의 노래를 'The Stranger Song' 'Sisters of Mercy' 'Winter Lady' 등 3곡을 끌어다 활용하는 애착을 드러낸다.

알트만 감독은 미리 발표된 코헨의 노래 가사들을 듣고 있으며 흡사 영화 장면을 위해 미리 쓰여진 것 같은 느낌을 받았다고 밝힌다.

이런 이유 때문에 영화를 촬영할 때 노래 분위기에 장면을 맞추어 진행시켰다는 제작 에피소드를 밝힌다.

영화는 맥케이브(워렌 비티)가 말을 타고 마을로 들어오는 오프닝 장면에서 'The Stranger Song'이 들려오고 있다.

이 노래는 카드 게임, 연기 자욱한 꿈, 위험 대 안전 등 대비되는 개념에 대한 우스꽝스러우면서도 매혹적인 이미지를 전달하면서 알트만의 걸작 영화가 되는데 상당한 역할을 해낸다.

생전에 코헨은 알트만 영화에 대해 많은 의구심을 표명한다.

그렇지만 완성된 영화를 관람 한 뒤 노래 사용이 매우 적절했으며 '정말 아름답다 really beautiful'는 찬사를 보낸다.

12-4. 〈웨스트 윙 The West Wing〉 - Hallelujah

〈웨스트 윙〉. © Warner Bros Television

코헨의 원곡 'Hallelujah'를 제프 버클리 Jeff Buckley가 유려하게 커버한 노래는 아론 소르킨 주연의 정치 드라마 〈웨스트 윙 The West Wing〉 세 번째 시즌 휘날레 곡으로 들려오고 있다.

비밀 요원 사이먼 도노반(마크 하몬)이 보데가 강도 사건에서 총에 맞아 숨진다.

연극 공연에서 백악관 대변인 C.J. 그레그(알리슨 재니)는 그녀의 경호원이자 잠재적인 연인의 죽음에 대해 듣게 된다.

피살 뉴스를 듣는 즉시 그녀는 현기증을 느끼며 타임 스퀘어 광장이 안개에

싸인 뒤 흐릿하게 보인다.

간절하게 기도하는 듯한 분위기의 제프 버클리 노래 'Hallelujah'가 들려오면서 범죄 현장에 수사관들이 도착하고 있다.

이런 모습을 지켜보는 그레그는 심적 붕괴 상태에 빠지게 된다.

12-5. 〈트루 디텍티브 True Detective〉 - Nevermind

HBO 앤소로지 쇼 두 번째 시즌으로 방영된 〈트루 디텍티브 True Detective〉.

첫 번째 시즌의 폭발적 호응에 부응하지 못해 '2학년 슬럼프 sophomore slump'에 빠지는 곤욕을 치렀다.

〈트루 디텍티브〉. © HBO

그나마 이 드라마가 기억에 남는 것은 코헨의 노래 'Nevermind'가 배경 노래로 선곡됐다는 점.

2014년 55분 미스테리 범죄 시리즈로 방영됐던 〈트루 디텍티브 True Detective〉는 경찰 조사를 통해 법 안팎에서 연루된 사람들의 개인적, 직업적 비밀을 파헤치는 과정을 보여주어 관심을 받았다.

코헨의 노래는 로스 엔젤레스 고속도로의 불길한 오버헤드 샷과 피처럼 붉은 풍경을 배경으로 해서 주요 등장인물들의 모습을 실루엣으로 처리한 장면에서 흘러나와 강한 여운을 던져 주게 된다.

'내가 무덤을 몇 개 팠는데, 당신은 결코 찾을 수 없을 거예요 I've dug some graves, you'll never find'.

음유 시인 레오나드 코헨이 강압적인 소리를 내고 있다.

음악 비평가들은 이 노래에 대해 '저승사자가 영혼을 앗아가기 전에 스카치 위스키 한 잔을 쏟는 듯한 음유시인의 울부짖음 the troubadour croaks, sounding like the Grim Reaper pouring himself a stiff shot of Scotch before taking some souls'이라는 리뷰를 보냈다.

'나는 이름을 갖고 있다 그러나 신경쓰지 말라. I have a name But never mind'

반복해서 들려오는 이 가사는 '경찰과 조폭 이야기를 주요 축으로 해서 펼쳐지는 느와르, 미스터리와 장엄한 소재의 무게감을 보충해 주고 있다.'는 찬사를 듣는다.

이 시리즈에 관심을 보냈던 이들은 지금도 '시리즈가 거듭될수록 오프닝 순간보다 나아지지 않았다는 것은 부끄러운 일이다. 하지만 신경 쓰지 마시오. 코헨의 노래가 흠잡을 데 없는 맛을 들려주고 있지 않은가?'라는 반응을 보이고 있다.

12-6. 〈내추럴 본 킬러 Natural Born Killers〉 - The Future

〈내추럴 본 킬러〉. © Warner Bros

미키 크녹스와 말로리 윌슨.

전형적인 연인은 아니다.

학대하는 아버지를 죽인 뒤 그들은 여행을 떠난다.

어딘가에 멈출 때마다 그들은 주변의 모든 사람을 상당하게 죽인다.

Mickey Knox and Mallory Wilson aren't your typical lovers after killing her abusive father, they go on a road trip where, every time they stop somewhere, they kill pretty well everyone around them.

그러나 그들은 모든 총격전에서 한 사람을 살리게 된다.

이 이야기를 전하는 선정적인 보도 덕분에 곧 미디어의 센세이션이 된다.

- 버라이어티

They do however leave one person alive at every shootout to tell the story and they soon become a media sensation thanks to sensationalized reporting.

- Variety

올리버 스톤(Oliver Stone) 감독이 1994년 공개한 〈내추럴 본 킬러 Natural Born Killers〉.

성적 매력을 풍기고 있는 연쇄 살인범 유명인사 미키(Mickey)와 말로리 크녹스(Mallory Knox) 행적을 통해 선정적 보도를 일삼는 타블로이드 신문에 대한 부작용을 꼬집어주고 있다.

영화가 제시하고 있는 풍자적 메시지는 본질적으로 코헨의 냉소적이고 비관적인 예언을 담고 있는 'The Future' 뮤직 비디오를 보여주면서 시작되고 있다.

말로리(줄리엣 루이스).

비키니 탑과 꽉 끼는 청바지를 입고 뉴 멕시코 사막 카페에서 히프와 어깨를 흔들며 춤을 추고 있다.

미키(우디 하렐슨)는 카운터 자리에서 말로리의 행동을 조심스럽게 지켜보고 있다.

한 고객이 말로리에게 추근대기 위해 다가간다.

말로리는 잔인하게 엉덩이를 걷어차기 전에 그를 약간 놀린다. 희롱 당하는 남자의 친구가 개입하려고 하자 미키는 갑자기 칼로 그의 복부를 찌른다.

미키와 말로리의 통제하지 못할 흉포한 범죄 행각이 본격적으로 펼쳐지게 된다.

코헨이 목청을 돋우고 불러 주는 'The Future' 가사에는 '미래를 보았죠. 그것은 살인입니다 I've seen the future, it is murder'라는 경고 메시지를 반복해서 들려주고 있다.

배경 노래가 영화에서 전개될 상황을 확실하게 제시하고 있다.

맞아! 정확하게!

12-7. 〈L 워드 The L Word〉 - I'm Your Man

〈L 워드〉. © Anonymous Content, Dufferin Gate Productions

로스 엔젤레스에 거주하고 있는 소수의 끈끈한 레즈비언 여성 그룹과 그들을 지지하거나 혐오하는 친구와 가족의 삶과 사랑을 추적하고 있다.

- 버라이어티

Follows the lives and loves of a small, close-knit group of lesbian women living in Los Angeles as well as the friends and family members that either support or loathe them.

- Variety

레오나드 코헨 음악은 1970년대와 1980년대 걸쳐 점점 더 세련되게 들렸다. 이런 음악 분위기는 그가 전형적인 틀에 안주하기를 거부했기 때문이다.

그의 베스트 노래 중 다수는 권위 있게 선언된 말장난 의도(Zen koans) 처럼 펼쳐지고 있다. 그의 위대한 1988년 앨범 타이틀 트랙은 불교신자 카사노바도 부러워할 수 있는 만능 결과물이었다.

〈L 워드 The L Word〉는 2004-2009년에 걸쳐 장기 방영된 레즈비언들의 삶과 이웃들의 일상을 보여준 미니 시리즈.

획기적인 소재를 담아 시청자들의 눈길을 사로잡은 시리즈 첫 번째 시즌 마지막 에피소드.

남성도 여성도 아닌 제3의 성 젠더퀴어 genderqueer 이반 아이콕(켈리 린치)이 킷 포터(팜 그리어)를 위해 주차장 차고에서 펼쳐주는 초현실적 분위기의 댄스 공연에서 배경 곡으로 흘러나오는 노래가 'I'm Your Man'이다.

이반이 자동차 주위를 돌아다니면서 코헨의 노래 가사에 맞추어 립싱크를 하고 있다.

이반은 '나는 이 노래를 듣고 땀을 흘렸어'라고 말한다.

킷 포터가 거부할 수 없는 제안을 한다.

이런 장면에서 '운전사를 원하면 안으로 올라타세요/ 아니면 나를 태워주고 싶다면/ 할 수 있다는 것을 알 죠/ 나는 당신의 남자입니다 If you want a driver, climb inside/ Or if you want to take me for a ride/ You know you can/ I'm your man'라는 노래 가사가 들려오고 있다.

12-8. 〈트랜스페어런트 Transparent〉 – Hey, That's No Way to Say Goodbye

레너드 코헨은 기회가 되면 '성 혁명 the sexual revolution'을 주창했다.

하지만 그의 이런 주장은 누구도 예측할 수 없었던 것보다 훨씬 더 혼란스러운 상황을 초래했다는 지적도 듣고 있다.

영화 〈트랜스페어런트〉에 반영된 젠더 정치도 훨씬 더 복잡하다고 할 수 있다.

한 노인 여성이 혼수상태에 빠진 남편을 자비(慈悲) 차원에서 죽이기로 결정

〈트랜스페어런트〉. © Amazon Studios

한다.

이러한 에피소드를 담고 있는 엔딩 크레디트에서 들려오고 있는 노래가 'Hey, That's No Way to Say Goodbye'이다.

뮤직 비디오에서는 노래하는 가수가 사랑하는 애인에게 갑자기 걷어차임을 당하고 있다.

1967년 데뷔 앨범에 수록 된 노래 중 상대적으로 가벼운 곡 중 하나가 'No Way to Say Goodbye'이다.

가사를 통해 '이기심과 개인적인 만족의 대가, 지속적인 명상의 중심에 있는 보편적 관계' 등을 들려주고 있다.

12-9. 〈세크리터리 Secretary〉 – I'm Your Man

리 할로웨이. 평범한 20대 여성.

하지만 외형적으로 차분한 여성은 자신의 몸에 상처를 내야 위안을 받는 기이한 습성을 갖고 있다.

리에게 변화의 기회가 생긴다.

타이프 실력을 바탕으로 변호사 사무실 개인비서로 취직하게 된 것.

에드워드 그레이는 중년의 근엄한 변호사.

그레이는 리가 자해하는 것을 우연하게 목격한다.

리가 타이핑한 문서에서 오타가 나올 때마다 리에게 벌을 주는 그레이.

묘한 감정을 느낀 리. 그레이와 사랑에 빠지게 된 것이다.

'당신이 애인을 원한다면, 나는 당신이 나에게 요구하는 모든 것을 할 것입니다. If you want a lover, I'll do anything you ask me to'

2002년 인디 영화로는 보기 드물게 흥행 차트에서 주목을 받아냈다.

〈세크리터리〉. © Lions Gate Films

보스(제임스 스페이더), 그의 새로운 개인 비서(매기 질렌할).

이들은 가학적이고 피학적 S & M 관계로 치닫게 된다.

두 사람의 관계를 강력한 메시지를 담고 있는 코헨의 기절할 정도로 느린 러브송이 영화에 대한 깊은 여운을 심어 주는데 일조한다.

철저한 복종을 선언하는 노래 가사가 끝나기도 전에 신세사이저와 압축한 믹싱 소리를 듣게 된다.

우리는 비서 길렌할이 가학적 사랑을 갈구하면서 네 발로 기어 다니고 변호사가 손으로 던져주는 음식을 먹고 그녀 등에 안장을 얹는 것을 보게 된다.

'I'm Your Man'은 즐거움과 고통이 교차하는 것이 이 두 사람을 단단히 묶어주는 조합이 될 수 있다는 찬가(讚歌) 역할을 하고 있다.

'또 다른 종류의 사랑을 원한다면, 당신을 위해 가면을 쓰겠습니다. And if you want another kind of love, I'll wear a mask for you.'

코헨이 그윽한 저음(低音)에 담아 불러 주는 가사 내용.

변호사와 여비서가 서로를 지독하게 비하(卑下)하는 상황에 대해 받아쓰기를 하는 것 같은 느낌을 전달해 주고 있다고 해도 과언이 아니다.

12-10. 〈슈렉 Shrek〉 - Hallelujah

〈슈렉〉. © DreamWorks Animation

2001년에 코헨 노래에 환대하는 새로운 애호가들이 탄생하게 된다.

그 대상은 애초 그의 노래에 대해 반응한다는 것이 거의 희박한 분야인 애니메이션 애호가들인 것이다.

이러한 돌발적 상황은 아랫배에 가스가 가득 차 있는 듯 헛배가 불러 있는 녹색 괴물 슈렉 덕분이다.

코헨의 원곡을 존 케일 John Cale이 커버한 'Hallelujah'는 대부분 유머러스하고 기괴한 아동용 애니메이션에서 감정적인 분위기를 조성해 주는데 공헌하고 있다.

매우 드문 사례이지만 코헨 노래가 어린아이들에게도 호응을 얻을 수 있다는 가능성을 엿보게 해주었다는 칭송을 듣게 된다.

위대한 슈렉이 공주에게 사랑에 빠진다.

하지만 공주에게 거절당했다고 생각한 뒤 심적 고통을 간직한 채 늪으로 돌아왔을 때 배경 노래로 'Hallelujah'가 들려오고 있다.

이 장면에서는 존 케일 버전이 아닌 루퍼스 웨인라이트 Rufus Wainwright 버전이 사용되고 있다.

존이든 루퍼스 버전이든 모두 무난하다.

음악 비평가들은 '레오나드 코헨의 노래 중 가장 많은 가수들이 Hallelujah를 커버해 주고 있다. 다른 가수들의 노래를 듣는다면 존 케일이나 루퍼스 웨인라이트 버전이 최고다.'라는 호평을 보내고 있다.

12-11. 〈테이크 디스 월츠 Take This Waltz〉 - Take This Waltz

〈테이크 디스 월츠〉. © Joe's Daughter, Mongrel Media

집필 과제를 마치고 캐나다 토론토로 돌아가는 비행기 안에서 마고(미쉘 윌리암스)는 잘생긴 이방인 다니엘(루크 커비)을 만나게 된다.

두 사람은 서로에 대한 즉각적인 매력을 느낀다.

행복한 가정생활을 하고 있다고 생각하고 있는 마고.

낯선 남자에게 성적 매력을 느낀다는 두려움과 함께 또 다른 남자와의 교분을 갈망 하는 갈등을 겪는다.

택시를 함께 타고 집으로 돌아오면서 다니엘과 마고는 자신들이 이웃에 거주하고 있다는 것을 알게 된다.

마고는 결혼한 유부녀임을 인정하게 된다.

여름의 열기처럼 길 건너편에 거주하고 있다는 잘생긴 아티스트에 대한 마고의 성적 호기심이 증가한다.

급기야 마고는 지금의 결혼 생활에서 행복을 지속시켜 갈 것인지 아니면 새로운 남자 다니엘과의 만남을 이어가면서 느끼는 환상이 더 행복한지에 대한 고민을 하게 된다.

시나리오와 연출을 맡은 사라 폴리 Sarah Polley는 코헨의 노래 'Take This Waltz'를 듣고 시나리오를 구상했다고 한다.

영화 결말은?

마고는 결국 남편 루(세스 로겐)의 품을 떠나 예술가 다니엘을 새로운 반려자로 선택한다.

그렇지만 새로운 커플도 시간이 흐르자 루와 함께했던 것과 다소 유사한 일상에 정착하게 된다.

다니엘은 아직도 마고를 사랑하는 것 같다.

하지만 첫 대면에서 느꼈던 열정은 사라진 것 같다.

영화는 마고가 놀이공원에 혼자 기구를 타고 있는 것으로 끝이 난다.

코헨의 노래는 새로운 삶을 시작하게 되는 마고와 다니엘 커플이 한껏 즐거움에 빠져 있던 순간들을 몽타주로 보여주는 장면에서 흘러나오고 있다.

코헨의 노래 'Take This Waltz'는 '우울한 종류의 사랑에 초대하는 메신저' 같은 역할을 해내고 있다.

오프닝 장면.

앉아있는 마고(미쉘 윌리암스)가 뒤를 돌아보며 누군가를 알아보며 미소를 짓는다. 그녀가 남편을 떠나 만난 새로운 남자 다니엘(루크 커비)이다.

밝은 조명이 커져 있는 작업실 공간 loft space.

코헨의 노래가 들려오는 동안 이들은 키스하고 섹스를 하고 있다.

노래가 끝나갈 때 즈음. 두 사람은 함께 소파에 앉아 TV를 시청하고 있다.

노래가 흐르는 3분 30초 동안 두 사람은 서로에게 길들여져 있는 진화된 모습을 보여주고 있다.

12-12. 〈The O.C〉 - Hallelujah

2003-2007 시즌에 방영된 44분짜리 미니 시리즈 〈The O.C〉.

말썽꾸러기 10대 라이언.

알코올 중독자이자 불안정한 어머니로부터 쫓겨난다.

상류층이 거주하고 있는 캘리포니아 뉴포트 비치.

공익 변호사와 부유한 부동산 개발업자 아내 집에 머무를 수 있는 기회를 얻게 된다.

라이언은 이 집안에서 재치 있는 아들 세스를 만나 가장 친한 친구가 된다.

〈The O.C〉. © Warner Bros Television

코헨의 종교적 분위기를 풍겨주고 있는 'Hallelujah'

이 노래는 10대 청소년 문제를 다룬 통속극에서 2번 흘러나오고 있다.

가장 깊은 인상을 남기고 있는 것은 라이언과 연인 마리사 커플이 비극적이고 파괴적인 관계에 빠지게 되는 과정의 배경 음악으로 들려오고 있다는 것이다.

시즌 1 피날레.

나쁜 소년 라이안은 자신이 잠시 거주했던 부유한 도시 뉴포트 Newport를 떠나야 한다. 제프 버클리(Jeff Buckley)가 불러주는 커버 'Hallelujah'는 라이안이 떠나고 여자 친구는 그동안의 심적 고통에서 벗어나는 장면의 배경 노래로 흘러나오고 있다.

시즌 3.

자동차 사고를 당한 마리사는 비극적 죽음을 맞게 된다.

라이언은 마지막으로 여자 친구의 팔을 부여잡는다.

화면은 몇 년 전 두 사람이 다정하게 있었던 장면으로 되돌아간다.

이런 장면에서 아이모겐 힙 Imogen Heap 버전의 'Hallelujah'가 흐르고 있다.

린다 론스타트 Linda Ronstadt 'Long Long Time', <라스트 오브 어스> 에피소드 3 주제가로 재차 인기몰이

1970-1980년대 팝계를 주도했던 린다 론스타트 Linda Ronstadt.

그녀의 대표 히트 곡 'Long Long Time'이 미니 시리즈 〈라스트 오브 어스 The Last of Us〉 에피소드 3 배경 음악으로 선곡되면서 MZ 세대들에게 다시 한 번 성원을 받고 있다.

흘러간 노래가 재조명을 받았지만 가수에게는 별다른 실익이 없다는 후문을 남기고 있다.

세계를 휩쓴 유행병으로 인해 현대 문명이 대부분이 파괴되어 버린다.

문명이 파괴된 지 20년 후.

끈질기게 생존한 조엘.

억압적인 격리 구역에서 14세 소녀 엘리를 발견하게 된다.

두 사람은 미국을 가로 지르며 생존을 위해 서로 의지해야 하는 처지에 놓이게 된다.

이때부터 잔인하고 가슴 아픈 기나긴 여정이 시작된다는 것이 〈라스트 오브 어스 The Last of Us〉의 기둥 줄거리.

매회 50분 분량의 미니 시리즈다.

1970–1980년대 록, 컨트리 장르에서 독보적 인기를 누렸던 린다 론스타트. © Capitol, Asylum, Elektra

HBO의 2023년 대표 히트 드라마로 주목을 받고 있는 〈라스트 오브 어스〉는 에피소드 3 배경 노래로 'Long Long Time'을 선곡해 드라마와 노래가 동반 인기를 얻게 된다.

에피소드 3은 닉 오퍼맨 Nick Offerman과 머레이 바트렛 Murray Bartlett이 각각 연기한 빌과 프랭크의 20여 년 동안 펼쳐지는 러브 스토리를 연대순으로 묘사해 시청자들의 주목을 받아냈다.

미니 시리즈가 많은 주목을 받아온 독창적인 선택 중 하나로 린다 론스타트의 노래 'Long Long Time'을 눈에 띄게 사용하고 있다는 점.

원곡은 1970년 6월 발표된 포크 록.

무려 50년이 지난 흘러간 발라드 노래가 다시 한 번 팝 시장에서 주목을 받게 되는 행운을 얻게 된 것이다.

노래가 다시 한 번 주목을 받는 바람에 2023년 76세가 된 린다 론스타트는 팝 전문지 빌보드와 근황 인터뷰를 갖는 호기를 얻게 된다.

그녀는 HBO 제작의 〈라스트 오브 어스 The Last of Us〉를 시청한 적이 없으며 요즘 통신 수단이 되고 있는 소셜 미디어에 대해서도 별로 관심이 없다고 밝혔다.

린다는 자신의 노래가 부활하고 있다는 정보는 귀띔을 받았다고 말했다.

더욱이 노래 히트 덕분에 자신보다는 노랫말을 창작한 게리 화이트 Gary White가 횡재(橫財)하게 된 것을 진심으로 기쁘다고 덧붙였다.

아쉬운 점은 론스타트는 노래에 대한 저작권을 소유하지 않고 있다고 알려졌다.

이런 이유 때문에 드라마 방영 이후 노래의 스트리밍 또는 다운로드 급증으로 인한 리베이트는 전혀 받지 못하고 있다고 한다.

빌보드와 진행된 인터뷰에서 이제는 할머니가 된 여가수 린다는 '저는 소셜 미디어나 스트리밍 서비스를 아주 밀접하게 팔로우하지 않고 있습니다. 나는 여전히 노래를 좋아합니다. 작사가 게리가 뜻하지 않은 행운을 얻게 된 것은 매우 기쁩니다. I don't follow social media or streaming services very closely. I still love the song and I'm very glad that Gary will get a windfall.'라고 말했다.

〈라스트 오브 어스〉. © HBO

린다 론스타트의 'Long Long Time'은 〈라스트 오브 어스 The Last of Us〉 에피소드 3의 스토리텔링의 주요 부분을 차지하고 있다.

음악적 모티브가 드라마 분위기를 고조시켜 주는데 상당한 역할을 해내고 있는 것이다.

'Long Long Time'은 빌과 프랭크가 피아노로 대조적인 발라드를 연주하는 초기 장면에서 처음 등장하고 있다.

부드러운 발라드 곡은 에피소드 내내 두 사람 관계를 가깝게 해주는 촉매제 역할을 해내고 있다.

'Long Long Time'은 조엘과 엘리가 빌의 트럭을 타고 링컨 Lincoln을 떠나는 라스트 장면에서 카세트테이프를 통해 듣고 있다.

노래는 〈라스트 오브 어스 The Last of Us〉 에피소드 3 제목으로도 차용되고 있다.

노래는 빌과 프랭크의 관계가 돈독해 지기를 갈망하는 분위기를 조성해 주고 있다.

시청자들은 론스타트의 감미로운 목소리를 통해 에피소드 3에 대한 관심도를 집중하게 됐다고 한다.

이런 분위기에 따라 'Long Long Time'도 당연하게 인기가 부활되는 기회를 맞고 있는 것이다.

노래는 〈라스트 오브 어스 The Last of Us〉 에피소드 3가 방영된 지 1시간 만에 Spotify에서 거의 5,000% 증가했으며 다음 날에는 거의 150,000% 증가하는 폭발적 반응을 얻게 된 것으로 집계되고 있다.

'Long Long Time'은 1970년 6월 처음 발매 당시 빌보드 핫 100에서 25위에 그쳤음에도 불구하고 드라마 덕분에 아이튠즈에서는 톱 5를 차지하게 된다.

〈라스트 오브 어스 The Last of Us〉 에피소드 3는 예전 히트작을 다시 가져와 예기치 않게 대중문화를 지배하게 된 인기 TV 미니 시리즈의 한 가 지 사례로 언급되고 있다.

〈스트레인지 씽즈 Stranger Things〉 시즌 4는 케이트 부시 Kate Bush가 불러 주었던 왕년의 히트 노래 'Running Up That Hill'을 부활시킨 바 있다.

론스타트는 왕년의 히트곡이 재차 관심을 받은 것에 대한 부가적인 혜택은 받지 못하고 있다.

그렇지만 그녀는 'Long Long Time'이 현재 더 많은 시청자들에게 호응이 확장되고 있는 것에 큰 기쁨을 표시하고 있다.

시청자들도 〈라스트 오브 어스 The Last of Us〉에서 빌과 프랭크의 비극적이지만 아름다운 러브 스토리에 깊은 여운을 남겨 주고 있는 노래에 대해 지속적인 갈채를 보내고 있다는 소식이 전해지고 있다.

13-1. 'Long Long Time'은 어떤 노래?

'Long, Long Time'은 론스타트 앨범 'Silk Purse'에 수록된 곡이다.

'Long, Long Time'은 누군가를 사랑했지만 그 사람의 연인이 되지 못한 아쉬움을 토로하면서 영원한 사랑 이야기를 들려주고 있는 노래이다.

노래는 빌보드 핫 100 12주 동안 머무는 인기를 얻는다.

최고 순위는 25위.

빌보드 이지 리스닝 차트 Billboard's Easy Listening chart에서는 20위로 진입한다.

1971년 린다는 '그래미 어워드 컨템포러리 여 가수 보컬 공연상 a Grammy Award for Best Contemporary Female Vocal Performance' 후보로 지명 받는다.

〈라스트 오브 어스〉. © HBO

마고 로비 Margot Robbie, <바비 Barbie>에서 그룹 아쿠아 'Barbie Girl' 사용 못한 사연 공개

〈바비 The Barbie〉는 제작 당시부터 그룹 아쿠아 Aqua의 대표적 히트 곡 'Barbie Girl'을 주제가로 사용될 예정이었다.

하지만 정작 노래를 불러준 아쿠아 밴드는 이에 대한 부정적인 견해를 꾸준히 밝혀, 그 갈등의 원인에 대해 많은 궁금증을 불러 일으켰다.

영화 〈바비〉 제작진은 그룹 아쿠아의 대표적 히트 곡 'Barbie Girl'이 당연히 사운드트랙에 포함될 것이라고 여러 차례 밝혔다.

그런데 2022년 덴마크 출신 밴드 아쿠아는 그들의 상징적인 1997년 히트곡 'Barbie Girl'이 그레타 거윅 Greta Gerwig이 감독하고 마고 로비 Margot Robbie가 주연을 맡은 〈바비〉에 등장하지 않을 것이라고 언론에 말하는 등 불협화음을 보이게 된다.

1997년 4월 덴마크 혼성 밴드 아쿠아의 빅히트곡 'Barbie Girl'. © Universal, MCA

팬들의 기대에도 불구하고 그룹 아쿠아 원곡 '바비 걸'이 영화에 등장하지 못한 결정적 이유는 미국 장난감 전문 제조사 매텔 Mattel과 그룹 아쿠아 간의 상표권 분쟁 때문이다.

매텔은 자신들의 대표적 완구 제품 '바비 Barbie'를 소재로 한 노래가 성적인 메시지를 담았다는 이유로 소송을 제기한 바 있다.

이에대해 아쿠아 측은 '노래는 패러디이고 바비라는 이름은 이미 널리 알려진 공공성을 갖고 있기 때문에 독점적으로 사용한다는 것'에 이의를 제기해 소송에서 승리하게 된다.

재판 과정에서 인형 제조사 매텔과 밴드 아쿠아는 감정의 골이 깊어지게 됐다.

이런 분쟁 때문에 결국 영화 〈바비〉에서는 사운드트랙에서 니키 미나 Nicki Minaj와 아이스 스파이스 Ice Spice가 편곡시켜 발표한 'Barbie World'로 대체 사용하는 곡절을 겪게 된다.

뮤직 비디오 'Barbie World' 라스트 장면에서는 리믹스 버전으로 짧게 아쿠아의 히트 곡 'Barbie Girl'이 들려오고 있다.

마고 로비는 '바비 인형'은 자신 또래 세대들에게는 가장 선물 받고 싶은 애완품이었기 때문에 영화 〈바비〉에 출연하면서 이미 발표됐던 히트 곡 'Barbie Girl'이 사운드트랙에 포함될 것이라고 생각했다고 밝혔다.

감독 거윅도 마고와 같은 생각이었다.

이런 계획이 무산 된 것에 대해 마고 로비는 팝 전문지 '롤링 스톤'과 진행한 인터뷰에서 저간의 상황을 설명했다.

앞서 잠깐 기술했듯이 패션 인형을 제조하고 〈바비〉 영화에 공동 제작사로 참여하고 있는 매텔 Mattel과 그룹 아쿠아 Aqua 사이의 분쟁은 'Barbie Girl' 노래가 처음으로 세계적인 히트를 쳤던 1997년으로 거슬러 올라간다.

노래가 암시적인 가사를 통해 바비 인형을 섹스 대상으로 만들고 건전한 브랜드를 손상시킬 수 있다고 우려한 매텔 Mattel은 그룹 아쿠아 Aqua를 상대로 상표권 침해 소송을 제기한다.

이에 그룹 아쿠아 측은 '노래는 패러디이며 바비라는 명칭을 독점적으로 사용할 법적 근거는 없다.'는 반소를 제기한다.

법정 소송으로 인해 영화 〈바비〉가 공개된 오늘날 까지 양측은 감정적 대립 상태로 알려져 있다.

영화가 제작 되는 와중인 2022년 그룹 아쿠아 Aqua 리드 싱어 레네 니스트롬 Lene Nystrøm 매니저 울리히 몰레-요르헨센 Ulrich Møller-Jørgensen 은 그들의 'Barbie Girl' 노래가 영화에 사용되지 않을 것이라고 말했다. 이에 대해 그레타 거윅 감독은 영화가 제시하는 통합적인 메시지를 위해 노래가 반드시 사용되어야 할 것이라는 강한 애착을 보인다.

감독은 대형 화면으로 공개되는 〈바비 Barbie〉에서 제시하고 있는 상상적인 장면을 위해 'Barbie Girl'은 매우 필요했다고 거듭 밝혔다.

하지만 공동 제작사로 참여한 '매털 필름 Mattel Films' 관계자는 '바비를 금발의 창녀 소녀라고 부르는 원래 가사가 실존적 불쾌감, 불완전함, 정체성과 같은 복잡한 주제를 탐구하는 거윅 영화와 정확히 맞지 않기 때문에 현대적인 리믹스로 노래를 업데이트 하는 것도 현명하다. It's also smart to update the song with a modern remix since the original lyrics which refer to Barbie as a blonde bimbo girl don't exactly mesh with Gerwig's movie which explores complex themes like existential malaise, imperfection and identity.'는 타협안을 제시한다.

이런 곡절 끝에 영화 〈바비〉 주제가는 아쿠아의 'Barbie Girl'을 니키 미나 Nicki Minaj+아이스 스파이스 Ice Spice가 랩 스타일로 편곡시킨 'Barbie World'로 대체하게 됐다고 한다.

마고 로비 주연의 〈바비〉. © Warner Bros

<맘마 미아 스타> 아만다 세이프리드, 다시 듣고 싶지 않은 ABBA 노래 전격 공개

Mamma Mia Star Reveals The One ABBA Song She Never Wants To Hear Again

2008년 ABBA 노래로 구성된 주크 박스 뮤지컬 〈맘마 미아!〉.

히로인 역할을 맡고 있는 아만다 세이프리드(Amanda Seyfried)는 아바 노래 중 자신이 듣기 싫은 노래가 있다는 사실을 발표해 영화가 뉴스를 만들어 내고 있다.

세이프리드는 2008년 공개된 영화에 출연해서 어머니 도나(메릴 스트립)와 함께 외딴 그리스 섬에서 자란 소피라는 젊은 여성을 연기했다.

그녀의 아버지로 추정되는 3명의 중년 남자-피어스 브로스난, 스텔란 스카스

〈맘마 미아〉. © Universal Pictures

가르드, 콜린 퍼스)를 결혼식에 초대하면서 여러 사연이 펼쳐지게 된다.

최근 세이프리드는 월간 '배너티 페어 Vanity Fair'와 진행 된 인터뷰를 통해 〈마마 미아 Mamma Mia!〉에서 그녀가 출연했던 가장 유명한 영화 장면에 얽힌 에피소드를 공개했다.

〈맘마 미아!〉에서 세이프리드가 언급한 노래는 'Voulez-Vous'.

이 곡은 그녀가 준비했던 독신 파티 bachelorette party가 엉망진창이 된 뒤 그녀가 3명의 중년 남자 중 자신의 친부(親父)가 누구인지 알아내려고 할 때 흘러나오고 있다.

그녀는 노래가 나올 때 춤을 추는 장면이 그리 내키지 않았다고 한다.

지치게 하는 안무 동작 때문에 그녀는 촬영이 끝난 뒤 마치 '열병의 꿈 fever dream'처럼 느껴졌다고 토로했다.

이런 경험 때문에 'Voulez-Vous'는 '절대 듣고 싶지 않은 노래 I just never wanna hear'가 됐다고 고백한다.

이런 발언이 담긴 인터뷰 내용은 다음과 같다.

'정말 악몽 같은 시나리오에요. 그 Voulez-Vous 노래와 이 장면은 우리가 이 안무를 배우는 데 너무 오랜 시간을 보냈기 때문에 너무 충격적이었죠.

What a nightmare scenario. That Voulez-Vous song and this scene is just so traumatic because we spent so long learning this choreography.

나는 좋은 댄서가 되는 척 할 수 있어요. 나는 이것에 참여하지 않았어요.
나는 단지 나빴지만 시간이 충분하다면 할 수 있었죠.
이것은 너무 많아서 절대 듣고 싶지 않은 ABBA 노래 같아요.
이 장면은 특히 매우 광란적입니다. 맙소사! 그것은 열병의 꿈과 같았죠.

I can fake being a good dancer. I didn't in this, I was just bad, but if I have enough time I can. This was just too much, it's like the one ABBA song I just never wanna hear. This scene specifically is just very frantic. God! it's like a fever dream.

세이프리드는 10년 후 2018년 〈맘마 미아! 2 Mamma Mia! Here We Go Again〉로 컴백하게 된다.

〈맘마 미아〉. © Universal Pictures

현재 〈맘마 미아 3〉에 대한 여러 아이디어가 논의 됐지만 구체적인 결실은 아직 맺지 못하고 있다.

그럼에도 불구하고 1, 2편에 출연했던 많은 스타들과 열성 팬들은 프랜차이즈가 계속 이어지기를 바라고 있다.

근래 할리우드 매체와 진행된 인터뷰는 흥미로운 점이 발견된다.

〈맘마 미아! 2〉 올 파커 Ol Parker 감독은 프로듀서 주디 그레이머 Judy Craymer가 항상 3부작이 계속 이어지길 계획하고 있다는 언질을 했다고 밝혀 조만간 3부작이 나올 수 있음을 암시하고 있는 것이다.

또 한 가지.

2022년 프라임타임 에미 Primetime Emmy 상 시상식장에서 아만다는 〈드롭아웃 The Dropout〉에서 엘리자베스 홈즈 역할로 '미니 시리즈 혹은 영화

부문 뛰어난 여우상 Outstanding Lead Actress in a Limited or Anthology Series or Movie' 수상자로 지명 받는다.

시상식장에 그녀가 보이지 않자 장내 진행자는 '그녀가 현재 새로운 뮤지컬 영화를 작업 중이다.'라는 소식을 전해 일부 팬들은 〈맘마 미아 3〉가 은밀하게 제작되고 있는 것 아니냐는 의견이 제기됐던 것이다.

아뿔사!

일부 매체에서는 새로운 〈맘마 미아!〉라는 루머를 보도했지만 아만다가 출연하는 뮤지컬은 1991년 공개됐던 〈델마와 루이스 Thelma & Louise〉를 브로드웨이에서 공연을 준비하고 있다는 것으로 밝혀진다.

다행인 것은 세이프리드가 거부감을 느끼고 있는 곡을 제외해도 〈맘마 미아 3〉에서 사용할 아바 노래는 많다는 것이다.

'Voulez-Vous'를 누락시키고 아바를 상징하는 대표적 히트 곡 'Dancing Queen'이나 'Super Trouper' 등과 같은 노래까지 선곡 명단에서 제외한다고 해도 활용한 아바 ABBA 트랙은 많이 남아 있다는 점이다.

더욱 반가운 상황은 아바가 활동 재개를 선언하고 2021년 11월 5일 발매한 신보 앨범 'Voyage'에서도 활용할 만한 아바의 새로운 노래들이 많다는 점이다.

이번 앨범은 아바가 1981년 11월 30일 발매했던 앨범 'The Visitors' 이후 근 40여 년 만에 선보인 스튜디오 음반이다.

제 2의 창단을 선언하면서 공개한 신보에는 'I Still Have Faith In You' 'When You Danced With Me' 'Little Things' 'Don't Shut Me Down' 등 10곡이 수록되어 있다.

이와 같이 풍성한 아바 트랙이 포진하고 있다.

〈맘마 미아 3〉에 대한 팬들의 기대감을 충족시켜 줄 희망적 뉴스는 조만간 결실을 맺을 것이라는 토픽이 할리우드 저변에서 흘러나오고 있는 중이다.

<매직 마이크 라스트 댄스 Magic Mike's Last Dance> 사운드트랙

매직 마이크 레인(채닝 테이텀).

사업 실패로 파산한 뒤 오랜 공백 기간을 갖는다.

절치부심한 그는 플로리다 주에서 바텐더 공연을 계기로 다시 무대로 복귀하게 된다.

Magic Mike Lane (Tatum) takes to the stage again after a lengthy hiatus, following a business deal that went bust, leaving him broke and taking bartender gigs in Florida.

마이크는 자신이 거부할 수 없는 제안과 자신만의 계획을 갖고 그를 유혹하는 부유한 사교계 명사(헤이엑 피널트)와 함께 런던으로 향한다.

For what he hopes will be one last hurrah, Mike heads to London with a wealthy

〈매직 마이크 라스트 댄스〉. © Warner Bros

socialite (Hayek Pinault) who lures him with an offer he can't refuse and an agenda all her own.

모든 것이 걸려 있는 상태.

마이크는 자신이 진정으로 염두에 두고 있는 것이 무엇인지 알게 된다.

그는 모양을 갖추어 멋진 새로운 댄서 명단으로 합류해 감추어 둔 기량을 마음껏 펼쳐낸다.

everything is at stake. Mike learns what he really has in mind. He gets into shape and joins a snazzy new roster of dancers, unleashing his hidden talents.

스티븐 소더버그 Steven Soderbergh 감독이 청춘 스타 채닝 테이텀을 댄서 역할로 기용해 선보인 춤을 가미한 극이 〈매직 마이크 라스트 댄스 Magic Mike's Last Dance〉(2023)이다.

춤이 주요 설정으로 묘사되기 때문에 〈매직 마이크 라스트 댄스 Magic Mike's Last Dance〉에서는 많은 노래가 포함되어 있다.

관객들이 즉시 인식할 수 있는 팝 히트곡 부터 오리지널 트랙까지 다양하게 포진되어 있는 것이다.

이번 작품은 〈매직 마이크 Magic Mike〉 프랜차이즈 세 번째이자 마지막 작품이다. 공개 직후 사운드트랙도 기억에 남을 만한 멋진 노래들로 가득하다는 찬사가 쏟아졌다.

시리즈에서 매직 마이크 XXL Magic Mike XXL 사건이 극중 핵심적인 사건으로 다루어지고 있다.

세 번째 '매직 마이크 Magic Mike' 영화에서는 히어로 마크 레인(채닝 테이텀)이 바다 건너 새로운 모험을 떠나는 것이 관심 포인트로 설정된다.

〈매직 마이크 라스트 댄스 Magic Mike's Last Dance〉는 시대 흐름을 반영하고 있다.

즉, 중국 우한에서 퍼진 코로나 19 바이러스가 기승을 부렸던 팬데믹 기간 동안 가구 사업에서 실패를 맛본 뒤 모금 행사 바텐더로 생계를 꾸려 나가고 있는 은퇴한 스트리퍼 마이크 행적을 보여주고 있다.

마이크는 런던으로 건너가 무대 연극을 제작하도록 후원하게 되는 사교계 명사 맥산드라 맨도자(살마 헤이엑)를 만나게 된다.

3부의 무대 설정은 런던이 선택되고 있다.

이전에 공개됐던 시리즈 1-2편이 주로 레저 휴양 도시 플로리다 주 마이애미를 배경으로 한 것과 비교해서 설정에 큰 변화를 시도한 것이다.

〈매직 마이크 라스트 댄스〉에서는 마이크가 야심을 갖고 구성한 쇼 무대를 목격하게 된다.

상황과 스토리 설정에서 춤 장면에 많은 비중을 두고 있다.

이런 연출 특징 때문에 음악은 영화의 핵심 부문을 차지하고 있다.

이처럼 변화된 시도를 담아 공개된 이번 3번째 '매직 마이크'는 율동을 자극시키는 다양한 사운드트랙 덕분에 청춘 남녀 관객들의 관람 욕구를 자극시켰다는 리뷰를 듣게 된다.

16-1. Anacaona performed by Cheo Feliciano

체오 펠리시아노 Cheo Feliciano가 들려주는 경쾌한 살사 곡이 'Anacaona'. 영화의 서막을 장식하고 있는 노래이다. 오프닝 샷과 마이크가 바에서 자신을 미혼 여성을 위한 독신 파티 bachelorette party 스트리퍼로 인정하는 여성을 위해 음료를 준비하는 장면에서 흥겹게 흘러나오고 있다.

16-2. Careful performed by Lucky Daye

〈매직 마이크 라스트 댄스〉. © Warner Bros

매혹적 분위기를 물씬 선사하고 있는 리듬 앤 블루스 및 소울 창법의 노래가 'Careful'이다

마이크 레인은 맥산드라 앞에서 현란한 아크로바틱 랩 댄스 acrobatic lap dance를 펼쳐주는 댄스 장면의 배경 노래가 되고 있다.

럭키 데이에의 'Careful'를 영화를 위해 특별하게 취입한 노래로 알려졌다.

16-3. Alien Trance performed by Xyrex

'Alien Trance'는 댄스 및 일렉트로닉 전문 밴드로 유명세를 얻고 있는 사이렉스 Xyrex의 곡.

맥산드라는 마이크에게 보다 드넓은 기회를 잡기 위해 런던으로 함께 동행하자는 제안을 한다. 사업 실패로 한동안 은둔 생활을 했던 마이크는 재기를 노릴 수 있는 기회로 받아들인다.

이러한 장면에서 들려오고 있는 'Alien Trance'는 사이렉스 Xyrex 그룹이 1995년 발표해서 주목을 받아냈던 'Alien Trance'이다.

노래가 흘러나오는 동안 고풍스런 도시 런던 전경이 보여지고 있다.

16-4. Spoiler performed by Baloji

우리에게는 낯선 벨기에 출신 래퍼 발로지 Baloji. 펑키한 비트 리듬이 흥겨움을 더해주고 있다. 런던.

마이크와 맥산드라는 댄스 오디션을 개최해 숨어 있는 재능꾼들을 발굴하기 위한 이벤트를 진행한다. 이들 앞에서 예비 댄서들이 다양한 기량을 선보이는 몽타쥬 장면의 배경 노래로 'Spoiler'가 선곡되고 있다.

16-5. Steal Away performed by Robbie Dupree

연인들이 늘 무지개 피는 화사한 나날이 될 수는 없는 법.
마이크와 맥산드라가 댄스 팀 운영 방향을 놓고 심한 의견 충돌을 벌이게 된다.
마이크와 맥산드라는 동료들과 저녁 식사를 한다.
이후 각자 귀환하게 된다. 마이크는 막산드라와 거리감을 느낀다.
맥산드라가 자동차 안에서 마이크를 달래 보려고 하지만 그는 이를 뿌리친다.
두 사람은 자동차 안에서 날이 선 언쟁을 이어 나간다.

화가 치민 맥산드라는 치솟은 기분을 달래기 위해 운전사에게 노래를 틀어달라고 요청한다. 이때 들려오는 노래가 로비 듀프리의 'Steal Away'이다.

16-6. Mercy performed by Jacob Banks

래티간 극장 Rattigan Theatre에서 마이크, 맥산드라 및 나머지 댄서들은 다른 댄서 중 한 명의 솔로 공연을 지켜본다.

느린 리듬이지만 강력함을 전달시켜 주고 있는 야곱 뱅크스 Jacob Banks의 'Mercy'는 그 남자의 안무 동작에 맞추어 흘러나오고 있다.

16-7. Permission performed by Ro James

'Permission'은 리티간 극장에서 진행되는 리허설 장면과 영화가 끝날 무렵 등 여러 번 흘러나오는 곡이다.

처음 이 노래를 들을 수 있는 것은 맥산드라가 스트립 댄서로 육감적인 춤을 출 때 배경 노래로 흘러나오고 있다. 마이크는 그녀의 공연에 대해 칭송을 보낸다.

마이크는 댄서에게 어떻게 해야 효과적인 춤을 추는 것인지를 알려준다.

영화가 끝날 무렵 에드나와 다른 여성들은 무대에서 랩 댄스 lapdance를 추고 있다.

16-8. Kurz-Entspannungversion performed by Theo Werdin

맥산드라와 마이크는 공연을 더 잘 수용하기 위해 무대를 확장한다.

이런 행동을 알고 웨스트민스터 Westminster 시는 사전 승인 없이 역사적인 건물을 개조한 것에 대해 두 사람에게 책임을 묻겠다는 위협을 가한다.

예기치 않은 상황을 맞게 된 맥산드라와 마이크.

두 사람은 시가 운영하는 이사회의 유일한 여성 에드나 이글바우어 Edna Eaglebauer를 자신들 편으로 끌어들일 계획을 짠다.

댄스 팀원들은 버스에서 에드나를 위한 특별한 춤 공연을 펼친다.

이때 배경 음악으로 선곡된 노래가 테오 워딘 Theo Werdin의 'Kurz-Entspannungversion'이다.

공연을 지켜 본 에드나는 매우 흡족한 표정을 짓는다.

16-9. Suavemente (House Remix) performed by Fred Perry

무대에 올라 선 마이크와 맥산드라.

다른 댄서들이 보는 앞에서 현란한 커플 댄스를 춘다.

두 사람의 흥겨운 댄스 동작에 맞추어 흘러나오는 노래가 프레드 페리 Fred Perry의 'Suavemente (House Remix)'이다.

이들이 선곡한 노래는 팀원들로부터 뜨거운 반응을 얻는다.

그리고 마침 현장에 에드나가 걸어 들어오면서 흥겨운 분위기는 고조된다.

〈매직 마이크 라스트 댄스〉. © Warner Bros

16-10. It's Over, If We Run Out Of Love performed by David Holmes feat. Raven Violet

쇼는 종료된다.
로저는 막산드라에게 마이크와 멀리하라고 한다.
이어서 마이크에게는 미국으로 돌아갈 것을 권유한다.
마이크는 즉각 거부 의사를 밝힌다.
빅터로 부터 극장 열쇠를 얻게 된 마이크. 비밀리에 리허설을 계속한다.
마이크가 맥산드라 모르게 쇼를 계속 준비한다.
이러한 행동을 보여 줄 때 배경 노래로 데이비드 홈즈 David Holmes의 'It's Over, If We Run Out Of Love'가 배경 노래로 들려오고 있다.

16-11. Champagne Life performed by Ne-Yo

영화가 끝날 무렵. 여성 이름을 갖고 있는 이사벨 아센던트(이반 밀튼)가 펼쳐 주는 쇼 무대에서 여러 곡이 선곡되고 있다.
가장 깊은 인상을 남긴 노래가 니요(Ne-Yo)의 리듬 앤 블루스 곡 'Champagne Life'. 쇼의 시작을 알리는 남성 댄스 팀이 등장해 관능적인 춤을 추면서 관객들을 뜨겁게 흥분시키는 장면의 배경 노래로 제목도 흥을 부추겨 주는 'Champagne Life'이다.

16-12. Be Faithful performed by Fatman Scoop feat. Crooklyn Clan

'Be Faithful'은 영화를 관람하는 관객들을 흥겨운 분위기로 몰아간 노래 중 한 곡으로 기억되고 있다.

래티간 극장 Rattigan Theatre 무대에 있는 남성 댄서들은 계속해서 관객들을 흥분시키면서 본격적인 쇼 무대를 준비한다.

댄서들의 행동에 부합해서 관객들로 일어선 자세로 춤의 향연에 빠져 들 준비를 하고 있다.

이러한 장면의 배경 노래로 'Be Faithful'이 흘러나오고 있다.

16-13. Get Up I Feel Like Being A Sex Machine performed by James Brown

댄서 J D 레이니.

1970년 다수의 펑크 곡을 발매 해 위력을 발휘했던 제임스 브라운의 'Get Up I Feel Like Being a Sex Machine' 리듬에 맞추어 현란한 솔로 공연을 펼쳐 주기 시작한다.

16-14. Juice performed by Young Franco & Peli

레이니가 펼쳐 주는 쇼의 다음 곡으로 선정 된 것이 영 프랑코와 펠리 Young Franco & Peli가 화음을 맞춘 'Juice'이다.

두 명의 댄서가 무대에서 공연하고 있다.

흥에 겨운 청중 중 두 명의 여성이 무대로 올라와 집단 댄스를 추게 된다.

객석에 앉아 있던 나머지 관중들도 한껏 즐거움에 빠져 든다.

16-15. Boys Better performed by The Dandy Warhols

댄서들이 춤을 추는 와중에 재빠르게 화려한 의상으로 교체해서 입는다.

댄디 워홀스가 1990년대 발표했던 노래 'Boys Better'는 무대 공연 모습을 작은 몽타주로 처리해서 보여 줄 때 흘러나오고 있다.

노래는 마이크가 진행하는 댄스 쇼가 예상보다 훨씬 잘 진행되고 있고 일부 군중들이 열띤 반응을 보이는 모습 속에서 계속 들려오고 있다.

16-16. Open Up performed by Gallant

마이크와 발레리나가 커플을 이뤄 스트립 댄스를 추고 있다.

마이크와 맥산드라 관계의 중요한 순간을 되짚어 주는 행동이 되고 있다.

이러한 장면에서 갤런트 Gallant가 불러주는 노래 'Open Up'이 흘러나오고 있다.

마이크는 노래 반주에 맞추어 춤을 통해 진정으로 감정을 표현하는 방법을 보여주게 된다.

이를 지켜보고 있던 맥산드라는 마이크 공연에 대해 감동했다는 제스처를 보낸다.

16-17. Pony performed by Ginuwine

후반부 장면.

로 제임스 Ro James의 'Permission'을 배경 음악으로 해서 쇼 공연이 이어진다.

마이크가 뛰어난 댄스 율동을 통해 공연을 마무리 짓는 장면에서 지누와인 Ginuwine이 불러주는 'Pony'가 선곡되고 있다.

리듬 앤 블루스 장르의 이 노래는 마이크가 열정을 바치는 과격한 피날레를 위한 완벽한 노래가 되고 있다.

16-18. Love In This Club performed by Usher

마이크가 펼쳐준 현란한 쇼가 끝나고 맥산드라와 뜨거운 재회를 하게 된다.

열정적 키스를 나누는 두 사람.

여러 갈등을 극복하고 재회한 두 사람의 만남에 대해 동료 댄서들이 열렬한 환호를 보낸다.

마이크는 맥산드라를 사랑한다는 것을 인정하게 된다.

해피 엔딩을 위한 축가로 'Love In This Club'이 들려오면서 영화의 종료를 알리고 있다.

16-19. Don't Be Afraid performed by Diplo & Damian Lazarus feat. Jungle

〈매직 마이크 라스트 댄스 The Magic Mike's Last Dance〉 사운드트랙에는 엔딩 크레디트를 장식하는 2곡의 노래가 사용되고 있다.

첫 번째 노래가 디플로 앤 다미엔 라자러스와 정글이 피처링 해주고 있는 'Don't Be Afraid'이다.

16-20. All About You performed by Stevie Brock

라스트 엔딩 크레디트 2번째를 장식해 주고 있는 노래는 스티비 브룩 Stevie Brock의 팝 성향이 강한 노래 'All About You'이다.

16-21. 3부작 〈매직 마이크 라스트 댄스〉는 이전 '매직 마이크' 시리즈와 사운드트랙에서 어떤 차이점이 있는가?

〈매직 마이크 라스트 댄스〉 사운드트랙은 배경 노래가 극중 스토리 전개에서 매우 필요한 요소가 되고 있다.

이 때문에 노래 선곡은 줄거리나 상황에 적절하게 어울리는 노래를 택하고 있다.

시리즈 3부작은 앞서 공개된 1-2부의 '매직 마이크' 시리즈와 유사하게 관객들에게 친숙한 팝 분위기와 댄스 축제를 부추겨 주는 노래들로 구성되어 있다.

빌보드는 '3번째 시리즈 〈매직 마이크 라스트 댄스〉는 이미 공개됐던 '매직 마이크' 두 편에 비해 음악에 관해서는 강한 인상이 약화 되어 있다는 것을 감출 수 없다.

이런 이유 때문에 3부작은 음악적 관점에서 봤을 때는 이전 2 작품 보다는 덜 성공적이라고 해도 과언이 아니다'는 리뷰를 제시했다.

〈매직 마이크 라스트 댄스〉. © Warner Bros

명장면을 만들어낸 노래 10

10 Times a Song Made a Movie Scene

음악과 영화는 가장 궁합이 잘 맞는 특성을 갖고 있다.

페어링 pairing이 신속하게 이루어진다는 뜻이다.

둘 다 그 자체로 엄청난 힘을 갖고 있다.

이런 매체 파워를 적절하게 공유하면 관객이나 음악 애호가들에게 가장 많은 영향을 미칠 수 있는 것이다.

대다수 영화 애호가들은 이미 어느 영화의 사운드트랙이 우리를 사로잡았고 오싹함을 주었는지 익히 간파하고 있다.

할리우드에서 발간되는 여러 음악 전문지들은 이러한 완벽한 조화를 이룬 사례를 꾸준히 읽을거리로 제공하고 있다.

영화와 음악을 함께 강력하게 만들어 주는 순간을 체험한다는 것은 예술 형식을 통해 얻을 수 있는 최고의 혜택인지도 모른다.

다음은 영화 장면을 완벽하게 만들어 주는데 결정적 기여를 했던 노래 베스트 10이다. - 빌보드 + 할리우드 리포터 + 위클리 엔터테인먼트 추천.

리스트는 노래 제목 A,B,C 순이다.

17-1. Cat People - 〈바스터즈: 거친 녀석들 Inglourious Basterds〉

〈바스터즈: 거친 녀석들〉. © Universal Pictures, The Weinstein Company

타란티노는 영화 경력 중에서 뛰어난 음악적 선택을 들려주어 관객들의 탄성을 불러일으킨 재능꾼이다.

그가 선곡했던 수십 곡의 훌륭한 음악들은 관객과 음악 애호가 모두를 만족시켰다.

〈바스터즈: 거친 녀석들〉에서 감상할 수 있는 'Cat People'.

이 노래는 나치 군에게 가족들이 학살당한 소산나가 평생 품고 있었던 복수를 가할 대상을 은유적으로 드러내 주는 데 활용되고 있다.

그녀의 캐릭터가 갖고 있는 음영(陰影)을 짐작시켜 주는 효과도 갖고 있다.

관객들이 그녀를 처음 만났을 때, 그녀는 나치 점령이 가져 올 두려움에 떨면서 온 가족과 함께 숨어 지내는 나약한 젊은 유대인 여성에 불과했다.

데이비드 보위의 'Cat People (Putting Out Fire)'는 소산나가 나치 장교들을 시사회 명목으로 집결시킨 뒤 몰살시키려는 비장한 장면에서 흘러나오고 있다.

노래가 흐르면서 소산나는 전투에 나서는 해병대원들이 비장한 각오로 얼굴 분장을 하 듯 메이크업을 하고 있다.

소산나는 'Cat People' 음악이 흐르는 가운데 나치 장교들을 집단 학살시키겠다는 결연한 행동을 실행한다.

17-2. Don't Stop Me Now – 〈숀 오브 데드 : 새벽의 황당한 저주 Shaun of the Dead〉

에드가 라이트 Edgar Wright 감독은 코미디와 관련된 다채로운 배경 음악을 들려주고 있다.

〈숀 오브 데드 : 새벽의 황당한 저주〉. © Universal Pictures, Studio Canal, Working Title Films

그만의 음악 선곡 기법은 주변 동료들로 부터 부러움을 받을 정도이다.

그는 어떤 상황에 내재된 개그를 노래로 만들거나, 애초부터 코미디가 아니었던 상황에서 개그를 이끌어내는 법을 정확히 알고 있는 감독이다.

일례로 숀과 그의 전 여자 친구, 그리고 가장 친한 친구가 당구 게임을 한다.

길고 얇은 막대인 당구채로 동네 집주인을 때리려 할 때는 유머를 찾을 수 없다.

그러나 집주인이 좀비이고 사운드트랙에서 'Don't Stop Me Now' 흘러나올 때는 객석에서 폭소가 터져 나오게 한다.

이것은 코미디 역사상 가장 위대한 장면 중 하나로 언급되고 있다.

17-3. Man of Constant Sorrow - 〈오! 형제여 어디에 있는가? O! Brother Where Art Thou?〉

〈오! 형제여 어디에 있는가?〉. © Touchstone Pictures

사기꾼 에버렛(조지 클루니)과 동포들이 시각 장애인 라디오 방송국 주인을 끌어 들이는 것으로 본격적인 스토리가 펼쳐진다.

에버렛은 댐 건설로 마을이 수장되기 직전에 집안에 은닉해 둔 막대한 보물을 찾아보자고 꼬드겨 델마, 피트 등 3명이 탈옥을 시도한다.

귀향(歸鄕)에 동행하는 3명의 남자 행적을 보여줄 때 흘러나오는 'Man of Constant Sorrow'는 애초 영화를 위해 작곡된 노래는 아니었다.

노래는 무려 1913년 딕 버넷(Dick Burnett)이 취입했다고 알려진 오래된 곡.

그렇지만 노래 스타일이 〈오! 형제여 어디에 있는가? O! Brother, Where Art Thou?〉와 절묘하게 어울리고 있다는 찬사를 받는다.

영화에서 미국 남부는 문제가 있었던 과거에 대한 일종의 구원의 의미로 포크 음악에 대한 부활을 펼쳐주고 있다는 해석을 받았다.

불운한 우리의 영웅 그룹에게도 마찬가지로 보상이 제시된다.

경찰의 추적을 피해 피신하다 흑인 타미를 만난다.

영혼을 악마에게 팔아 기타 치는 걸 배웠는데 연주 솜씨는 달인에 가까웠다.

비상 자금을 모을 생각으로 방송국에서 노래를 한 번 부르게 된다.

그런데 이 노래가 미시시피와 알라바라에까지 히트를 치고, 레코드 취입업자들이 전속 계약을 체결하자고 법석을 떤다.

짧은 라디오 노래 공연 이후, 우리의 탈주범들은 과거 범죄 행각에 대해 사면을 받는다.

가족과 재회할 수 있는 기회도 얻는다. 그리고 포크 밴드로서 존경 받는 경력을 구축하게 될 것이라는 희망적 제시를 받게 된다.

숨 가쁘게 이어지는 이러한 상황을 'Man of Constant Sorrow'가 대변(代辨) 해 주고 있다.

17-4. Fortunate Son - 〈포레스트 검프 Forrest Gump〉

베트남 전쟁 터.

한적한 베트남 농촌과 미군 기지를 보여주는 장면에서 CCR Creedence Clearwater Revival 밴드의 'Fortunate Son'이 들려오고 있다.

〈포레스트 검프〉. © Paramount Pictures

베트남 전쟁을 배경으로 한 영화에서 이런 설정을 보여주는 유사한 영화들이 많았다.

그렇지만 〈포레스트 검프 Forrest Gump〉가 대조되는 장면을 통해 전쟁의 비극을 가장 적절하게 묘사했다는 칭송을 받는다.

17-5. What a Wonderful World - 〈굿 모닝 베트남 Good Morning, Vietnam〉

베트남 전쟁 테마 중 가장 기억에 남는 장면이 〈굿모닝 베트남〉에서 보여지고

〈굿 모닝 베트남〉. © Touchstone Pictures

있다.

도시와 시골을 비롯해서 베트남 전쟁의 다양한 장면 아래에 들려오는 'What a Wonderful World'는 역설적으로 전쟁의 비극을 일깨워 주고 있다.

음악 전문지들은 감독 배리 레빈슨에게 '훌륭한 아이디어가 돋보이는 음악 배치'라는 찬사를 보냈다.

영화는 처음에는 상당히 행복한 장면에서 출발해서 점점 더 우울해 지는 전쟁 상황을 펼쳐주면서 냉소적 분위기로 변경 된다.

웃는 얼굴과 웃음은 서서히 죽음, 파괴, 우울로 바뀌어 간다.

자유분방한 군 전용 방송 DJ 아드리안 크로나워는 재미있는 아이디어와 마음을 고양시키는 메시지를 갖고 베트남으로 오게 된다.

그렇지만 낯선 이국에서 미국 정치권이 가장 복잡한 분쟁 중 하나가 될 현실을 점 점 실감하게 된다.

한껏 흥겨운 분위기를 고취시키는 오프닝 멘트 후 들려주는 팝 명곡이 'What a Wonderful World'이다.

17-6. I'm Shipping Up to Boston (Both Times) – 〈디파티드 The Departed〉

빌리 코스티간이 겪는 감옥 생활과 코스텔로의 휘하에 있는 갱단이 마약 거래를 위한 움직임을 보일 때 드롭킥 머피 The Dropkick Murphys 밴드의 'I'm Shipping Up to Boston'이 흘러나오고 있다.

영화에서 펼쳐지는 장면은 노래를 불러주는 밴드 분위기를 염두에 두고 있는 듯한 분위기를 풍겨주고 있다.

이런 느낌은 영화 배경 인물들과 밴드가 모두 보스턴으로 이주한 아일랜드 이주민이라는 공통된 뿌리를 갖고 있기 때문이다.

〈디파티드〉. © Warner Bros, Plan B Entertainment

노래가 설명하는 내용을 〈디파티드〉 장면 설정을 통해 매우 적절하게 활용했다고 할 수 있다.

팝 비평가들은 'I'm Shipping Up to Boston'이 영화 분위기를 조성해 주는 기능적 역할을 해내고 있다.'는 리뷰를 보냈다.

17-7. Raglan Road - 〈킬러들의 도시 In Bruges〉

〈킬러들의 도시〉. © Focus Features, Film4

대주교를 암살하고 영국에서 피신한 전문 킬러 레이(콜린 파렐)와 켄(브레단 글리스).

보스는 두 사람에게 2주 동안 벨기에 관광 도시 브리주로 은둔하라는 지시를 내린다.

브리주는 중세풍 관광 도시.

자유분방한 켄은 관광을 한껏 즐기고 있다.

혈기 왕성한 레이는 하루하루가 지루하다.

레이는 거리에서 만난 매력적 여성과 데이트를 하게 된다.

켄도 브리주의 아름다움에 반해 한가한 시간을 보낸다.

이때 킬러들의 보스 헤리(랄프 파인즈)는 켄에게만 은밀한 명령을 내린다.

그것은 대주교를 암살할 때 '킬러들의 규칙'을 어겼던 레이를 제거하라는 것.

이 명령으로 인해 조용하고 아름다운 도시 브리주는 킬러들의 사활이 걸린 대결이 펼쳐지게 된다.

마틴 맥도나 Martin McDonagh 감독은 정확한 의미를 담아 아일랜드 민속 음악을 사용하고 있다. 애도하는 분위기를 풍겨주고 있는 'Raglan Road'.

〈킬러들의 도시 In Bruges〉가 행복한 영화와는 거리가 멀기 때문에 노래와 영화 장면이 절묘하게 맞아 떨어지고 있다는 소감이 제기된다.

노래 가사는 자신이 원하는 삶을 결코 얻지 못한 남자에 대한 애환을 들려주고 있다.

켄은 자신에게 부과된 테러 임무 보다는 브리주라는 도시가 품고 있는 역사와 종교에 훨씬 더 많은 관심을 보내고 있다.

음악 비평가들은 '노래 선곡이 흡사 극중 켄의 처지를 정확하게 묘사하고 있다는 것처럼 느껴지고 있다.'는 의견을 제시했다.

그는 암살자 역할을 충실하게 이행했다.

그렇지만 그런 임무 수행에 그가 성취감을 느끼는 것은 아니라는 점을 노래 선곡을 통해 은유적으로 설명해 주고 있다는 풀이를 들었던 것이다.

17-8. Angel - 〈스내치 Snatch〉

영국 감독 가이 리치 Guy Ritchie는 노래 선택에 항상 완벽을 쏟고 있다.

〈스내치 Snatch〉는 감독의 이런 평판을 다시 입증시켜 준다.

다이아몬드 절도범 프랭키.

어마어마한 크기의 다이아몬드를 뉴욕에 있는 보스 아비에게 전달하라는 막중한 임무를 하달 받는다.

자잘한 보석들을 런던에 있는 보석 장물아비 더그에게 넘겨줘야하는 프랭키.

〈스내치〉. © Screen Gems

아비는 프랭키에게 도박에 손대지 말라는 명령을 내린다.

그렇지만 프랭키가 권투 도박에 돈을 걸면서 다이아몬드 운명은 복잡한 상황으로 몰리게 된다.

풋내기 권투 프로모터 터키쉬와 토미는 돼지 농장 경영주이자 마피아 두목 브릭 탑과 함께 사기도박을 계획하고 있다.

하지만 이들이 승부 조작을 지시했던 권투 선수가 아일랜드 집시 미키의 주먹을 맞고 절명하는 돌발 사태가 벌어진다.

이에 미키에게 4회전에서 패배하라는 지시를 하고 미키를 링에 올린다.

하지만 미키는 4회에 자신이 아닌 상대 선수를 기절시키는 괴력을 발산하고 만다.

터키쉬와 미키는 둘 다 개인적인 파멸의 통로를 내려다보고 있는 처지.

두 사람은 자신들에게 매우 중요한 것을 잃었다는 후유증을 겪고 있는 인물들이다. 터키쉬의 영역은 수리할 수 없을 정도로 망가졌다.

미키 어머니는 브릭 탑의 방화범 중 한 사람의 공격을 받고 피살된다.

밴드 매시브 어택 Massive Attack의 'Angel'은 본능적이고 거의 무력한 분노와 함께 두 사람이 느끼고 있는 일종의 절망을 전달하는 역할을 하고 있다는 선곡으로 해석된다.

17-9. Lust For Life - 〈트레인스포팅 Trainspotting〉

〈트레인스포팅〉. © Miramax

〈트레인스포팅 Trainspotting〉 만큼 빠르게 세계의 느낌을 확립한 영화는 거의 없다.

에너지 넘치는 혼돈, 건강한 선택과 삶의 즐거움에 대한 렌튼의 반문화적 행동은 'Lust for Life'가 완벽한 사운드트랙으로 들려오고 있다.

렌튼과 친구들은 각 각 최고점을 위해 사는 것과 같은 방식으로 비트에서 비트를 맞추면서 행동하고 있다.

렌튼과 'Lust for Life'는 인생을 살아가면서 다가올 미래에 끔찍한 대가를 치르더라도 현재 순간을 최대한 활용하라는 주장을 펼치고 있다.

17-10. Tiny Dancer - 〈올모스트 페이모스 Almost Famous〉

'Tiny Dancer'에는 약간의 우울한 분위기를 풍겨주고 있다.

가사를 완전히 이해하지 못할 수도 있다.

그렇지만 노래가 완전히 행복한 이야기를 전하지 않는다는 느낌은 확실히 전달 받을 수 있다.

이런 약점에도 불구하고 'Tiny Dancer'는 듣는 이들을 절대적으로 하나로 끌어 모을 수 있는 저력을 갖고 있는 노래로 평가 받는다.

〈올모스트 페이머스〉에서 이러한 특징을 유감없이 발휘하고 있다.

순회공연을 위해 버스에 탑승한 사람들.

자신의 작은 세계에서 길을 잃고 자신의 우울한 부분에 집착하는 태도를

'Tiny Dancer'를 합창하면서 해소시키려하고 있다.

'Tiny Dancer'를 부른 뒤 얻게 되는 것은 즉각적인 기분 변화와 상당한 카타르시스라는 소감이 제기된다.

버스에 탑승한 모든 사람들은 자신이 왜 거기에 있고 왜 거기에 머물러 있는지 기억하는 수단으로 'Tiny Dancer'를 불러주고 있는 것이다.

〈올모스트 페이모스〉. © Dreamworks Pictures, Columbia Pictures

뮤지컬 영화에서 가장 로맨틱한 주제가 10곡

10 Most Romantic Songs From Movie Musicals

〈사랑은 빗물을 타고 Singing in the Rain〉에서부터 〈웨스트 사이드 스토리 West Side Story〉 까지.

뮤지컬 영화는 당연한 지적이지만 상징적 사랑 노래가 가득하다.

로맨틱한 주제가는 뮤지컬 영화만의 흥행 포인트가 되고 있다.

2023년 극장가를 노크한 〈마틸다 더 뮤지컬 Matilda the Musical〉은 관객들의 성원을 받으면서 뮤지컬 영화의 장점을 재차 입증시킨다.

동화 작가 로알드 달 Roald Dahl의 동명 소설을 각색한 작품은 엠마 톰슨이 연기한 잔인한 미스 트런치불에 맞서 학교에서 혁명을 일으키기 위해 뛰어난 상상력을 사용하는 어린 소녀 마틸다의 사연을 펼쳐주고 있다.

〈마틸다 더 뮤지컬〉은 시종 활기 넘치는 안무와 신나는 음악으로 관객들을 설레게 하고 있다.

그런데 특이한 사항은 뮤지컬 특유의 러브 송이 빠져 있다는 점.

슬프고 극적이든, 즐겁고 엉뚱하든, 사랑 노래는 뮤지컬 영화에서 가장 기억에 남는 순간을 제공하고 있는 설정이다.

이런 이유 때문에 공연이 끝난 뒤 관객 마음속에 특별한 자리를 차지하고 있는 대상이기도 하다.

영화사를 통틀어 엄청난 양의 러브 송 중에서 최고를 뽑는다는 것은 지극히 어렵다.

그러나 많은 관객들은 이미 시간의 시험을 견뎌내서 장수 인기를 얻고 있는 뮤지컬 넘버를 기억하고 있다.

할리우드에서 발간되고 있는 다수의 음악 전문지들은 '노래 맥락, 음악적 톤, 가사, 스토리텔링의 창의성에 중점을 두어 사랑의 발라드 10선을 추천하고 있다.

이들 러브 송은 그동안 관객들의 심장을 두근거리게 만들었던 대상이다.

엄선된 뮤지컬 러브 발라드 10선은 다음과 같다.

18-10. You Were Meant for Me – 〈사랑은 빗물을 타고 Singin in the Rain〉(1952)

〈사랑은 빗물을 타고 Singin in the Rain〉는 개봉 된 지 무려 70년이 지난 지금도 여전히 최고의 뮤지컬 영화로 늘 추천 받고 있는 명작이다.

전설적인 진 켈리 Gene Kelly와 데비 레이놀즈 Debbie Reynolds가 출연했던 〈사랑은 빗물을 타고 Singin in the Rain〉는 할리우드가 가장 좋아하는 영화 제작의 경이로움을 묘사하고 있는 영화 속 영화 사연을 담고 있다.

돈 록우드 역을 맡고 있는 진 켈리는 'You Were Meant for Me'를 열창하면

〈사랑은 빗물을 타고〉. © MGM

서 레이놀즈가 연기한 캐시에 대한 열렬한 사랑을 고백하고 있다.

〈사랑은 빗물을 타고〉 이전부터 뮤지컬 영화는 꾸준하게 흥행 주 역할을 해온 소재였다.

1929년 〈브로드웨이 멜로디 The Broadway Melody〉를 통해 'You Were Meant for Me'가 불리워진 것으로 기록되고 있다.

하지만 진 켈리 버전이 여전히 가장 인기 있고 쉽게 언급되는 버전으로 환대를 받고 있다.

클래식 댄스 브레이크, 미묘한 악보, 감동적인 가사를 담고 있는 'You Were Meant For Me'. 여타 뮤지컬에서 들려주고 있는 사랑의 발라드와 뚜렷하게 구별되는 차이점으로 지적받고 있는 사항이다.

18-9. All I Ask of You – 〈오페라의 유령 The Phantom of The Opera〉(2004)

37년 연속 공연 기록을 세운 〈오페라의 유령〉.

2023년 4월 브로드웨이에서 대단원의 막을 내린 작품이 〈오페라의 유령〉이다.

브로드웨이 역사상 가장 긴 공연을 수립한 작품으로 등록 된다.

장엄한 순회공연을 볼 수 없었던 사람들을 위해 고맙게도 2004년 똑같이 놀라운 음악과 스릴 넘치는 공연으로 각색된 영화가 공개된바 있다.

에미 로섬과 패트릭 윌슨은 러브 송 'All I Ask of You'를 통해 브로드웨이 뮤지컬 못지 않는 뛰어난 가창력을 입증시킨다.

뛰어난 가창력을 갖고 있는 연기자들이 이렇게 많을 줄은 몰랐다는 찬사가 쏟아졌다.

여타 삽입곡들은 캐릭터의 내적 욕망을 드러내 주고 있는 노래들이다.

반면 'All I Ask of You'와 〈오페라의 유령 The Phantom of the Opera〉의 나머지 음악은 모두 대화로 구성되어 있다.

크리스틴과 라울은 그녀가 인생에서 원하는 사랑에 대해 그리고 그가 그녀에게 줄 수 있는 사랑에 대해 솔직하게 이야기하고 있다.

'All I Ask of You'는 시간의 시험을 견디게 만드는 아름다운 음악을 통해 사랑의 선언을 펼쳐주고 있는 노래로 주목을 받아 낸다.

〈오페라의 유령〉. © Warner Bros

18-8. 10 Minutes Ago - 〈로저와 햄머스타인의 신데렐라 Rodgers and Hammerstein's Cinderella〉(1997)

〈로저와 햄머스타인의 신데렐라〉. © Thirteen / WNET

영화, TV를 통해 여러 버전의 신데렐라 이야기가 공개된바 있다.

그 중 많은 버전은 당연히 음악을 포함하고 있다.

디즈니가 제작한 〈신데렐라〉에서는 'So This Is Love'라는 러브 송이 관객들의 절찬을 받아낸바 있다.

로저스와 해머스타인 버전에서는 'Do I Love You Because You're Beautiful' 'Ten Minute Ago' 등 다양한 노래들을 통해 러브 스토리가 살아 숨 쉬고 있다는 것을 입증해 주었다.

'Ten Minute Ago'는 사랑의 환상적 성격을 완벽하게 요약해 주고 있는 최고의 러브 발라드로 평가 받았다. 눈여겨 볼 사항은 'Ten Minutes Ago'는 두 가지 환상적인 버전이 있다는 것이다.

첫 번째는 1957년 TV에서 로저스와 헴머스타인의 〈신데렐라〉 데뷔작으로, 전설적인 줄리 앤드류스 Julie Andrews가 주연을 맡았다.

그녀는 극중 사랑스러운 인토네이션으로 아름답게 주제가를 불러주고 있다.

1997 버전에서는 파올로 몬탈반 Paolo Montalbán과 함께 브랜디 Brandy 버전이 수록된다.

힘차고 씩씩한 파올로의 보컬과 경쾌한 브랜디의 음색이 너무나 잘 어울리고 있다.

다채로운 형식의 안무가 추가 되어 노래에 대한 감흥을 증폭시켜 주는 역할을 하고 있다.

18-7. Come What May – 〈물랑 루즈! Moulin Rouge!〉(2001)

〈물랑 루즈!〉. © 20th Century Fox

많은 뮤지컬 영화는 웨스트엔드나 브로드웨이에서 처음 시작한 작품을 각색해오고 있는 것이 관례였다.

하지만 바즈 루어만 감독의 〈물랑 루즈!〉는 그 반대의 사례를 만들어 낸다.

영화 히트 덕분에 브로드웨이에서 서둘러 무대 뮤지컬로 공연을 하게 된 것이다.

2001년 공개 된 주크박스 뮤지컬은 대성공을 거두어 아카데미 작품상 후보로도 지명 받는다.

이완 맥그리거(Ewan McGregor)는 가난한 무명 시인 크리스티안, 니콜 키드만(Nicole Kidman)이 파리 물랑 루즈(Moulin Rouge)에서 최고 스타인 새틴(Satine)으로 출연하고 있다.

두 사람은 주변의 여러 걸림돌과 방해를 떨쳐 내고 사랑을 이루어 나간다.

이들이 펼쳐 주고 있는 사랑은 서사적이고 스릴 넘치는 노래 'Come What May'로 표현되고 있다. 골든 글로브 주제가상 후보로 지명 받는다.

두 사람은 자신들 앞에 직면한 장애물에도 불구하고 함께 하고자 하는 열망을 강력하게 인정하는 것 외에도 'Come What May'라는 노래를 통해 이야기의 내러티브에서도 중요한 역할을 수행해 내고 있다.

영화 스토리에서 크리스티안은 노래 말을 완성해 카바레가 공연하는 뮤지컬 〈스펙타쿨라 스펙타쿨라 Spectacular Spectacular〉에 수록한다는 설정을 펼쳐주고 있다.

18-6. I'll Cover You - 〈렌트 Rent〉(2005)

〈렌트〉. © Rent Productions, 1492 Pictures, Revolution Studios

대다수 로맨틱 노래의 특징은 길고 느리게 진행된다는 점.

2005년 공개된 〈렌트 Rent〉의 'I'll Cover You'는 환상적이고 환희에 찬 사랑노래를 들려주고 있다. 'I'll Cover You'가 흘러나오는 순간. 콜린스와 엔젤은 서로에게 헌신하며 사랑에 빠져 있음을 드러낸다.

그리고 자유롭고 순수한 기쁨을 들려주고 있다.

'Take Me or Leave Me'는 2명의 남성 퀴어 two queer가 펼쳐 보이는 사랑 방정식을 제시했다.

이와 흡사하게 'I'll Cover You'는 〈렌트〉 주제를 가장 집약적으로 제시해 주는 러브 발라드로 애청 된다.

'인생은 덧없고 많은 사람들에게 어려울 수 있다. 그렇지만 진정한 사랑을 찾는 것은 인생을 지속할 수 있는 힘을 줄 수 있다.'는 메시지를 제시해 주고 있다.

'I'll Cover You'는 영화 1막에서는 상당히 행복한 노래로 불리워 지고 있다.

하지만 나중에 다시 흘러나올 때는 〈렌트〉에서 가장 슬픈 노래 일 뿐만 아니라 여타 뮤지컬에서 가장 슬픈 노래 중 한 곡이라는 동정심을 듣게 된다.

이런 지적을 듣게 된 것은 'I'll Cover You'는 두 사람이 죽은 뒤 엔젤 장례식에서 콜린스가 불러 주고 있기 때문이다.

이 노래는 'Goodbye Love'와 짝을 이루면서 불 리 워 질 때 듣는 이들에게 심금을 울려주었다는 지적을 들었다.

18-5. Somewhere – 〈웨스트 사이드 스토리 West Side Story〉 (1961)

'로미오와 줄리엣'보다 더 전설적인 러브 스토리는 없을 것이다.

뮤지컬 〈웨스트 사이드 스토리〉는 익히 알려져 있듯이 시대를 초월한 비극적 러브 스토리 '로미오와 줄리엣'은 현대적 분위기로 각색한 작품이다.

〈웨스트 사이드 스토리〉. © United Artists

공개 이후 '역대 최고 뮤지컬 영화 중 한 편'으로 확실한 평가를 받아낸다.

2021년 스티븐 스필버그가 〈웨스트 사이드 스토리〉를 2번째로 각색한 바 있다.

흥행 감독답게 스필버그 버전은 연출, 촬영 및 음악 공연이 빛을 발했다.

그렇지만 1961 버전이 훨씬 우수한 몇 가지 요소가 있다는 지적도 받았다.

스필버그 버전에서는 리타 모레노가 맡은 발렌티나가 'Somewhere'를 불러 주고 있다.

1961년 원작 〈웨스트 사이드 스토리〉에서 이 노래는 토니와 마리아가 커플로 불러준 노래인데 리바이벌 작에서는 독창곡으로 변화를 주었다.

흥미롭게도 스필버그의 〈웨스트 사이드 스토리〉는 노래 진행 방식을 오리지널 뮤지컬 무대극을 충실하게 따르고 있다.

그렇지만 대다수 관객와 음악 애호가들은 토니와 마리아가 열정적 듀엣으로 불러준 'Somewhere'가 더욱 깊은 인상을 남겨주고 있다는 의견을 제기했다.

'Somewhere'는 토니와 마리아를 떼어 놓으려는 모든 장애물에 맞서 함께 있을 수 있는 장소를 찾고자 한다는 열망을 들려주고 있는 노래이다.

이런 이유 때문에 'Somewhere'는 누가 불러도 깊은 울림을 주는 감동적인 러브 송으로 언급되고 있다.

18-4. Suddenly, Seymour – 〈리틀 숍 오브 호러 Little Shop of Horrors〉(1986)

〈리틀 숍 오브 호러〉. © Columbia-Cannon-Warner

〈리틀 숍 오브 호러 Little Shop of Horrors〉는 인간처럼 말을 할 수 있는 거대한 식물이 등장하고 있다.

이런 전제 때문에 전체적으로 어두운 뮤지컬 영화로 거론되고 있다.

1986년 공개된 영화는 오프-브로드웨이 뮤지컬을 기반으로 하고 있다.

디즈니와 콤비 작업으로 유명세를 얻고 있던 알란 멘켄 Alan Menken이 배경 음악을 맡았다.

〈스타 워즈〉에서 요다를 연기한 것으로 알려진 전설적인 인형극 전문가 프랭크 오즈가 연출을 맡았다.

'Suddenly, Seymour'는 세이무어(릭 모라니스)가 오드리(엘렌 그린)에게 바치는 순정적 러브 송이다.

부드러운 목소리를 내세우고 있는 오드리는 항상 관객의 마음을 사로잡을 멋진 공연을 펼쳐주고 있다.

'Suddenly, Seymour'는 비참한 삶에서 고립 되었던 두 등장인물이 서로를 찾아 의욕적인 삶의 연결 고리를 찾고자 하는 열망을 담고 있는 곡으로 풀이 받았다.

살인 식물인 세이무어가 방금 먹어 치운 것이 오드리의 남자 친구였다는 것이 밝혀진다.

그리고 세이무어는 연정의 감정을 가득 담은 노래를 통해 오드리에게 사랑의 감정을 드러내고 있다.

세이무어 행각은 유머러스하지만 아이러니한 상황이라는 지적을 듣게 된다.

18-3. Falling Slowly - 〈원스 Once〉(2006)

2006년 공개된 〈원스〉는 클래식 뮤지컬 영화와 비교해도 전혀 손색이 없을 만큼 작품과 흥행 모두 호평을 얻어낸 바 있다.

영화 호응을 등에 업고 뮤지컬 무대로 올려 진 원작은 2011년 '토니 어워드 최고 뮤지컬 the Tony Award for Best Musical'를 따내는 성과를 거둔다.

아일랜드에서 제작된 〈원스〉는 글렌 한사드 Glen Hansard와 마케타 이글로바 Markéta Irglová가 남자 Guy와 소녀 Girl라는 배역을 맡고 있다.

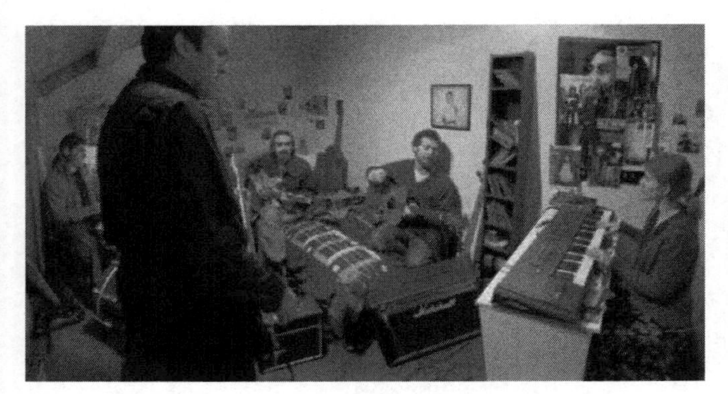
〈원스〉. © Samson Films, Summit Entertainment

더블린의 야심찬 음악가 두 명이 펼쳐 주는 사연을 다수의 음악을 통해 들려주고 있다.

듀엣 곡 'Falling Slowly'를 포함하여 영화의 모든 노래를 직접 작곡하는 음악적 능력을 발휘한다.

이러한 열정 덕분에 사랑의 발라드 'Falling Slowly'는 예상을 깨고 아카데미 주제가상을 따내는 성과를 거둔다.

'Falling Slowly'는 아무리 어려움이 있다고 해도 다른 사람들과 연결될 수 있다는 희망과 사랑을 노래하고 있는 곡이다.

극중 사내 Guy는 소녀 Girl에게 음악을 가르친다.

이런 교습 과정을 통해 그녀는 그와 완벽하게 일치하는 감정을 갖게 된다.

포크적인 사운드부터 애절한 가사를 담고 있는 'Falling Slowly'.

뮤지컬 영화에서만 들을 수 있는 러브 송 형식을 충실하게 따르고 있다.

18-2. I See The Light - 〈라푼젤 Tangled / Rapunzel〉(2010)

디즈니 제작 애니메이션에는 〈라이온 킹 Lion King〉의 'Can You Feel The Love Tonight' 또는 〈미녀와 야수 Beauty and the Beast〉의 'Beauty and the Beast' 등 극 영화를 단번에 제압할 만한 완벽하고 환상적인 러브 송이 풍부

하다.

〈라푼젤〉. © Walt Disney

앞서 언급한 곡들을 능가할 수 있는 노래이자 상대적으로 보다 더 인정받을 만한 노래는 2010년 〈라푼젤 Tangled〉 주제가 'I See the Light'이다.

2011년 아카데미 주제가상 부문에서 비록 〈토이 스토리 3 Toy Story 3〉의 'We Belong Together'에게 트로피를 넘겨주었지만 'I See the Light'는 디즈니가 내세우고 있는 진정한 사랑 노래로 대접 받고 있다.

라푼젤과 플린이 '안개가 걷히자 the fog has lifted' 서로에 대한 진정한 감정을 발견하게 된다는 가사 내용을 담고 있다.

맨디 무어(Mandy Moore)와 재커리 레비(Zachary Levi)가 감동적인 공연을 통해 'I See the Light'를 불러주고 있다.

노래 발표 이후 '클래식 러브 송 요소를 현대 및 대중음악과 즐겁게 혼합한 노래 A delightful mix of classic love song elements with modern and popular music'라는 찬사를 받았다.

18-1. It Only Takes A Moment – 〈헬로, 달리! Hello, Dolly!〉 (1969)

영화 애호가들은 디즈니 〈월-E Wall-E〉 덕분에 'It Only Takes a Moment'에 친근감을 갖게 됐다.

사랑스럽고 작은 쓰레기 압축기는 흡사 종교처럼 몰입하면서 〈헬로, 달리!

Hello, Dolly!〉를 시청했기 때문이다.

수많은 뮤지컬 중에서 〈헬로, 달리!〉를 선택한 것은 주제가 'It Only Takes a Moment'는 '순수한 사랑의 불꽃을 촉발시키는 그 한 순간을 찬양하는 노랫말'이 담겨 있기 때문이다.

캐릭터 '월-E'가 가장 좋아하는 노래로 선곡된 것은 바로 이런 가사 내용 때문이라고 한다.

'It Only Takes a Moment'는 지금도 뮤지컬 영화에서 감상할 수 있는 고전적인 사랑 노래의 완벽한 사례로 꼽히고 있다.

'월-E'가 가장 좋아하는 노래라는 것은 그리 놀라운 일이 아닌 것이다.

〈헬로, 달리!〉. © Twentieth Century Fox

<바비 Barbie> - 그룹 아쿠아 후크 리듬을 차용한 'Barbie World (with Aqua)' 엔딩 크레디트 장식

* 〈바비〉 사운드트랙만의 특징

〈바비 Barbie〉 사운드트랙에는 레이디 가가 Lady Gaga 및 브루노 마즈 Bruno Mars 등과 같은 스타들과 함께 작업한 것으로 유명한 마크 론손 Mark Ronson과 앤드류 와이어트 Andrew Wyatt 등이 작곡한 오리지널 음악이 포함되어 있다.

그룹 아쿠아 Aqua의 'Barbie Girl'은 사운드트랙에는 없다. 그렇지만 극중 바비와 켄의 모험을 부추겨주는 새로운 노래 모음이 포함되어 있다.

〈바비〉. © Warner Bros, Heyday Films, LuckyChap Entertainment

리쪼 Lizzo가 불러주는 'Pink'와 두아 리파 Dua Lipa의 'Dance The Night' 등 〈바비 Barbie〉를 위해 창작된 신곡들은 극중 캐릭터의 주요 순간과 행동을 강조하기 위해 영화 전체에 전략적으로 배치된 대표적 노래들이다.

2023년 7월 흥행 가를 분홍빛으로 물들인 〈바비 Barbie〉.

여름 시장을 노리고 개봉 된 블록버스터에는 마고 로비 Margot Robbie가 바비 역, 라이언 고슬링 Ryan Gosling이 켄으로 각각 출연하고 있다.

여기에 바비 랜드 Barbie Land에 거주하고 있는 다양한 바비 Barbies 및 켄즈 Kens를 연기하기 위해 올-스타 캐스트 등이 합류하고 있다.

수채화 같은 화면에 대한 인상을 더욱 깊게 해 주고 있는 풍요로운 사운드트랙이 가득하다.

리쪼 Lizzo, 빌리 엘리시 Billie Eilish, 그리고 주연 배우 라이언 고슬링 Ryan Gosling 등이 합세해서 다양한 신곡을 들려주고 있다.

영화는 고전적인 바비 의상, 분홍색 테마의 집 등을 통해 바비 모험에 대한 호기심을 충족시켜 주고 있다.

개봉 전부터 많은 음악 팬들은 그룹 아쿠아 Aqua의 대표 히트곡 'Barbie Girl'이 어떤 스타일로 담겨질지 많은 관심을 드러낸 바 있다.

그룹 아쿠아 Aqua의 'Barbie Girl'이 사운드트랙에는 명시적으로 들려오고 있지는 않는다.

그렇지만 영화에는 훌륭한 오리지널 음악이 많이 포함되어 있어 일말의 아쉬움을 달래 주고 있다.

앞서 언급했듯이 레이디 가가 Lady Gaga, 마일리 사이러스 Miley Cyrus 등과 작업한 작곡가이자 프로듀서 마크 론손 Mark Ronson과 앤드류 와이어트 Andrew Wyatt가 심혈을 쏟은 창작 곡들이 다수 포함되어 있다.

마크와 앤드류는 〈스타 이즈 본 A Star Is Born〉의 아카데미 주제가 수상 히트 곡 'Shallows' 음원 제작에 참여한 경력도 갖고 있다.

창의적인 작곡가 두 사람의 적극적인 참여와 〈바비〉 출연진들이 입증시킨 스타 파워는 바비와 켄의 모험 전체에서 흘러나오는 새로운 음악을 만들기 위해 의기투합했다고 전해진다.

이러한 노력의 결과는 〈바비 Barbie〉 사운드트랙이 관객들에게 뚜렷한 인상을 남기는데 핵심적 역할을 해내고 있다는 칭송을 듣게 된다.

*** 〈바비〉 사운드트랙 해설**

19-1. Pink performed by Lizzo

'Pink'는 리쪼 Lizzo가 불러주는 〈바비〉 사운드트랙의 첫 번째 피처링이자 영화 자체에서 흘러나오고 있는 첫 번째 노래이다.

관객들은 마고 로비 Margot Robbie의 틀에 박힌 바비가 일어나 아침 일과를 하는 것을 볼 때와 바비랜드 Barbieland를 소개하는 장면의 배경 노래로 들을 수 있다.

이 노래가 다시 흘러나오게 되면 바비의 삶이 달라지기 시작하는 바비랜드에서의 풍경과 새로운 가사가 표시되고 있다.

19-2. Dance The Night performed by Dua Lipa

〈바비〉. © Warner Bros, Heyday Films, LuckyChap Entertainment

'Dance The Night'는 〈바비〉 사운드트랙의 2번째 노래이다.

머메이드 바비 Mermaid Barbie의 역할을 맡고 있는 두아 리파가 직접 'Dance The Night'을 불러주고 있다.

이 팝 싱글은 바비에서 진행되는 하우스 파티 중에 들려오고 있다.

여러 명의 바비즈 Barbies와 켄즈 Kens 들이 댄스 장면을 펼쳐갈 때 배경 노래로 사용되고 있다.

바비는 다른 사람이 죽음에 대해 생각해 본 적이 있는지 질문하고 있다.

19-3. Silver Platter performed by Khalid

영화에서 들을 수 있는 〈바비〉 사운드트랙의 3번째 노래는 카리드 Khalid의 'Silver Platter'이다. 바비가 주최한 대형 파티가 끝난다.

그녀와 켄이 드림 하우스 Dream House 밖에 서 있는 장면에서 배경 노래로 들려오고 있다.

켄은 바비에게 키스하려는 것처럼 몸을 기울이고 있다.

켄은 자신들이 남자 친구와 여자 친구 사이이기 때문에 밤을 보낼 수 있는지 묻는다. 이러한 장면에서 노래는 계속 이어지고 있다.

19-4. Butterflies performed by Gayle

게일 Gayle이 불러주는 'Butterflies'.

이 노래는 위어드 바비 Weird Barbie 뒷이야기를 설명해 주고 있는 장면에서 간략하게 들려오고 있다.

이 장면은 현실 세계의 한 소녀가 바비와 너무 열심히 놀고 있는 모습을 보여주고 있다.

그 소녀는 얼굴에 그림을 그리고 머리를 컷트하는 행동을 보여주고 있다.

19-5. Journey To The Real World performed by Tame Impala

테임 임파라 Tame Impala가 〈바비〉 영화 분위기를 강조해 주기 위해 특별하게 작곡했다는 노래가 'Journey To The Real World'이다.

'Journey To The Real World'는 바비랜드 Barbieland에서 현실 세계로 여행하는 바비와 켄의 몽타주 장면을 보여줄 때 배경 노래로 흐르고 있다.

극중 상황과 적절하게 맞아 떨어지는 노래 제목이 되고 있다.

현실 세계로 여행 할 때 2 사람은 2인용 자전거 타기 riding a tandem bicycle, 보트 항해 sailing a boat, 우주 로켓 타보기 riding a rocket through space, 설상차 snowmobiling 탑승하기 등 다양한 유흥 놀이가 포함되고 있다.

19-6. Watati (feat. Aldo Ranks) performed by Karol G

〈바비〉 사운드트랙에서 캐롤 G와 알도 랭크스가 피처링한 'Watati'를 통해 노래 분위기의 변화를 맞게 된다. 노래는 스페인어로 공연되고 있는 것이다.

켄과 바비가 마침내 캘리포니아 로스 엔젤레스에 도착한다.

두 명의 주인공들이 맞게 되는 풍경 변화를 알리기 위해 'Watati'가 선곡된 것으로 알려졌다. 현실 세계를 둘러보고 거기에서 여러 소감을 느끼는 분위기를 표현해 주는 노래로 들려오고 있다.

19-7. Choose Your Fighter performed by Ava Max

바비와 켄이 현실 세계로 귀환한 뒤 체포된다.

이런 돌발 장면의 배경 노래로 'Choose Your Fighter'가 들려오고 있다.

바비는 자신의 엉덩이를 치는 남자를 때린 뒤 체포된다.

그런 다음 그들은 돈을 지불해야한다는 사실을 이해하지 못한 채 감옥에서 나와 상점에서 새 옷을 그냥 갖고 온다.

이런 행동 때문에 두 사람은 다시 체포 된다.

19-8. Angel performed by PinkPantheress

바비는 10대 소녀 샤샤를 찾아내서 돕기 위해 그녀가 재학 중인 고등학교로 가고 있다. 바비는 자신이 사샤 엄마 글로리아를 돕기 위한 행동을 하고 있다는 것을 깨닫지 못하고 있다.

이런 장면의 배경 노래로 'Angel'이 들려오고 있다.

19-9. Speed Drive performed by Charli XCX

바비가 탈출을 시도하기 위해 마텔 Mattel을 벗어나려고 시도한다.

이러한 장면에서 'Speed Drive'가 들려오고 있다.

노래는 바비가 방안으로 들어가서 유령 루스 핸들러를 Ruth Handler를 만나는 장면에서 멈춘다.

'Speed Drive'는 바비가 마텔 빌딩 Mattel's building을 떠나는 장면에서 다시 흘러나오고 있다.

19-10. Man I Am performed by Sam Smith

샘 스미스 Sam Smith도 〈바비〉 사운드트랙에 참여하기 위해 신곡 'Man I Am'을 취입했다고 알려진다.

바비는 글로리아와 샤샤와 함게 바비랜드로 돌아간다.

그곳에서 켄이 세상을 어떻게 바꾸었는지 발견하게 된다.

이러한 장면에서 'Man I Am'이 흘러나오기 시작한다.

바비가 켄을 응원하기 위해 비치 발리볼 the beach volleyball을 하는 장면에서도 'Man I Am'을 들을 수 있다.

이 노래는 바비랜드에서 권력 변화가 벌어지고 있으며 새로운 인력들이 등장하게 된다는 상황을 표현해 주는 노래로 선곡됐다고 풀이 받는다.

19-11. Hey Blondie performed by Dominic Fike

바비가 소유하기를 원했던 바비랜드를 구입하는 것을 포기하게 된다.

그녀 뒤편에서는 켄즈 Kens 파티가 시작된다.

이런 상황에서 바비는 바닥에서 울기 시작한다.

다소 돌발적인 장면에서 잠시 들려오는 노래가 도미니크 파이크(Dominic Fike)의 신곡 'Hey Blondie'이다.

19-12. I'm Just Ken performed by Ryan Gosling

〈바비〉 사운드트랙에서 가장 많은 관심을 받은 곡은 라이언 고슬링이 불러주고 있는 'I'm Just Ken'이다.

켄랜드 Kenland는 바비랜드 Barbieland로 명칭이 변경된다.

새로운 통치자를 위한 파워 발라드로 'I'm Just Ken'이 들려오고 있다.

이 노래는 이어 다양한 켄즈 Kens들이 양보 없는 전투를 벌이기 직전에도 흘러나오고 있다.

켄은 바비에 대해 자신이 느끼는 감정을 드러낸다.

다양한 켄즈 Kens들이 해변에서 전쟁을 벌이고 있다.

전쟁은 일순간 댄스 배틀 dance battle로 전환된다. 이러한 장면이 연속적으로 펼쳐지면서 배경 노래로 'I'm Just Ken'이 들려오고 있다.

19-13. What Was I Made For? performed by Billie Eilish

바비와 루스 핸들러의 유령 대화가 시작된다.

바비는 그녀가 인간이 되고 싶다고 결정을 내린다.

〈바비〉 엔딩 장면이 되고 있는 이러한 상황에서 빌리 일리시 Billie Eilish의 'What Was I Made For?'가 흘러나오고 있다.

어린 소녀와 여성의 몽타주가 화면을 가로질러 번쩍이고 있다.
바비에게 그녀가 맞게 될 새로운 삶이 어떤 것인지 이해시키고 있다.
이러한 장면에서 'What Was I Made For?'가 들려오고 있다.
이 노래는 〈바비〉 엔딩 크레디트에서 다시 들려오고 있다.

19-14. Barbie World (with Aqua) performed by Nicki Minaj & Ice Spice

그룹 아쿠아 Aqua의 'Barbie Girl' 후크 리듬을 차용해서 편곡한 니키 미나 Nicki Minaj와 아이스 스파이스 Ice Spice가 들려주는 랩 스타일의 노래는 영화 화면에서는 사용되지 않고 있다.

이 노래는 〈바비〉 엔딩 크레디트에서만 들을 수 있다.

몇 년에 걸쳐 제작됐다는 바비 인형의 실물 버전.

이것을 관객들이 곁눈질로 보는 사이 엔딩 크레디트가 시작되면서 'Barbie World (with Aqua)'가 들려오고 있다.

〈바비〉. © Warner Bros, Heyday Films, LuckyChap Entertainment

<바비 Barbie> 삽입 곡 'Closer To Fine'이 중요한 이유?

- 팝 전문지 빌보드가 진단한 〈바비〉에서 'Closer To Fine' 선곡 역할 3가지

1. 인디고 걸스가 불러 주고 있는 'Closer To Fine'. 〈바비〉 영화에서 가장 중요한 노래이다. 바비 여정을 표현하고 삶의 혼란을 대변해 주는 역할을 해내고 있다.

'Closer To Fine' by The Indigo Girls is the most important song in the Barbie movie, representing Barbie's journey and embracing life's confusion.

2. 노래는 영화에서 3번 흘러나오고 있다. 바비가 우주에 대한 진실을 이해하고 삶의 불확실성을 받아들이도록 도와주게 된다.

〈바비〉. © Warner Bros, Heyday Films, LuckyChap Entertainment

The song plays three times in the film, helping Barbie understand the truth about the universe and accept life's uncertainties.

3. 바비의 신체적, 정신적, 감정적 여정은 'Closer To Fine'의 가사에 묘사된 여정을 반영해 주고 있다.

바비는 자신을 발견하고 세상에서 자신의 위치를 찾는데 가까워지게 된다.

Barbie's physical, mental and emotional journeys mirror the journeys described in the lyrics of 'Closer To Fine' as she discovers herself and gets closer to finding her place in the world.

그레타 거윅 감독이 야심차게 공개한 2023년 실사 영화 〈바비 Barbie〉.

1989년 그룹 인디고 걸스 Indigo Girls가 발표했던 히트 곡 'Closer To Fine'이 114분여 상영 시간 동안 무려 3번이나 들려오고 있다.

인디고 걸스 그룹의 'Closer To Fine'은 〈바비〉 영화에서 가장 중요한 노래.

바비의 여정을 표현하고 그녀가 겪는 삶의 혼란을 노출시켜 주는 배경 노래 역할을 하고 있는 것이다.

앞서 언급했듯이 'Closer To Fine'는 영화에서 3번 들려 오면서 바비가 우주에 대한 진실을 이해하고 삶의 불확실성을 받아들이도록 도와주는 격려 노래로 쓰이고 있다.

〈바비〉에서 히로인이 겪는 신체, 정신, 감정적 여정은 'Closer To Fine' 가사에 묘사된 여정에 반영되고 있다.

그녀는 자아를 발견하고 세상에서 자신의 위치를 찾는 데 노래 제목처럼 도움을 받고 있는 것으로 해석됐다. 〈바비〉는 극중 전반에 걸쳐 오리지널 곡과 흘러간 팝클래식 곡을 모두 선곡하고 있다.

'Closer To Fine'는 가장 중요한 트랙으로 대접받고 있다.

〈바비 Barbie〉 사운드트랙에는 리쪼 Lizzo, 빌리 엘리시 Billie Eilish, 칼리드 Khalid 등이 불러주는 오리지널 곡.

마크 론손 Mark Ronson과 앤드류 와이어트 Andrew Wyatt가 협력해서 작곡했고 라이언 고슬링 Ryan Gosling이 가창력을 발휘한 'I'm Just Ken' 등이 팝 팬들의 관심을 얻어냈다.

여기에 그룹 인디고 걸스가 1989년 첫 번째 히트시킨 포크 록 'Closer To Fine'이 예고편과 영화 전체에서 여러 번 등장하면서 극의 중요한 메시지를 노출시켜 주는 역할을 해냈던 것이다.

아이스 스파이스 Ice Spice가 불러 주는 'Barbie World', 아쿠아 Aqua의 피처링을 활용해서 취입한 니키 미나 Nicki Minaj+찰리 XCX Charli XCX의 'Speed Drive'.

이러한 노래 옆에 인디고 걸스 The Indigo Girls의 'Closer To Fine'이 배치된 것에 대해 적절하지 않다는 의견도 제시됐다.

이런 여론에 대해 감독 그레타 거윅은 '바비가 얼마나 다각적인 면모를 갖고 있는 캐릭터인지 짐작해 볼 수 있는 선곡 테크닉'이라는 메시지를 밝혔다.

틀에 박힌 전형적인 바비(마고 로비)는 다른 버전의 여러 바비인형과 켄, 마텔 경영진, 글로리아(아메리카 페레라)라는 직원, 그녀의 딸 사샤(아리아나 그린블라트) 등이 포진한 주변 캐릭터들을 이끌고 있다.

캐릭터 바비는 바비랜드 Barbieland와 현실 세계 The Real World 사이에서 균형을 이루면서 'Closer To Fine'로부터 약간의 도움을 받아 자신을 다시 '정상 normal'으로 만들려고 노력하는 행동을 보여주고 있다.

바비 Barbie와 여러 사람들이 바비랜드 Barbieland에서 현실 세계 The Real World로 긴 여행을 떠나게 된다.

이런 장면에서 캐릭터들이 'Closer To Fine'을 불러주고 있어 가장 깊은 인상을 남겨주게 된다.

기계가 오작동 된 뒤 바비는 'Closer To Fine'을 들으면서 바비랜드를 떠나 '우주에 대한 진실을 이해 understand the truth about the universe' 하게 된다는 설정을 보여주고 있다.

〈바비〉에서 자동차를 몰고 가던 바비(마고 로비)가 노래를 불러 주고 있다.

이때 켄(라이언 고슬링)이 뒷좌석에 숨어 있다가 합창을 해주면서 바비를 놀라게 하는 코미디 상황이 펼쳐지고 있다.

바비가 '진실'을 찾으려고 한다.

'Closer To Fine' 가사는 '모두 인생의 혼란을 받아들이고 바비가 희망하는 명쾌한 대답이나 진실은 하나도 없다.'는 것을 깨우쳐 주는 역할을 해내고 있다.

바비는 노래하고 있다.

이 질문에 대한 답변이 하나 이상 있네요 / 비뚤어진 선에서 나를 가리키고 / 결정적인 / 더 가까운 정보를 찾기 위해 내 근원을 적게 찾을수록 괜찮겠지요.

there's more than one answer to these questions / pointing me in a crooked line / and the less I seek my source for some definitive / closer I am to fine.

바비가 극중 초반에 'Closer To Fine'을 불러 주는 것은 다소 아이러니한 설정이라는 지적도 제기됐다.

이런 불만은 '바비가 아직 자신의 실존적 위기를 통해 세상에 대한 대처 방안을 배우지 않았기 때문'이라는 것이다.

감독은 이에 대해 '관객들에게 바비가 앞으로 맞게 될 전조(前兆)를 예시하는 것'이라는 풀이를 제시했다.

다소 논란이 있었지만 궁극적으로 바비는 인디고 걸스가 'Closer To Fine'의 가사에서 언급한 것과 흡사한 여정을 떠나게 된다.

노래 가사를 다음과 같이 이어진다.

나는 의사에게 갔어요, 나는 산에 갔어요 / 나는 아이들을 바라보았죠, 나는 분수에서 물을 마셨죠. And I went to the doctor, I went to the mountains / I looked to the children, I drank from the fountains.

바비가 여행을 통해 겪었던 것처럼 노래에서도 많은 곳을 찾아 가서 해답을 찾았는지 들려주고 있다.

바비가 마침내 현실 세계 The Real World에 도착하게 된다.

'Closer To Fine'는 바비의 고단한 육체적 여정뿐만 아니라 정신적, 감정적 여정도 드러내 주는 역할을 해냈다는 풀이를 듣는다.

〈바비〉 결말은 바비랜드 Barbieland의 안락함보다 무섭고 혼란스러운 현실 세계를 선택하게 된다.

모든 결점에 대한 삶과 우주를 포용하겠다는 바비의 의지가 담겨 있는 것이다.

처음 바비는 주변 모든 상황에 압도당하는 수동적 상태에 있게 된다.

자신이 결정적인 답을 찾지 못할 뿐만 아니라 자신이 좋아하지 않는 답을 찾았다는 사실을 깨닫고 소용돌이에 빠지게 된다.

마침내 바비는 여전히 자신과 자신이 속한 곳에 대해 배우고 있다.

노래 제목처럼 '최근에 가까워지고 있는 것 closer to fine'이다.

20-1. 'Closer To Fine'은 어떤 노래?

'Closer To Fine'은 포크 록 2인조 인디고 걸스 Indigo Girls가 1989년 2월 28일 발매한 2집 앨범 'Indigo Girls'에 수록됐다.

음반은 2000년 10월 3일 2곡을 추가시켜 리마스터링으로 재발매 된다.

누적 판매량 100만장을 돌파하는 뜨거운 호응을 받는다.

앨범은 그래미 뉴 아티스트 Best New Artist Grammy 후보, 그래미 컨템포러리 포크 녹음 Best Contemporary Folk Recording 상을 수상한다.

듀오 밴드에게 유명세를 안겨준 'Closer to Fine'.

아일랜드 밴드 핫하우스 플라워스 Hothouse Flowers가 백보컬 협연자로 참여하고 있다.

〈바비〉. © Warner Bros, Heyday Films, LuckyChap Entertainment

<바스터즈 : 거친 녀석들 Inglourious Basterds> (2009), 엔니오 모리코네와 엘머 번스타인의 명곡 다수 배치

독일 점령 하의 프랑스. 젊은 유대인 난민 소산나 드레퓌스는 한스 란다 대령이 자신의 가족을 학살하는 것을 목격하게 된다.

목숨을 걸고 간신히 탈출한다. 그녀는 몇 년 후 독일 전쟁 영웅 프레드릭 졸러가 자신에게 급속한 관심을 갖게 되자 현재 운영하는 극장에서 저명한 영화 시사회를 주선하면서 복수를 계획한다.

In German-occupied France, young Jewish refugee Shosanna Dreyfus witnesses the slaughter of her family performed by Colonel Hans Landa.

Narrowly escaping with her life, she plots her revenge several years later when German war hero Fredrick Zoller takes a rapid interest in her and arranges an illustrious movie premiere at the theater she now runs.

참석한 모든 주요 나치 장교의 약속과 함께 이 행사는 무자비한 알도 레인 중위가 이끄는 유태계 미국인 게릴라 그룹 거친 녀석들의 관심을 끌게 된다.

〈바스터즈: 거친 녀석들〉. © Universal Pictures, The Weinstein Company, A Band Apart

잔인한 사형 집행자들이 전진하고 음모를 꾸미는 젊은 여성의 계획이 실행에 옮겨지게 된다. 이에 따라 그들의 길은 역사의 연대기를 뒤흔들 운명적인 저녁과 교차하게 된다.

\- 버라이어티

With the promise of every major Nazi officer in attendance, the event catches the attention of the Basterds a group of Jewish-American guerrilla soldiers led performed by the ruthless Lt. Aldo Raine.

As the relentless executioners advance and the conspiring young girl's plans are set in motion, their paths will cross for a fateful evening that will shake the very annals of history.

\- Variety

쿠엔틴 타란티노 Quentin Tarantino 감독의 전쟁 액션극 〈바스터즈 : 거친 녀석들 Inglourious Basterds〉 사운드트랙에는 팝 전설 데이비드 보위 David Bowie에서부터 저명한 영화 음악 전문 작곡가 엔니오 모리코네 Ennio Morricone에 이르기까지 다양한 음악 아티스트의 노래가 포진되어 있다.

〈바스터즈 : 거친 녀석들〉은 〈더티 도즌 The Dirty Dozen〉 및 〈나바론의 요새 The Guns of Navarone〉 등과 같은 2차 세계 대전의 임무 수행 영화 진행을 따르면서 타란티노가 즐겨 설정하는 피에 흠뻑 담게 한 작품이다.

영화는 나치즘 수괴 아돌프 히틀러를 암살하기 위한 두 가지 평행 계획을 내세워 긴박한 전개를 펼쳐 나가고 있다.

마지막 장면에서 타란티노는 브래드 피트가 배역을 맡고 있는 상냥한 안티히어로 알도 레인 중위를 통해 이 작품이 자신의 걸작 필모그라피가 등록 됐음을 선언한다.

영화는 오싹한 악당, 파괴적인 대체 역사 스토리라인, 감독의 가장 기억에 남는 사운드트랙 등으로 구성되어 있다.

음악 전문지 빌보드는 〈바스터즈 : 거친 녀석들〉은 타란티노의 첫 번째 시대극이다.

그렇지만 그는 역사적 배경이 자신의 음악 목록이 방해하도록 두지 않았다. 〈바스터즈: 거친 녀석들〉에서 들려오는 많은 음악들은 시대착오적이다. Inglourious Basterds was Tarantino's first period piece but he didn't let the historical setting get in the way of his signature needle drops. A lot of the music featured in Inglourious Basterds is anachronistic.'는 리뷰를 게재한다.

제 2차 세계 대전을 배경으로 해서 타란티노는 시종 거친 액션으로 가득 찬 어둡고 코미디적인 소재 극을 펼쳐 보이고 있다.

여기에 사운드트랙은 소울 아이콘 빌리 크레스톤 Billy Preston과 록 밴드 데이비 알란 앤 더 애로우 Davie Allan & the Arrows 등과 같이 훨씬 후에 등장한 음악가들의 음악이 포함되어 있다.

청각을 자극시키는 선곡 중 고전적 이태리 서부극 오페라 분위기의 스파게티 웨스턴 배경 음악도 들어 있다.

전쟁 영화는 일반적으로 음악에 대한 비중이 높지 않다.

하지만 전쟁 어드벤처 액션극을 표방한 〈바스터즈 : 거친 녀석들〉은 사운드트랙 때문에 잊을 수 없는 영화 목록에 편입 되었다.

* 〈바스터즈 : 거친 녀석들〉 사운드트랙 해설

21-1. The Green Leaves of Summer performed by Nick Perito

솜사탕처럼 부드러운 멜로디가 일품인 곡.
이 노래는 오프닝 크레디트를 장식해 주고 있다.

21-2. The Verdict performed by Ennio Morricone

낙농업자 페리에 라파다이트(데니스 메노체트).

저녁 무렵 집으로 돌아가는 길에 거칠게 운전하는 나치 병사를 발견한다.

나치 군은 페리에 딸에게 씻을 수 있도록 물을 좀 가져다 달라고 부탁한다.

엔리오 모리코네의 'The Verdict'가 이런 장면의 배경 선율로 흘러나오고 있다.

〈바스터즈: 거친 녀석들〉. © Universal Pictures, The Weinstein Company, A Band Apart

21-3. L'incontro Con La Figlia performed by Ennio Morricone

라파이트와 한스 란다(크리스토퍼 월츠) 대령과의 긴장된 대결이 절정에 이른다. 라파이트는 마지못해 자신 집 마루판 아래에 숨어 있는 유대인 난민 위치를 알려주게 된다. 란다는 현장을 떠나면서 부하들에게 마루판을 쏘라고 명령한다. 이러한 긴박한 장면에서 엔니오 모리코네의 서정적 선율인 'L'incontro Con La Figlia'가 흐르고 있다.

21-4. Il Mercenario (ripresa) performed by Ennio Morricone

거친 녀석들 Basterds이 나치 희생자의 머리 가죽을 벗겨 버린다.

나치 상사는 슬로우 모션으로 알도에게 걸어간다.

엔니오 모리코네의 'Il Mercenario (ripresa)'는 연합군인이 벌이는 엽기적인 장면과 이어지는 긴장감 가득한 분위기에서 흘러나오고 있다.

21-5. Slaughter performed by Billy Preston

전쟁터에서 잔인한 살상을 구사하고 있는 휴고 스티그리츠 상사(틸 슈바이거).

그가 일련의 나치 장교들을 소름 끼치게 죽이는 행동을 빠른 속도의 몽타주로 보여주고 있다. 이런 장면과 어울리는 제목을 갖고 있는 빌리 프레스톤의 'Slaughter'가 배경 노래로 사용되고 있다.

21-6. Algiers November 1, 1954 performed by Ennio Morricone

바스터즈 Basterds들이 교도소에 수감되어 있는 스티그리츠 앞에 불쑥 나타난다. 이러한 장면의 배경 음악으로 'Algiers November 1, 1954'이 흘러나오고 있다.

21-7. The Surrender (La resa) performed by Ennio Morricone

나치 상사가 정보 얻는 것에 대한 포기를 거부한다.

알도는 '회색 곰 유대인 The Bear Jew'이라는 애칭을 듣고 있는 도니 도노위치(에리 로스)를 야구 방망이로 구타해서 죽인다.

도니가 천천히 움직이면서 야구 방망이를 벽에 부딪치는 소리가 들려오고 있다.

이런 장면에서 들려오고 있는 선율이 모리코네의 'The Surrender (La resa)'이다.

21-8. One Silver Dollar (Un Dollaro Bucato) performed by Gianni Ferrio

프레드릭 졸러(다니엘 브륄)가 카페에서 소산나(멜라니 로렌트)를 성가시게 괴롭힌다. 이런 볼썽사나운 장면의 배경 곡으로 'One Silver Dollar (Un Dollaro Bucato)'가 들려오고 있다.

21-9. White Lightning performed by Charles Bernstein

버트 레이놀즈 Burt Reynolds 주연 영화 〈화이트 라이트닝 White Lightning〉 주제가.

강렬한 오케스트레이션 리듬이 일품이다.

나치가 소산나 영화관에 도착한 뒤 그녀에게 차에 타라고 말하는 장면에서 'White Lightning'이 배경 리듬으로 들려오고 있다.

21-10. Davon geht die Welt nicht unter performed by Zarah Leander

〈바스터즈: 거친 녀석들〉. © Universal Pictures, The Weinstein Company, A Band Apart

소산나, 졸러, 조셉 괴벨스(실베스터 그로스) 등이 레스토랑에 모여 저녁 식사를 하게 된다. 그 장소에서 영화와 정치에 대해 격의 없는 의견을 교환하게 된다.

토론 장면에서 독일어 곡 'Davon geht die Welt nicht unter'가 들려오고 있다.

21-11. Bath Attack performed by Charles Bernstein

한스 란다 대령(크리스토프 월츠)이 레스토랑 방으로 들어와 식탁에 합류한다. 소산나가 느끼는 공포감을 'Bath Attack' 선율이 표현해주고 있다.

21-12. The Man with the Big Sombrero performed by June Havoc

독일 영화배우로 출연하고 있는 브리짓 폰 햄머스마르크(다이안 크루거)가 나치의 테이블에서 근처에 있는 거친 녀석들 Basterds이 모여 있는 테이블로 이동해서 앉는다. 이때 지하에 있는 술집 바(Bar) 홀에서 은근하게 울려 퍼지는 노래가 'The Man with the Big Sombrero'이다.

21-13. Ich wollt ich wär ein Huhn performed by Lilian Harvey and Willy Fritsch

'The Man with the Big Sombrero'에 이어 지하 술집 바 장면에서 2번째로 연주되고 있는 곡이 'Ich wollt ich wär ein Huhn'이다.

21-14. Main Theme from Dark of the Sun performed by Jacques Loussier

브릿지이 수술대에 앉아 거친 녀설들 Basterds에게 히틀러가 '내셔널 프라이드 Nation's Pride' 시사회에 참석할 것이라는 1급 비밀을 귀띔해준다.

히틀러 암살을 결행할 수 있는 절호의 기회를 포착했다고 느끼는 분위기를 'Main Theme from Dark of the Sun' 선율로 표현해 주고 있다.

21-15. Cat People (Putting Out Fire) performed by David Bowie

미모의 젊은 여성. 성적 흥분을 하게 되면 살육도 마다하지 않는 흑표범으로 변하게 된다는 것을 알게 된다는 폴 슈레이더 감독의 환타지 호러 스릴러가 〈캣 피플 Cat People〉 (1982).

나스타샤 킨스키의 청초한 모습이 돋보이게 해주었던 주제가가 데이비드 보위의 'Cat People (Putting Out Fire)'.

소산나가 히틀러가 참석할 것이라는 시사회를 준비하면서 극장 안을 전쟁 분위기가 나는 것처럼 치장을 한다.

이러한 장면에서 〈캣 피플〉 주제가 'Cat People (Putting Out Fire)'가 사용되고 있다.

21-16. Mystic and Severe performed by Ennio Morricone

브릿지, 거친녀석들 Basterds, 나치 주요 간부들이 속속 소산나가 운영하는 영화관으로 집결한다.

이러한 장면에서 긴박한 사건이 벌어질 것을 예상해주듯 'Mystic and Severe'가 들려오고 있다.

21-17. The Devil's Rumble performed by Davie Allan & The Arrows

상사 도니(에리 로스)와 일병 오마르(오마르 둠).

하급 군인인 두 사람도 극장에 입장해서 착석을 한다.

주변을 둘러보니 내로라하는 장교급 나치들이 대거 참석해 있다.

초조한 심정을 드러내는 두 사람.

이런 분위기를 조성해 주는 노래로 'The Devil's Rumble'이 흘러나오고 있다.

21-18. Zulus performed by Elmer Bernstein

도니 상사는 히틀러가 도착하고 있는지 확인하기 위해 극장 밖으로 나간다.

이런 장면에서 오케스트라를 동원해 대형 사건이 벌어질 것 같은 박진감 넘치는 리듬이 특징인 엘머 번스타인의 'Zulus'가 흘러나오고 있다.

21-19. Tiger Tank performed by Lalo Schifrin

마르셀(재키 아이도)이 소산나 옆을 지나쳐서 극장 문을 잠근다.

스크린 뒤로 가서 필름 더미를 태워 극장 안에 있는 독일 장교들을 몰살 시킬 계획을 실행한다. 결연한 장면에서 흘러나오는 곡이 'Tiger Tank'이다.

21-20. Un Amico performed by Ennio Morricone

소산나가 졸러에게 총격을 가한다.

소산나는 졸러의 상태를 확인하러 갔다가 졸러에게 역습의 총격을 받는다.

〈바스터즈: 거친 녀석들 Inglourious Basterds〉의 가장 인상 깊은 장면 중 하나에서 흘러나오는 곡이 엔니오 모리코네의 'Un Amico'이다.

21-21. Eastern Condors performed by Sherman Chow Gam-Cheung

도니와 오마르가 발코니에 서서 극장에 모여 있는 독일 장교와 관객들을 향해 기관총을 난사한다.

〈스카페이스〉에서 갱스터 알 카포네가 호적수들을 집단 살상하는 장면을 떠올려 주고 있다.

이러한 장면에서 'Eastern Condors'가 흘러나오고 있다.

21-22. Rabbia e Tarantella performed by Ennio Morricone

알도가 단도를 사용해 란다 이마에 독일군 십자 표시인 스와스티카 swastika를 새겨 주는 엽기적 행동을 한다.

알도는 이런 행동을 한 뒤 '걸작'이라고 선언한다.

휘날레로 치닫고 있는 장면에서 모리코네의 'Rabbia e Tarantella'이 흐르면서 엔딩 크레디트로 이어진다.

〈바스터즈: 거친 녀석들〉. © Universal Pictures, The Weinstein Company, A Band Apart

바즈 루어만 Baz Luhrmann 음악 영화에서 들을 수 있는 베스트 노래 10

10 Best Songs In Baz Luhrmann Movies

디스코 리듬을 가미시킨 볼룸 리믹스 ballroom remixes 부터 실험적인 엘비스 프레슬리 퓨전 록까지.

호주 출신 감독 바즈 루어만 Baz Luhrmann은 작품 연보를 통해 화려한 음악 페스티벌을 펼쳐주는 것으로 정평이 나 있다.

쿠엔틴 타란티노에 버금가는 음악 선곡 감각을 자랑하고 있는 바즈 감독.

역대 필모그라프에는 정말 인상적인 음악이 화면을 꽉 채우고 있다는 찬사가 늘 함께 하고 있다.

2022년 7월 블록버스터 음악 영화 〈엘비스 Elvis〉를 흥행 성공시킨다.

바즈 루어만 Baz Luhrmann은 독자적인 뮤지컬 브랜드를 계속 이어나갈 것임을 공인 받게 된다.

모험을 시도하는 벤처 기업처럼 음악적 실험을 통해 옛 것과 새로운 음악을 융합시키는 작업을 꾸준히 해오고 있는 루어만 감독.

'수많은 스타급 뮤지션들이 보컬을 들려주고 있는 화려한 사운드트랙'.

바즈 감독의 제2의 애칭이 되고 있다.

엘비스 프레슬리 음반 목록에서 쉽게 청취할 수 있는 일반적인 록큰롤 노래와 함께 바즈 감독은 도자 캣 Doja Cat, 디플로 Diplo, 스완 리 Swae Lee, 에미넴 Eminem 등 현대적인 재능꾼 팝 아티스트들의 노래도 적극 활용하고 있다.

1992년 칸 영화제에서 극찬을 받은 〈댄싱 히어로 Strictly Ballroom〉를 통해 사운드트랙의 다양성을 시도해오고 있다.

오리지널 트랙과 익히 알려져 있는 상징적인 곡을 캐릭터들을 초빙해서 새롭게 녹음한 버전 곡 등이 바즈 감독만의 음악 운용 테크닉이다.

필모그래피 속에서 들려오는 노래들은 대체로 스토리가 제시하고 있는 세계관 구축에 지대한 영향을 미치고 있다.

바즈 감독의 음악적 수완을 단적으로 감상해 볼 수 있는 베스트 주제가 10을 인용, 소개하면 다음과 같다.

22-10. Edge of Reality - 〈엘비스 Elvis〉

〈Elvis〉 사운드트랙의 포문을 열고 있는 싱글 트랙이 'Edge Of Reality'

고인이 된 록큰롤 스타와 오스트레일리아의 실험적인 가수이자 프로듀서 케빈 파커 Kevin Parker-보통 테임 임팔라 Tame Impala라는 무대 이름으로 녹음 작업을 진행-간의 예상 밖의 협업을 거쳐 선보인 노래이다.

프레슬리의 오리지널과 파커가 시도한 사이키델릭 일렉트로니카 리듬을 융합시키고 있다.

〈엘비스〉에서 엘비스(오스틴 버틀러)가 열정적 춤을 추고 있는 장면. © Warner Bros

바즈 루어만 Baz Luhrmann 영화는 파커 Parker 대령이 엘비스를 착취하고 있다는 연예계의 어두운 면에 초점을 맞추고 있다.

이런 연출 의도를 감안할 때 'Edge of Reality' 리믹스는 뮤지컬 전기 영화에 잊혀지지 않는 선곡이 되고 있다.

22-9. Young & Beautiful – 〈위대한 갯츠비 The Great Gatsby〉

소설이든 루어만의 영화를 위한 각색이든 〈위대한 갯츠비 The Great Gatsby〉는 미국 갑부 부자에 대한 신랄한 풍자와 비극적 로맨스를 펼쳐주고 있다.

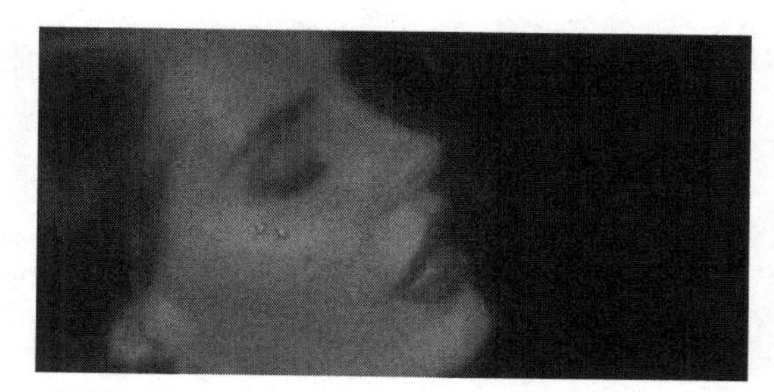

〈위대한 갯츠비 The Great Gatsby〉. 라나 델 레이 Lana Del Rey가 'Young and Beautiful'을 열창해 주고 있다. © Warner bros

이야기 내내 제이 갯츠비 Jay Gatsby는 다른 사람과 결혼한 상태인 첫 사랑 연인 데이지 부차난 Daisy Buchanan을 절망적으로 쫓고 있다.

미국 출신 싱어 송 라이터 라나 델 레이 Lana Del Rey는 '내가 더 이상 젊고 아름답지 않아도 나를 사랑해 줄래? Will you still love me when I'm no longer young and beautiful?'이라고 노래하고 있다.

늙어간다고 해도 버림받지 않고 영원한 로맨스가 꽃피길 희망한다는 메시지를 제시하고 있는 곡이다.

라나 델 레이는 '현대 대중문화와 1950-1970년대 아메리카나를 자주 언급하면서 영화적 품질과 비극적 로맨스, 화려함, 우울을 탐구하는 노래를 단골로 불러 주는 것'으로 유명세를 얻고 있다.

재즈 보컬은 레오나르도 디카프리오 주연 영화와 같은 스타일리시한 시대극에 완벽하게 어울리고 있다는 찬사를 들었다.

22-8. Come What May - 〈물랑 루즈! Moulin Rouge!〉

사틴과 크리스티안이 듀엣으로 불러주고 있는 'Come What May'. 〈물랑 루즈! Moulin Rouge!〉가 배출한 히트곡이다. © 20th Century

'Come What May'는 〈로미오와 줄리엣 Romeo+Juliet〉에 사용하기 위해 준비했지만 보류된다.

바즈 감독은 은닉해 둔 노래를 주크 박스 뮤지컬 드라마 〈물랑 루즈!〉의 사랑의 테마로 활용해서 기대 이상의 반응을 얻어낸다.

노래는 낭만적인 열정과 금지된 사랑을 탐구하면서 셰익스피어가 제시했던 주제를 충실하게 묘사해 주고 있는 노래로 인정받는다.

니콜 키드만과 이완 맥그리거.

두 사람이 화음을 맞추어 준 노래는 그들이 직면한 사회적 어려움에도 불구하고 서로에 대한 지속적 사랑을 선언한다는 메시지를 제시하고 있다.

맥그리거가 맡은 크리스티안 캐릭터는 새틴(키드만)에게 자신이 바치는 순정을 고백하는 방법으로 노래를 적극 활용하고 있다.

22-7. Kissing You - 〈로미오와 줄리엣 Romeo + Juliet〉

바즈 루어만 Baz Luhrmann의 〈로미오와 줄리엣〉은 MTV 세대를 겨냥해 흡사 장대한 뮤직비디오를 관람하는 것 같은 유려한 영상과 빠른 전개가 돋보이고 있다.

로미오와 줄리엣이 뜨거운 키스를 나누고 있다. © Warner bros+20th Century Fox

공개 직후 '가장 세련된 셰익스피어 영화 각색 중 한 편'이라는 격찬이 쏟아진다.

화합할 수 없는 두 적대적 가문이 칼로 대결을 펼치는 상황은 총으로 교체 된다.

세련된 현대 음악이 이런 변화된 분위기를 주도해 나가고 있다.

촬영 테크닉, 음악 선곡, 무대 설정, 더욱 두드러진 캐릭터의 성향 등 여러 변화를 펼쳐주고 있다.

세월이 흘러도 변하지 않은 것이 있다.

'로미오와 줄리엣 Romeo+Juliet' 주인공들이 주변 걸림돌에 상관하지 않고 서로를 향해 치닫고 있는 열정적이고 짧은 로맨스다.

데지레 Des'ree가 흐느적거리는 듯한 창법으로 들려주고 있는 리듬 앤 블루스 'Kissing You'. 두 캐릭터가 무도회 장에서 서로를 발견한다.

망설임 없이 서로에게 다가가고 있다. 사랑의 씨앗이 발아(發芽) 되고 있다는 것을 표현해 주고 있는 완벽한 트랙이 되고 있다.

22-6. Love Is In The Air - 〈댄싱 히어로 Strictly Ballroom〉

'극장 공간과 금지된 사랑 Theatre and forbidden love'.

1992년 감독 데뷔작 〈댄싱 히어로 Strictly Ballroom〉를 시작으로 해서 루어만 Luhrmann 초기 영화에서 되풀이되는 2가지 상징적 모티브다.

두 주인공이 볼륨 댄스 협회에서 금지하고 있는 새로운 춤 방법을 시도한다.

이런 과정에서 사랑에 빠지게 된다.

존 폴 영 John Paul Young의 디스코 히트곡 'Love is in the Air'.

이들 커플이 시도하는 음악적 모험이 주변의 압력에도 불구하고 결국 성공하게 된다는 주제가 역할을 해내고 있다. 원 곡은 1977년 발표됐다.

하지만 영화 분위기에 맞게 'Ballroom Mix' 버전으로 편곡시킨 곡은 가수 존 폴 영을 다시 대중적인 팝 가수로 조명 받는 기회를 제공한다.

호주와 영국 팝 차트 1위를 차지하는 갈채를 받아낸다.

커플이 무도 경연대회에서 화려한 춤을 추고 있다. © Canal Plus, AFI

22-5. Vegas - 〈엘비스 Elvis〉

엘비스 프레슬리 Elvis Presley가 록 가수로서 활약했던 압도적인 존재감은 〈엘비스 Elvis〉 사운드트랙을 통해 재차 입증 받는다.

바즈 루어만 Baz Luhrmann은 이번 영화를 통해 엘비스는 블랙 소울, 가스펠, R & B 아티스트로부터 깊은 영향을 받았다.

도자 캣 Doja Cat이 뮤직 비디오로 발표한 'Vegas'. © RCA Records

풍성한 음악적 바탕이 엘비스를 록큰롤 아이콘으로 등극시킨 근원이라는 것을 제시해 많은 이들로부터 공감을 얻어낸다.

'Hound Dog'는 엘비스 프레슬리 Elvis Presley의 가장 인기 있는 노래 중 한 곡이다. 노래 원곡 가수는 빅 마마 손톤 Big Mama Thornton이다.

엘비스 커버가 오리지널을 능가하는 인기를 얻었던 것이다.

'Vegas'는 미국 출신 래퍼 가수 도자 캣 Doja Cat이 영화 〈엘비스〉를 위해 특별하게 취입한 노래이다.

노래가 프레슬리의 대명사 라스 베가스의 현란함과 화려함을 중심으로 흘러나오고 있다. 랩퍼는 그녀의 애정을 받을 자격이 없는 압도적인 연인에 대한 이야기를 언급하고 있다.

결국 실패한 관계였지만 화려한 선율을 가미시켜 현대적 사운드트랙 싱글로 만들어냈다는 환대를 받아낸다.

1952년 빅 마마 손톤이 발표했지만 엘비스 커버가 더욱 유명세를 얻었던 'Hound Dog'을 샘플링으로 삽입시켜 색다른 분위기를 조성해 주었다.

에미넴/ 시 로 그린 Eminem/Cee Lo Green이 콜라보레이션으로 발표한

'The King and I'에서는 'Jailhouse Rock'을 샘플링으로 삽입시켰다.

천부적인 뮤지션 엘비스의 음악적 업적과 존재감을 신세대 음악 팬들에게 다시 한 번 음미해 볼 수 있는 기회를 제공하게 된다.

22-4. A Little Party Never Killed Somebody - 〈위대한 갯츠비 The Great Gatsby〉

가수 겸 배우로 재능을 발휘했던 퍼기 Fergie가 불러주고 있는 'A Little Party Never Killed Nobody'. © Warner bros+20th Century Fox

제이 갯츠비 Jay Gatsby는 그늘진 과거를 숨기고 절망적인 로맨스를 추구하고 있는 인물.

호화로운 파티를 좋아하는 화려하고 부유 한 사교계 명사로 소개되고 있다.

개츠비는 상류 사회 명사를 가장한 마스크를 쓰고 있다.

윌 아이 앰 Will.i.am의 'Bang Bang', 퍼기 Fergie와 Q-Tip의 듀엣 'A Little Party Never Killed Somebody' 등은 갯츠비의 이런 허상을 꼬집어 주는 트랙으로 선곡된 노래들이다,

퍼기 곡은 도입부에서 '일렉트로-댄스 electro-dance'를 표방해 듣는 이들의 열정을 복돋워 주고 있다는 환대를 받아낸다.

이 곡에서 시도되고 있는 '비트 드롭 The beat drop'은 일렉트릭 리듬을 전면에 배치하고 있는 2010년대 유행했던 댄스 클럽 히트 곡의 전형적인 스타일을 고수하고 있다. 이런 노래를 1920년대 미국의 호화로운 파티 장면에서 삽입시켰다는 것이 흥미로운 설정으로 주목을 받아낸다.

22-3. Trouble - 〈엘비스 Elvis〉

바즈 루어만 Baz Luhrmann은 엘비스 프레슬리 Elvis Presley의 초기 시절에 대한 해석을 제시한다.

엘비스가 아프리카계 미국인들로부터 깊은 음악적 영향을 받았다고 전제한다.

여기에 대담한 춤 동작을 가미시켜 사회적 규범을 거부한 반항적인 청년 이미지를 내세우고 있다.

엘비스 역을 맡고 있는 오스틴 버틀러가 'Trouble'을 열창하는 것은 바로 바즈 감독의 해석을 충실하게 재현(再現)시켜 주고 있는 트랙이 된다.

검은 옷을 입고 FBI 감시를 받고 있는 듯한 행동을 펼치고 있는 엘비스.

규칙을 어기는 젊은 청춘 열기는 'trouble'을 통해 발산하고 있는 것이다.

버틀러가 직접 보컬을 들려주고 있다.

머디 워터스 Muddy Waters 및 윌리 딕슨 Willie Dixon 등과 같은 아티스트가 대중화시킨 프레슬리의 상징적인 묵직한 목소리.

블루스 분위기를 조성해 주고 있는 '스톱 타임 기타 리프 the bluesy stop time guitar riff'를 완벽하게 모방 emulates했다는 박수갈채를 받는다.

〈엘비스〉에서 오스틴 버틀러가 열창 연기를 펼쳐주고 있다. © Warner bros

22-2. The Drover's Ballad - 〈오스트레일리아 Australia〉

카메론 크로우 감독 〈올모스트 페이머스 Almost Famous〉에서 연주되던 'Tiny Dancer'. 〈라이온 킹 The Lion King〉의 여러 오리지널 곡.

엘튼 존 Elton John이 들려주는 사운드트랙은 평균 이상의 환대를 받아내고 있다.

호주를 배경으로 펼쳐지는 루어만 감독의 시대 모험 로맨스 극.

영국 가수는 엘튼 존은 클로징 트랙으로 'The Drover's Ballad'를 들려주고 있다.

니콜 키드만이 영국 귀족으로부터 막대한 소와 땅을 유산으로 상속 받는다.

그녀에게 적극적 도움을 주고 있는 호주 출신 현지 목장주 더 드로버 역으로 휴 잭맨이 출연하고 있다.

엘튼 존이 불러주고 있는 노래는 현지 목장주 더 드로버가 신분을 뛰어 넘어 연정을 쌓아 나가는 사연을 들려주는 가사로 구성되어 있다.

니콜 키드만과 휴 잭맨 주연의 〈오스트레일리아 Australia〉(2008). © Twentieth Century Fox, Bazmark Films

22-1. Exit Music (For A Film) – 〈로미오와 줄리엣 Romeo + Juliet〉

영원한 비극적 로맨스 〈로미오와 줄리엣〉. © Twentieth Century Fox, Bazmark Films

영국 록 밴드 라디오헤드 팬들은 그들의 상징적인 3번째 정규 앨범 'OK Computer' 트랙으로 'Exit Music (For A Film)'이 수록됐다는 것을 기억하고 있다.

이 노래를 셰익스피어 드라마 결말을 위해 가사 내용을 구성해 달라고 밴드를 설득한 사람이 바로 루어만 감독이었다는 사실이 뒤늦게 밝혀진다.

루어만은 1996년 투어를 진행하고 있는 밴드를 찾아가 리더 톰 요크 Thom Yorke를 만났다고 한다.

감독은 제작 중인 〈로미오와 줄리엣〉에 대해 약 30여분 동안 중요 장면을 보여주면서 사운드트랙에 기여해 줄 것을 요청했다고 한다.

감독의 열정적 노력 결과 폭풍 전야의 고요함을 알리는 고독한 분위기의 노래가 탄생하게 된다.

가사는 영화 속 불행한 운명의 연인들처럼 도주 중인 커플이 의견 충돌로 다툼을 벌인다는 내용을 들려주고 있다.

바즈 루어만 Baz Luhrmann
<위대한 갯츠비 The Great Gatsby>
프린스 Prince 주제가 배제 시킬 수밖에 없었다!

바즈 루어만 Baz Luhrmann 감독은 유명한 팝 전설 프린스 Prince에게 2013년 영화 〈위대한 갯츠비 The Great Gatsby〉를 위한 주제가 작곡을 의뢰한다.

그렇지만 최종 단계에서 삭제했다는 일화를 털어 놓았다.

1925년 F. 스코트 피츠제랄드 F. Scott Fitzgerald가 발표한 원작 소설을 극화했다.

1974년 잭 클레이튼 감독이 로버트 레드포드, 미아 패로우를 기용한 이후 바즈 감독이 2번째로 각색했다.

원작 소설은 발표 직후 '광란의 1920년대 부유층의 부유함을 비판하기 위해 당시 미국의 계급과 인종적 분열을 파헤치는 미국 재즈 시대 역사적 고찰 a historic examination of the American jazz age, digging into the class and racial divides of the country at the time to critique the opulence of the wealthy during the Roaring 20s' 이라는 평가를 받아냈다.

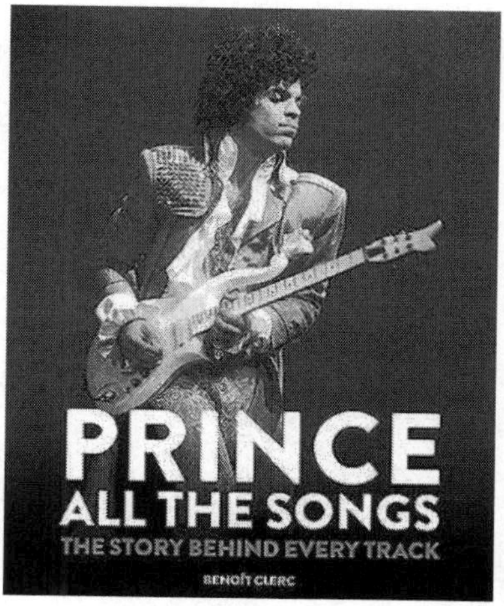

바즈 감독 작품에는 레오나르도 디카프리오 Leonardo DiCaprio, 토비 맥과이어 Tobey Maguire, 캐리 멀리간 Carey Mulligan, 조엘 어저튼 Joel Edgerton 및 아이슬라 피셔 Isla Fisher 등이 출연했다.

바즈 감독 특유의 화려한 장면과 출연진들의 열연 덕분에 주목을 받아낸 바 있다.

매우 인상적인 시각적 위업에도 불구하고 2013년 개봉한 〈위대한 갯츠비 The Great Gatsby〉는 일말의 구설수에 올랐다.

가수, 영화배우, 음반 프로듀서 등으로 재능을 발휘한 프린스. © Mitchell Beazley

숀 제이-Z 카터 Sean Jay-Z Carter가 진두지휘한 사운드트랙이 바즈의 연출 의도에 제대로 부합하지 못했다는 아쉬움이 제기된 것이다.

대다수 음악 비평가들은 '현대 팝과 힙합 음악사용은 기발함 보다는 시대착오 anachronistic적인 분위기를 조성해 주었다.'고 지적했다.

일부 비평가들은 바즈 감독의 도발적인 셋팅에 부합하기 위해 팝 디바 비욘세 Beyoncé와 얼터너티브 및 바로크 팝을 구사하고 있는 라나 델 레이 Lana Del Rey 노래를 사용한 것은 이해한다.

역설적으로 '미국 팝 음악계에 상당한 영향을 준 아프리카 유래 문화에 대한 여파를 확인시켜 주는 역할을 했다.'는 의견을 제시했다.

개봉이 지난 시점에서 바즈 감독은 여러 경로를 통해 '자신이 구상했던 사운드트랙 스타일과는 의도가 매우 다르게 결정됐다.'고 털어 놓고 있다.

바즈는 2022년 10월 런던에서 진행된 BAFTA 주최 'Life In Pictures' 행사장에서 〈위대한 갯츠비 The Great Gatsby〉 음악에 관련된 이야기를 들려주었다.

영화 전반에 걸쳐 반복되어 들려오고 있는 노래가 라나 델 레이의 'Young and Beautiful'.

'사실 〈위대한 갯츠비〉를 위해 팝 스타 프린스 Prince는 6개월 이상 고심을 거듭해서 작곡 중이었다. 그런데 노래를 들어 보니 내가 의도한 분위기와는 다소 달랐다.

이런 의견을 말했더니 프린스는 곧 분위기를 변경시켜 새로운 노래를 만들겠다고 알려왔다. 영화를 개봉하기 위한 막바지 작업 중이여서 프린스 제안을 무조건 받아 들을 수 없는 상황이었다, 결국 프린스가 처음 구상했던 노래는 사용하지 못하는 결정을 하게 됐다.'고 말했다.

화려한 스타일의 노래를 즐겨 불러 왔던 프린스 노래가 〈위대한 갯츠비〉에 선곡되었다면 음악 팬들에게는 상당히 기억에 남는 순간을 제공했을 것이다.

〈위대한 갯츠비〉. © Warner Bros, Village Roadshow Pictures

2016년 4월 약물과용으로 프린스가 갑자기 사망하는 바람에 자칫 〈위대한 갯츠비〉 주제곡은 프린스 유작(遺作)으로 오래도록 찬사를 받았을 것은 가능한 추측이다.

빌보드는 '펑크, 록, 팝, 재즈, 뉴 웨이브 사운드 조합을 들려주고 있는 프린스 스타일은 호화로운 〈위대한 갯츠비 The Great Gatsby〉에 대한 바즈 루어만 연출 비전에 딱 맞았을 것이다. A combination of funk, rock, pop, jazz and new wave sounds, Prince's style would have been a perfect fit for Baz Luhrmann's directing vision for an extravagant The Great Gatsby'는 애도 기사를 보도했다.

프린스가 작곡한 노래가 영화에 적합하지 않다고 판단한 바즈 감독은 'Young and Beautiful'로 대체하게 된다.

델 레이 Del Rey가 불러 주는 노래는 갯츠비(디카프리오)와 데이지(멀리간) 캐릭터를 각인시켜 주는 반복되는 로맨틱 테마로 사용된다.

멋진 팝 발라드는 클래식 오케스트라로도 편곡시켜 풍부한 사운드를 들려주게 된다.

델 레이의 노래는 외형적으로는 낭만적인 곡조를 띄고 있다.

영화에서는 이기적이고 천박한 분위기를 조성해주고 있다.

데이지와 개츠비가 맞게 되는 비극적인 관계를 상징시켜주는 배경 노래 역할을 하게 된다.

2014년 그래미 어워드 비주얼 미디어를 위한 주제가 부문 Grammy Award for Best Song Written for Visual Media 상을 수여 받는다.

〈위대한 갯츠비〉에서 록커 프린스 노래가 누락된 것은 아쉽다.

그렇지만 'Young and Beautiful'은 기대 이상의 분위기 역할을 해주어 지금도 영화와 함께 떠올리게 되는 주제가로 환대 받고 있다.

23-1. 프린스 Prince는 어떤 가수?

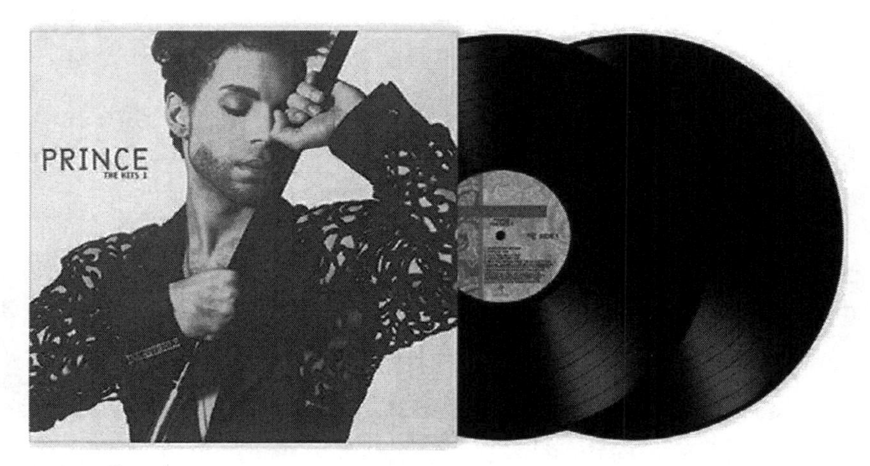

프린스. © Legacy Recordings

본명 프린스 로저스 넬슨 Prince Rogers Nelson.

1958년 6월 7일-2016년 4월 21일. 향년 58세.

펜타닐 과용 Accidental fentanyl overdose으로 인한 사망.

싱어 송 라이터, 음악 프로듀서, 배우.

마이클 잭슨, 마돈나와 함께 3명의 1958년생 뮤지션으로 주목 받았다.

1970년대 후반-1980년대 중반 최전성기를 누렸다.

의상, 헤어 스타일, 분장 등에서 화려한 치장과 중성적 분위기로 유명세를 얻는다.

광범위한 가성 far-reaching falsetto과 비명을 지르는 듯한 비명 high-pitched screams을 내세운 보컬이 특징이다.

기타 guitar, 키보드 keyboards, 베이스 bass, 드럼 drums 등 다중 악기 연주가 가능했다.

공연이나 신곡 녹음 당시 다양한 악기 연주 테크닉을 적극 활용해서 여타 뮤지션과의 차별적 특징을 내세웠다.

펑크, R & B, 록, 뉴웨이브, 소울, 신세사이저 팝, 재즈, 블루스, 힙-합 등 다양한 음악 장르를 시도했다.

프린스의 출신지를 인용해 자신이 구사하는 음악 스타일에 대해 '미니애폴리스 사운드 개척 pioneering the Minneapolis sound'이라고 명명한다.

19살 때 워너 브라더스 레코드와 전속 계약을 맺고 데뷔 앨범 'For You'(1978)와 'Prince'(1979)를 연이어 발매한다.

여세를 몰아 앨범 'Dirty Mind'(1980) 'Controversy'(1981) '1999'(1982)을 발표한다.

1984년 백 밴드 레볼류션 the Revolution의 지원을 받아 출반한 6집 음반 'Purple Rain'(1984)은 동명 사운드트랙으로 발매한다.

6집을 소재로 한 영화와 음반이 동반 히트 되면서 프린스의 존재감은 최고 입지를 차지하게 된다.

사운드트랙 앨범은 빌보드 앨범 200 6주 1위를 차지하는 뜨거운 성원을 받아낸다.

타이틀 곡 'Purple Rain'은 1985년 아카데미 어워드 주제가, 작곡 Best Music, Original Song Score 상을 수여 받는다.

밴드 레볼류션 the Revolution이 해체 된 뒤 1987년 신보 'Sign o the Times'을 발표한다.

비평가들로부터 '프린스 경력 중 가장 위대한 작품 the greatest work of his career'이라는 찬사를 듣는다.

급작스런 사망 이후 미발표 된 곡을 편집한 앨범 'Piano and a Microphone 1983'(2018) 'Originals'(2019) 등 2장의 추모 음반이 발매된다.

비평가들의 호평을 얻어낸다.

<베를린, 베를린 Berlin, Berlin>. 독일 드라마에서 듣게 되는 아바 그룹 'Nina, Pretty Ballerina'

독일에서 2002-2005년까지 방영된 매회 25분짜리 미니 시리즈.

모든 것이 항상 계획대로 진행되지는 않는 대도시 독일 베를린.

10대 소녀 카로타(펠리시타스 울)는 또래 친구들과 함께 지내면서 하나하나 교우 관계와 삶을 살아나가는 법을 배우게 된다.

성장 coming of age 드라마를 표방하고 있는 이 드라마를 한번 시청하고 싶다는 욕구는 배경 음악으로 아바 ABBA의 'Nina, Pretty Ballerina'가 선곡되고 있다는 것.

아바 음악 행보를 다룬 〈맘마 미아〉를 비롯해 수많은 음악 영화에서 번번히

〈베를린, 베를린〉. © Norddeutscher Rundfunk (NDR), Studio Hamburg Filmproduktion, ARD Degeto Film

누락시킨 곡이 〈베를린, 베를린〉에서는 간택(簡擇) 됐다는 것을 발견하고 그 기쁨이란!

하지만 여러 통로를 수소문해도 드라마 동영상을 아직 입수하지 못해 간간히 음악만 반복 청취하면서 미흡한 갈증을 풀어내고 있다.

24-1. 'Nina, Pretty Ballerina'는 어떤 노래?

1972년 11월 발매된 앨범 'Ring Ring'에 수록.

시종 경쾌한 전형적인 유럽 팝 Europop.

발매 이력 자료를 열람해보니 1973년 10월 프랑스, 1974년 호주, 심지어 1977년 아프리카 케냐 Kenya, 아시아 필리핀 Philippines에서도 독자 앨범이 출반됐다고.

미국 좌파 정치 토크쇼 진행자로 알려진 여성 방송인이 린 사무엘스 Lynn

Samuels. 뉴욕 시리어스 라디오 Sirius Radio in New York.

토크 쇼를 진행할 때 매주 금요일 1주일 동안의 노고를 자축하는 의미로 'Nina, Ballerina'를 송출했다는 에피소드도 전해지고 있다.

24-2. 'Nina, Pretty Ballerina' 주요 가사

매일 아침 출근길
Every day in the morning on her way to the office

당신은 그녀가 기차를 탈 때 그녀를 볼 수 있어요
You can see her as she catches a train

100 만 개 얼굴 중 하나의 얼굴
Just a face among a million faces

이름 없는 또 다른 여자
Just another woman with no name

그대가 기억할 그 소녀는 아니지만 그녀는 여전히 특별해요
Not the girl you'd remember but she's still something special

당신이 그녀를 안다면 나는 당신이 동의할 것이라고 확신해요
If you knew her I am sure you'd agree

그녀가 약간의 비밀을 가지고 있다는 것을 알고 있기 때문이죠
Cause I know she's got a little secret

금요일 저녁 그녀는
Friday evening she turns out to be

예쁜 발레리나 니나는 이제 댄싱 플로어의 여왕
Nina, pretty ballerina, now she is the queen of the dancing floor

그녀가 기다려온 순간
This is the moment she's waited for

신데렐라처럼 (신데렐라처럼)
Just like Cinderella (just like Cinderella)

그녀가 이렇게 될 수 있다고 생각한 예쁜 발레리나 니나
Nina, pretty ballerina who would ever think she could be this way

이것은 그녀가 연주하기를 좋아하는 부분이죠
This is the part that she likes to play

하지만 그녀는 재미가 사라질 거라는 걸 알아요
But she knows the fun would go away

그녀가 매일 게임을 한다면
If she would play it every day

그래서 그녀는 매일 아침 사무실로 돌아와
So she's back every morning to her work at the office

그리고 또 한 주를 꿈속에서 살고 있어요
And another week to live in a dream

그리고 또 한 줄의 이른 아침
And another row of early mornings

거의 끝나지 않는 흐름 속에서
In an almost never-ending stream

자주 말을 하지 않고 다소 부끄러워하고 불확실함
Doesn't talk very often, kind of shy and uncertain

모두들 그녀가 지루하다고 생각하는 것 같아요
Everybody seems to think she's a bore

하지만 그들은 그녀의 작은 비밀을 몰라요
But they wouldn't know her little secret

그녀의 금요일 밤에는 어떤 일이 벌어질까
What her Friday night would have in store

예쁜 발레리나 니나는 이제 댄싱 플로어의 여왕
Nina, pretty ballerina, now she is the queen of the dancing floor

그녀가 기다려온 순간
This is the moment she's waited for

신데렐라처럼 (신데렐라처럼)
Just like Cinderella (just like Cinderella)

〈베를린, 베를린〉. © Norddeutscher Rundfunk (NDR), Studio Hamburg Filmproduktion, ARD Degeto Film

<보헤미안 랩소디 Bohemian Rhapsody>, 초고 제목은 <몽골리안 랩소디 Mongolian Rhapsody>

보헤미안 랩소디는 완전히 미쳤다.

하지만 우리는 매 순간을 즐겼다.

기본적으로 농담 이었지만 성공적인 농담이었다.

우리는 그것을 3개의 개별 단위로 녹음해야 했다.

우리는 전체 시작 부분을 수행한 다음 중간 부분 전체를 수행한 다음 전체 끝 부분을 수행했다. 완전한 광기였다.

중간 부분은 불과 몇 초로 시작했다.

그러나 프레디는 계속해서 'Galileos'를 더 많이 들어왔고 우리는 오페라 섹션을 계속 추가했다.
노래는 점점 더 커졌다.
우리는 웃음을 멈추지 않았다.
발라드로 시작했지만 끝은 무거웠다.

– '보헤미안 랩소디' 녹음 일화 중

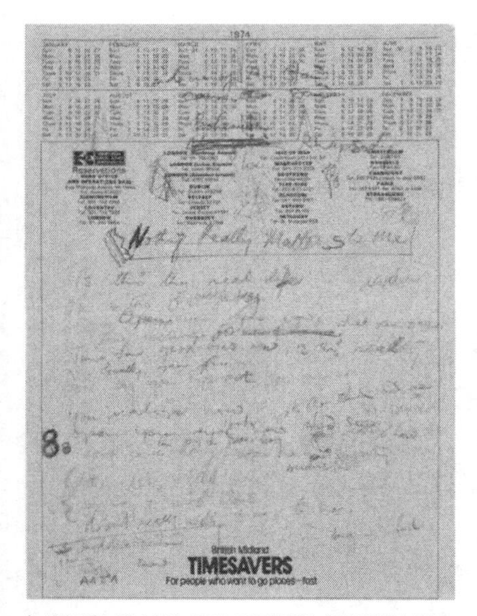

'보헤미안 랩소디' 초기 가제목이 '몽골리안 랩소디'였다는 흥미로운 사실이 보도됐다. © Queen Music Ltd, Sony Music Publishing UK Ltd

Bohemian Rhapsody was totally insane but we enjoyed every minute of it.
It was basically a joke but a successful joke.
We had to record it in three separate units.
We did the whole beginning bit then the whole middle bit and then the whole end.
It was complete madness.
The middle part started off being just a couple of seconds but Freddie kept coming in with more 'Galileos' and we kept on adding to the opera section and it just got bigger and bigger. We never stopped laughing.
It started off as a ballad but the end was heavy.

2018년 10월 23일 공개된 〈보헤미안 랩소디 Bohemian Rhapsody〉 초기 구상 제목은 〈몽골리안 랩소디 Mongolian Rhapsody〉였다고 뉴욕 타임즈가 보도한다.

영국 출신 록 밴드 퀸 Queen과 리드 싱어 프레디 머큐리의 음악 여정을 담은 〈보헤미안 랩소디〉는 5,000만 달러의 제작비를 투입했지만 전 세계 극장가에서 무려 9억 1천 만 달러 Box office $ 910.8 million가 넘는 대박 급 히트를 기록한바 있다.

환생한 듯 머큐리 배역을 열연한 라미 말렉 Rami Malek은 2019년 골든 글로브, 아카데미 남우상 등 주요 영화 축제 상을 모두 휩쓰는 영예를 차지했다.

뉴욕 타임즈는 '프레디 머큐리의 초기 작곡 초안은 퀸의 오페라 록 서사시 보헤미안 랩소디가 매우 다른 제목으로 발매될 수 있었음을 암시한 자료가 발견됐다.'고 밝혔다.

생전에 머큐리가 친필로 구상한 가사 노트는 2023년 연말 런던의 소더비 경매장에서 경매될 물품으로 나올 예정이다.

눈길을 끄는 대목은 지금은 폐업한 '브리티시 미들랜드 항공'에서 제공한 편지지에 머큐리가 연필로 쓴 가사 15쪽이 발견됐는데 한 장에는 '몽고리안 랩소디'라는 제목이 붙은 '보헤미안 랩소디' 초고가 발견됐다는 것.

초고 가사 원고에는 줄을 그어 '보헤미안'으로 변경된 것이 보여지고 있다.

소더비 Sotheby 경매장 관계자는 '머큐리의 절친한 친구인 메리 오스틴이 머큐리가 소장했던 개인 물품을 경매장에 판매하기로 했다.'고 밝히고 있다.

메리 오스틴은 BBC와 가진 인터뷰를 통해 '내 자신 주변을 정리해야 하기 때문에 머큐리 관련 컬렉션을 판매하기로 했다.

내 인생에 겪은 아주 특별한 경험을 마무리할 시점'이라고 덧붙였다.

경매장에는 머큐리 관련 물품이 대략 1,500여점이 쏟아질 것으로 예상하고 있다.

생전에 연인 관계였던 메리를 위해 머큐리는 '다수의 개인 선물'을 제공한 것으로 알려졌다.

메리는 머큐리와 함께 찍은 기념사진 외에 1991년 머큐리가 사망한 이후 런던 켄싱턴 지역에 있는 그의 가든 로지 집에 소장되어 있던 머큐리 관련 모든 개인 물품이 경매장을 통해 판매될 것이라고 말했다.

경매 물품 중 '보헤미안 랩소디' 초고 1장은 최대 120만 파운드(약 150만 달러, 한화 약 18억원)로 추정되고 있다.

한편 본격 경매에 앞서 퀸 팬들을 위해 'Freddie Mercury: A World of His Own'이라는 제목의 무료 여행 전시회가 진행된다.

6월 1일부터 6월 8일까지 경매 회사의 뉴욕 지점에서 전시된다.

소더비 관계자는 자사 웹사이트를 통해 '이번 콜렉션은 프레디가 사랑하는 가든 로지에서 30년 넘게 남아 있었다. 그의 열정뿐만 아니라 뛰어난 정신에 대한 증거인 작품의 품질과 다양성을 보여주고 있다. This collection has remained at Freddie's beloved Garden Lodge for over three decades and displays a quality and diversity of works that are a testament not only to his passion, but his brilliant mind.'고 평가했다.

〈보헤미안 랩소디〉. © Twentieth Century Fox, New Regency Productions, GK Films

<본즈 앤 올 Bones and All>(2022) - 트렌트 레즈너 + 아티커스 로즈 콤비 러브 발라드 '(You Made It Feel) Like Home'

18살 마렌.

3살 때 베이비시터를 살해한 이후 마렌은 식인 풍습을 보이게 된다.

유일한 혈육인 아빠마저 그녀 곁을 떠나 버린다.

한 번도 만나 보지 못한 엄마를 찾는 길에 나선다.

마렌은 어렸을 때 그녀를 떠난 어머니 자넬 출생지로 기록 된 미네소타로 여행하기로 결정한다.

버스를 기다리고 있다.

이런 와중에 그녀의 향기 때문에 그녀를 동료 '먹는 사람'으로 인식한 노인

〈본즈 앤 올〉. © Frenesy Film Company, Metro-Goldwyn-Mayer Pictures Inc

셜리와 알게 된다.

절망 가운데 자신과 비슷한 상황에 놓여 있는 소년 리를 만나게 된다.

머나 먼 여정을 함께 하는 동행 길 위에서 풋풋한 사랑의 감정을 느끼게 된다.

그렇지만 마렌은 지금까지 겪은 사랑은 늘 파멸로 이어졌다.

그래서 리와의 감정도 의도적으로 숨기게 된다. 그들의 최선의 노력에도 불구하고 모든 길은 그들의 끔찍한 과거로 돌아가게 된다.

시간이 흘러 두 사람은 미시간 주 앤아버에서 행복하게 살고 있는 것으로 나타난다. 마렌은 어느 날 집으로 돌아오는 도중 케이라를 살해하고 그녀를 먹고 있던 셜리를 발견하게 된다.

이가 도착한 후 그들은 셜리를 죽이는 데 성공하지만 이는 이 과정에서 치명상을 당한다. 피를 흘리는 이.

이는 죽어가면서 마렌에게 자신의 몸을 먹어주길 바라는 마음을 표현한다.

마렌은 처음에는 미친 듯이 거절한다.

그렇지만 결국 죽어가는 이의 제안을 받아들인다.

- 버라이어티

루카 구아다니노 Luca Guadignino 감독.

17세 소년과 24살 청년의 동성애적 관계를 묘사한 〈콜 미 바이 유어 네임 Call Me performed by Your Name〉(2017)으로 국제적 명성을 얻은 바 있다.

티모시 샬라메를 다시 기용해 공개한 〈본즈 앤 올 Bones & All〉.

분위기를 완벽하게 조성하면서 향수를 불러일으키는 감상적 배경 음악 덕분에 다시 한 번 흥행가에서 관심을 얻어낸다.

〈본즈 앤 올〉은 독특하게 뒤틀린 사랑과 폭력의 이야기를 들려주면서 오래되고 새로운 노래를 적절하게 배경 음악으로 들려주고 있다.

티모시 샬라메와 테일러 러셀은 미국 전역을 여행하는 두 '배고픈 식인종 hungry cannibals'을 연기하고 있다.

그들 자신과 그들이 살고 있는 세계에 대한 깊숙한 비밀을 하나하나 드러내고 있다. 영화는 사랑, 굶주림, 폭력에 대한 현대적인 이야기를 들려주고 있다.

가장 중요한 것은 이러한 개념 사이의 모호한 구분을 제시하고 있다는 것이다.

10대 캐릭터들은 여정을 따라 많은 문제에 직면하게 된다.

영화를 기억에 남게 만들고 크레디트가 시작되면서 오랫동안 관객 마음에 남을 수 있게 하는 것은 그들의 긴밀한 유대감과 이런 설정을 각인시켜 주는 배경 음악 덕분이라고 할 수 있다.

〈본즈 앤 올 Bones and All〉은 매우 분위기 있고 감성적인 영화라는 칭송을 받았다.

독특한 톤 대부분은 감독 구아다니노의 재치 넘치는 음악 선택과 정확한 노래를 언제 사용해야 하는지에 대한 본능이 만들어 낸 것이다.

〈본즈 앤 올 Bones and All〉은 식인(食人) 습성을 갖고 있는 캐릭터를 내세우고 있다.

그럼에도 불구하고 공포를

〈본즈 앤 올〉. © Frenesy Film Company, Metro-Goldwyn-Mayer Pictures Inc

불러일으키기보다 은유적이므로 전면적인 공포에는 절대 어울리지 않는 매혹적인 음악이 극의 몰입도를 조성해 주고 있다.

영화에는 끔찍하고 폭력적인 장면이 여러 번 등장하고 있다.

〈본즈 앤 올〉은 적절할 때 약간의 코미디와 가벼운 마음을 혼합시켜서 강력한 장면에 대한 여파를 최소화시키고 있다.

독특한 사운드트랙은 이 같은 균형을 유지시켜 주는 가장 효과적인 방법이 되고 있는 것이다.

* 〈본즈 앤 올〉 사운드트랙 해설

26-1. Everything I Need performed by Men at Work

초반. 마렌이 참석하는 파티 배경으로 'Everything I Need'가 흘러나오고 있다. 집에서 몰래 빠져 나온 그녀는 파티 장으로 향한다.

그녀의 어두운 비밀에 대해 깨닫게 된다.

관객들에게는 마렌의 이런 면모를 처음으로 선보이는 장면이다.

그룹 맨 엣 워크 Men at Work가 불러 주는 경쾌한 팝 템포 스타일 음악.

이후 펼쳐질 다소 충격적 상황에 대한 안도감을 조성시켜 주는 역할을 해내고 있다.

26-2. Lick It Up performed by Kiss

영화에서 가장 기억에 남는 노래 중 한 곡이 'Lick it Up'.

인디애나에서 물건을 훔치는 동안 마렌은 술에 취한 남성 고객이 여성을 괴롭히는 것을 목격한다.

이때 리(Lee)씨로 알려진 청년이 취객을 밖으로 쫓아낸다.

이어 마렌은 리가 밖에서 남자의 시체를 먹고 있는 것을 발견하게 된다.

마렌이 리를 처음 만난 직후에 그들은 피해자 집 레코드 플레이어를 통해 'Lick It Up'을 듣게 된다. 리(티모시 샬라메)가 흥에 겨워 유쾌한 춤을 추고 있다.

이 장면은 단번에 리를 매우 호감 가는 캐릭터로 만들어 주게 된다. 그가 감정과 유머 감각을 갖고 있는 인물이라는 것을 관객들에게 각인시켜 주게 된다.

26-3. Atmosphere performed by Joy Division

1980년대 유행했던 팝클래식 발라드 'Atmosphere'.

다소 어두운 분위기를 조성해 주고 있는 노래 스타일에도 불구하고 조이 디비전 음악은 박람회에서 리와 마렌이 첫 데이트를 하는 장면의 배경 노래로 흘러나오고 있다.

리와 마렌은 사실 복잡한 성장 과정을 갖고 있으며 밝지 않는 과거를 갖고 있는 인물들이다.

발라드 'Atmosphere'는 리와 마렌이 함께 하는 순간의 몽타쥬 장면을 장식해 주고 있다. 두 사람의 과거 행적은 어둠과 부도덕에 기반을 두고 있다.

그럼에도 불구하고 '서로에 대한 연민과 사랑에 대한 감정'이그들을 돈독하게 묶어주는 연결 고리로 풀이 된다.

26-4. Your Silent Face performed by New Order

리와 마렌이 네브래스카 주유소에서 급유하고 있다.

이런 장면에서 들려오고 있는 노래가 'Your Silent Face'이다.

그들이 운전을 계속하면서 서로를 돈독한 관계로 여기게 된다.

이런 과정에서 계속 들려오고 있다.

영화가 잠시 긴장감을 풀어 주는 소강상태에서 배경 노래가 되고 있다.

관객들에게 충격적으로 다가 올 수 있는 마지막 장면을 다소 완화시켜 주는 역할도 해내고 있다는 소감도 제기됐다.

26-5. (You Made It Feel) Like Home performed by Trent Reznor and Atticus Ross

'(You Made It Feel) Like Home'는 영화를 위해 특별히 작곡된 가슴 아픈 사랑 노래로 알려져 있다. 〈본즈 앤 올〉 마지막 장면을 장식해 주고 있는 선율이다.

리와 마렌이 겪어 왔던 모험과 완벽하게 일치하는 가사가 포함된 매우 감동적이고 감성적인 음악이라는 평가가 내려졌다.

음악 콤비 레즈너와 로스는 전체 사운드트랙 배경 연주곡을 작곡했다.

'(You Made It Feel) Like Home'는 영화 전반에 걸쳐서 들려 왔던 배경 선율과 흡사한 곡조를 갖고 있어 매우 친숙한 분위기를 조성해 주고 있는 곡이라고 할 수 있다.

트렌트 레즈너 Trent Reznor와 아티커스 로즈 Atticus Ross는 〈쇼셜 네트워크 The Social Network〉(2010) 〈소울 Soul〉(2020)로 아카데미 작곡상 2회 수상을 기록한 음악 동반자이다.

음악 전문지 빌보드는 그들의 이전 작업과 마찬가지로 〈본즈 앤 올〉 배경음악은 스토리의 독특한 톤과 자연스럽게 어우러지고 진정으로 영화에 생명을 불어넣는 미묘하고 최면을 거는 악보다. Like much of their previous work, the music behind Bones and All is an ethereal and hypnotizing score that blends effortlessly with the unique tone of the story and truly brings the film to life.

〈본즈 앤 올〉의 감동적인 엔딩과 중요한 스토리 비트의 신랄한 음악은 관객을 확실히 몰입시켜 그 강력한 순간을 더욱 강렬하게 만들어 주고 있다.

The poignant music in Bones and All's emotional ending and throughout the important story beats really ensure that the audience is invested, making those powerful moments hit even harder.

레즈너와 로즈의 최고의 작품 중 하나이다. 영화 밖에서도 훌륭하게 유지되고 있다. It is among Reznor and Ross best work and it even holds up wonderfully outside the movie. 라는 호의적 리뷰를 보도한다.

〈본즈 앤 올〉. © Frenesy Film Company, Metro-Goldwyn-Mayer Pictures Inc

<분노의 질주 Fast & Furious> 시리즈 역대 최고의 노래 베스트 15

롭 코헨 감독, 빈 디젤, 폴 워커 주연의 〈분노의 질주 The Fast and the Furious〉(2001).

스트리트 레이서들의 억제 할 수 없는 레이싱을 소재로 삼아 2023년 10부작 〈분노의 질주: 라이드 오어 다이 Fast X〉가 공개되는 장수 인기를 누리고 있다.

〈분노의 질주〉는 제목에서 짐작할 수 있듯이 남성들의 승부 욕구를 자극시키는 폭주족 행태와 맥박을 뛰게 만드는 랩 명곡 등을 조화시켜 MZ 세대뿐만 아니라 장년층에게도 티켓 구매 열기를 부추겨 주었다.

'분노의 질주 Fast & Furious' 프랜차이즈는 새로운 작품이 개봉될 때 마다 규모와 액션이 계속 확장됐다.

〈분노의 질주〉. © Universal Pictures, Etalon film, Original Film

2023년 5월 흥행가를 강타했던 10부작 〈분노의 질주: 라이드 오어 다이 Fast X〉에서는 호쾌한 액션과 최상의 배경 음악을 들려주었다는 칭송이 쇄도한다.

할리우드 현지 비평가들은 '최고 수준의 액션 시퀀스와 막대한 예산을 등에 업고 아드레날린을 촉진시키는 액션과 청각을 자극시키는 사운드트랙으로 무장해 시리즈가 거듭 될 수 록 호응 지수도 증가됐다. 배경 노래도 계속 확장되는 출연진처럼 음악계 슈퍼스타를 계속 초빙했다.'는 의견을 제시했다.

시리즈에서는 특히 힙합과 팝 장르에서 여러 유명 아티스트를 초빙해 음반 판매 수익고를 올리는데 성공했다는 지적을 받았다.

개봉이 끝났음에도 불구하고 일부 노래 중 'There Fast and the Furious: Tokyo Drift' 등은 스테디셀러 음반으로 주목 받는다.

루다크리스 Ludacris의 열정적인 분위기의 노래 'Act a Fool'은 〈패스트 & 퓨리어스 2 2 Fast 2 Furious〉(2003)와 완벽한 콤비를 이루게 된다.

'See You Again'은 〈분노의 질주 7 Furious 7〉에 상당한 감정적 분위기를 조성하는데 일조한다. 시리즈에는 랩 혹은 힙합 사운드만 있는 것은 아니다.

다양한 하이프 트랙 hype tracks과 레게톤 노래 reggaeton songs도 포함되어 시리즈 영화의 다양성을 조성해 주는데 일조한다.

'빌보드' '롤링 스톤' 등 유명 음악 전문지들은 10부작 개봉을 기념해 역대 시리즈 화면을 장식했던 가장 상징적인 트랙 15곡을 선정했다.

〈분노의 질주 4〉에서 레티가 돔이 몰고 있는 자동차 후드에 매달려 있는 장면. © Universal Pictures, Etalon film, Original Film

27-15. Bang performed by Rye Rye Featuring M.I.A.

선곡 영화 〈분노의 질주 : 더 오리지널 Fast & Furious〉(2009)

'Bang'은 '분노의 질주 Fast & Furious' 프랜차이즈에서 가장 멋지고 세련된 노래 중 한 곡이다.

그렇지만 화려한 여타 노래들로 인해 곡의 존재감이 쉽게 사라질 수도 있다.

이 노래는 엔딩 크레디트가 올라갈 때 흘러나오고 있다.

이런 이유로 '분노의 질주 Fast & Furious'에서 펼쳐 주었던 특정 거리 경주나 액션 장면의 일부를 격려해 주는 노래는 아니다.

그렇지만 대미를 장식해 주면서 영화의 분위기를 완벽하게 마무리 해주는 경쾌한 노래라는 소감을 듣는다.

시리즈는 항상 스타일과 도시 문화 풍경을 보여주는 것에 치중해 왔다.

이런 특징을 염두에 둔다면 〈분노의 질주 : 더 오리지널 Fast & Furious〉(2009)에서 선곡됐던 'Bang'은 이러한 영화 특성을 완벽하게 반영해 주는데 기여했다는 칭송을 듣는다. 'Bang'은 라이 라이 Rye Rye와 2009년 최고 입지를 구축했던 2명의 여성 래퍼로 구성된 M.I.A가 피처링으로 참여한 노래이다.

랩 시대정신을 반영하고 있는 곡으로 평가 받고 있다.

27-14. Exotic Race performed by Murci Featuring Sean Paul & Dixson Waz

선곡 영화 〈분노의 질주: 더 얼티메이트 (Fast & Furious 9 The Fast Saga〉 (2020).

스페인어로 구성된 트랙이라는 것을 염두에 둔다면 자칫 '분노의 질주' 영화 음악이 아닌 것 같다는 느낌도 주고 있다.

그렇지만 음악 애호가들은 매우 이국적 분위기의 'Exotic Race'는 시리즈 최고의 노래 중 한 곡으로 추천하고 있다.

'분노의 질주' 사운드트랙에 합류한 숀 폴 Sean Paul은 2000년대 주가를 높였던 래퍼.

경이로운 인기로 인해 그가 2020년에 가서야 시리즈 배경 음악을 불러 주었다는 것에 대해 음악 팬들은 상당히 의아해 했다.

어찌됐든 'Exotic Race'는 멈출 수 없는 에너지를 풍겨 주는 노래여서 액션을 강조한 영화 분위기와 최적의 융합이 되고 있다.

노래는 돔 Dom과 그의 일행이 문테퀸토 Montequinto에 도착해서 무장 된 탱크와 거대한 차량을 운전할 때 배경 노래로 들려오면서 음악 팬들에게 강한 여운을 남겨 준다.

자동차가 절벽을 뛰어 내리고 헬리콥터에게 쫓기는 장면. © Universal Pictures, Etalon film, Original Film

27-13. Toretto performed by J Balvin

'분노의 질주' 장수 출연 중인 빈 디젤. © Universal Pictures, Etalon film, Original Film

선곡 영화 〈분노의 질주: 라이드 오어 다이 Fast X〉(2023)

'Toretto'는 시리즈 10번째 돼서야 선곡됐다는 것이 우선 놀랍다는 반응을 얻었다.

시리즈가 거듭 될수록 도미니크 토레토(빈 디젤)는 거의 슈퍼 히어로와 같은 힘을 갖고 있는 동시에 신화적인 인물로 변하고 있다. 이 때문에 토레토 행위를 격려해 주는 일종의 주제가를 갖게 된다는 것은 자연스러운 일이다.

노래 가사는 특정한 캐릭터를 염두에 두지 않고 있다.

그럼에도 불구하고 J 발빈이 불러 주고 있는 'Toretto'는 전형적인 레게 톤 비트와 리듬을 전면에 배치하고 있다.

시종 흥겨운 분위기를 조성해 주면서 도미니크 토레토의 영웅적 행보에 대한 찬가 역할을 하고 있다.

캐릭터 도미니크 토레토 출신지가 라틴 아메리카라는 점.

그가 브라질과 같은 장소에 애착을 갖고 있다는 것을 떠올려 주면서 영화 분위기와 완벽하게 어울리고 있다는 칭송을 받는다.

27-12. Deep Enough performed by Live

선곡 영화 〈분노의 질주 The Fast and the Furious〉(2001).

'Deep Enough'는 '분노의 질주 Fast & Furious' 역사에서 상징적인 동시

에 시리즈 중 최고의 노래 중 한 곡으로 대접 받고 있다. 브라이언은 녹색 미스비시 이클립스 Mitsubishi Eclipse 자동차를 몰고 등장하고 있다.

포드 라이트닝 Ford Lightning을 몰고 토렌토를 만나러 간다.

이때 자동차 안에서 브라이언과 미아는 참치 샌드위치를 먹으면서 대화를 나누고 있다.

이런 장면이 보여질 때 배경으로 'Deep Enough'가 흘러나오고 있다.

'저 대체 엉덩이가 뭔지 알고 싶어요. 저것이 스와치 시계인가요, 지금 몇 시인지 아세요? I wanna know are those replacement hips, is that a Swatch Watch, do you know what time it is?'

가사는 영화와 전혀 관련이 없다.

노래는 브라이언이 시장으로 걸어가는 동안 유쾌하게 흘러나오고 있다. 리듬에 취해 있으면 관객들에게도 매우 흥겨운 분위기를 전달해 주고 있는 곡이다.

브라이언 오코너가 붉은 색 자동차에서 포즈를 취하고 있다.
© Universal Pictures, Etalon film, Original Film

27-11. Better As One performed by The Heavy

선곡 영화 〈분노의 질주: 홉스 & 쇼 Fast & Furious Presents: Hobbs & Shaw〉(2019).

트랙 'Better as One'은 가장 기억에 남는 '분노의 질주' 노래 중 한 곡이다.

프랜차이즈에서 가장 흥미로운 코미디 장면을 보여준 〈홉스 앤 쇼 Hobbs & Shaw〉 장면에 어울리는 노래로 쓰였다.

드웨인 존스와 제이슨 스타뎀이 콤비 연기를 펼쳐 준 〈분노의 질주: 홉스 & 쇼〉. © Universal Pictures, Etalon film, Original Film

노래는 성향이 다른 홉스(드웨인 존슨)와 쇼(제이슨 스타뎀)가 매우 유사한 아침 운동을 하는 것을 분할로 해서 동시에 보여주는 장면의 배경 곡으로 사용되고 있다. 두 사람 모두 아침 식사로 계란을 먹고 있다.

하지만 깊숙이 따져 들어가면 홉스는 생 계란을 즐기고 있다.

두 사람은 재원이 매우 다른 차량을 각각 운전하고 있다.

그렇지만 자동차에 대한 끝없는 열정이 있다는 공통점은 있다.

두 사람의 몽타쥬는 각자의 바에서 음료수를 훔치는 장면으로 마무리 된다.

트랙 'Better as One'은 그루비 groovy한 분위기를 풍겨 주면서 극중 주요 등장인물이 팀을 이루고 있다는 것을 예고시켜 주는 노래로 쓰이고 있다.

27-10. Rest of My Life performed by Ludacris Featuring Usher & David Guetta

선곡 영화 〈분노의 질주: 더 맥시멈 The Fast and the Furious 6〉(2013)

래퍼에서 배우로 전향한 루다크리스 Ludacris.

그의 대표적 히트곡 'Act A Fool'이 〈분노의 질주 2 2 Fast 2 Furious〉에 등장한 이후에는 극중 테지 파커 Tej Parker 역할로 연기력을 발휘하고 있다.

'Rest of My Life'는 루다크리스가 열심히 일하고 내일이 없는 것처럼 삶을 사는 것을 강조하는 EDM의 영향을 받은 기분 좋은 찬가이다.

이전에 'Yeah'를 통해 루다크리스와 공동 작업을 한 적이 있는 가수 어셔 Usher가 코러스를 맡아 주고 있다. 여기에 프랑스 출신 DJ 데이비드 구에타 David Guetta가 기악 후크를 연주해 주고 있다.

앨범 'Ludaversal'에서 싱글로 발매된 'Rest of My Life'는 〈분노의 질주: 더 맥시멈 The Fast and the Furious 6〉 클로징 크레디트에서 흘러나오고 있다.

이 노래는 프랜차이즈에서 낙관적 분위기의 엔딩 곡을 들려주는 추세를 이어가는 곡으로 인정받는다.

〈분노의 질주: 더 맥시멈〉. © Universal Pictures, Etalon film, Original Film

27-9. All Roads Lead Home performed by Ohana Bam

선곡 영화 〈분노의 질주: 홉스 & 쇼 Fast & Furious Presents: Hobbs & Shaw〉(2019).

캐릭터 홉스와 쇼의 독립적인 모험 사연을 펼쳐주고 있다.

배경 음악은 일반적인 힙-합과 함께 일렉트로닉 하우스와 록에 비중을 둔 다중 장르 사운드트랙으로 구성됐다.

〈분노의 질주: 홉스 & 쇼〉. © Universal Pictures, Etalon film, Original Film

래퍼 오하나 밤(Ohana Bam)이 불러주는 'All Roads Lead Home'은 영화 후반부에서 보여주는 가족 관련 주제곡으로 활용되고 있다.

즉, 테러리스트 브릭톤 로어 Brixton Lore와 그의 군대를 물리치기 위해 팀을 구성할 계획을 세우면서 소원해진 형제와 재회하게 된다.

그리고 임무를 마친 뒤 사모아에 있는 어린 시절 집으로 귀환하게 된다.

이후 홉스의 사모아 동료들이 전쟁을 준비하는 동안 'All Roads Lead Home'이 흘러나오면서 고무적인 찬가(讚歌) 역할을 해주고 있다.

27-8. Hey Ma performed by Pitbull Featuring J Balvin & Camila Cabello

선곡 영화 〈분노의 질주: 더 익스트림 The Fast and The Furious 8〉(2017).

8번째 '분노의 질주'에서는 스페인 노래를 사용하는 전통을 이어가고 있다.

'Hey Ma'는 래퍼 핏불 Pitbull, 팝/ 리듬 앤 블루스 보컬리스트 카밀라 카벨로 Camila Cabello, 레게 아티스트 J 발 빈 J. Balvin이 의기투합해서 발표한 곡이다.

스페인어와 영어 버전 등으로 발매된 'Hey Ma'는 발빈 카벨로가 피처링 화음을 맞추어 부드러운 분위기를 만들어내고 있다. 여기에 핏불은 쿠바의 활기찬 토속 리듬을 전면에 배치하면서 곡을 이끌어 나가고 있다.

흥미롭게도 핏불이 인터뷰에서 밝혔듯이 이 노래는 브리트니 스피어스(Britney Spears)와 로미오 산토스(Romeo Santos) 등 신세대 뮤지션들이 취입을 하려고 했을 만큼 매력적인 곡으로 알려져 있다.

〈분노의 질주: 더 익스트림〉. © Universal Pictures, Etalon film, Original Film

27-7. Good Life performed by Kehlani & G-Eazy

선곡 영화 〈분노의 질주: 더 익스트림 The Fast and The Frious 8〉(2017).

케라니 Kehlani와 G-이지 G-Eazy는 〈분노의 질주: 더 익스트림〉에서 전통적인 가족 장면과 완벽하게 어울리는 노래 'Good Life'를 위해 협력했다.

〈분노의 질주: 더 익스트림〉. © Universal Pictures, Etalon film, Original Film

팝 전문가들은 'Rest of My Life'와 마찬가지로 'Good Life'는 두 아티스트가 자신이 주도하는 성공적인 음악 여정을 과시하면서 '분노의 질주' 트랙 중 최고의 노래로 주목 받는데 의기투합했다는 찬사를 보낸다.

이와 함께 두 음악인들은 노래를 통해 '자신들의 직관에 따라 인생에서 그것을 크게 만들기 위해 주어진 하루의 시간에 최선을 다하도록 격려하는 분위기를 제공하고 있다.'는 소감을 듣는다.

마찬가지로 도미닉 토레토와 그의 동료들도 처음부터 모든 사안에 대해 서로 등을 맞대고 협력하는 분위기를 위해 'Good Life'가 응원가처럼 사용되고 있다.

27-6. We Own It performed by Wiz Khalifa & 2 Chainz

선곡 영화 〈분노의 질주: 더 맥시멈 The Fast and the Furious 6〉(2013).

〈분노의 질주: 더 맥시멈〉. © Universal Pictures, Etalon film, Original Film

YouTube에서 성공적인 랩 노래로 알려져 있는 'We Own It'.

이 노래는 '분노의 질주' 노래 중 가장 각광 받고 있는 곡이기도 하다.

트랙은 시종 아드레날린이 솟구치게 만들고 있는 영화의 핵심을 표현해주고 있는 노래로 알려져 있다.

〈분노의 질주 : 언리미티드 Fast & Furious 5 / Fast Five〉(2011) 이후 프랜차이즈는 스트리트 레이싱 영역을 넘어 더 큰 스토리 라인으로 스토리 범위를 확장한다.

브라질에서 벌어지는 강도 사건이든 아이슬란드 핵전쟁을 소재로 담든 간에 이 시리즈는 고속 자동차 추격전은 항상 액션 설정의 가장 중요한 부분을 차지하고 있다.

이러한 활기찬 장면의 배경 곡으로 'We Own It'은 제 역할을 해낸다.

노래를 불러주고 있는 주역은 위즈 칼리파(Wiz Khalifa)와 투체인즈(2 Chainz). 곡 전반에 걸쳐 용기와 '자동차 질주 혹은 죽음'이라는 극중 등장인물들의 태도를 칼리파가 '훅 hook'으로 표현해 주고 있다.

27-5. I Will Return performed by Skylar Grey

선곡 영화 〈분노의 질주: 더 세븐 Fast & Furious 7〉(2014).

〈분노의 질주: 더 세븐 Fast & Furious 7〉에서 가장 인기를 끌었던 트랙이 'See You Again'이다.

이 노래는 스카이라 그레이 Skylar Gray가 고인이 된 폴 워커 Paul Walker에게 헌정하는 발라드로 취입했다는 일화를 갖고 있는 노래이다.

음악 관계자들은 '사운드트랙 대부분의 노래들은 주로 빈 디젤과 다른 배우들의 활약상을 부추겨 주는 관점을 전달하고 있다. 하지만 그레이의 'I Will Return'은 워커 자신의 관점을 들려주는 분위기로 노래가 진행되고 있다.'는 리뷰를 게재한다. 사랑하는 사람을 떠났지만 다시 돌아올 것이라는 염원을 담고 있는 종교적 간증 같은 노래라는 소감을 보내고 있다.

애도와 희망으로 가득 찬 'I Will Return'은 〈분노의 질주: 더 세븐〉에서 잔잔한 감동을 불러 일으켰으며 '분노의 질주' 시리즈 중 최고의 노래 중 한 곡으로 환대 받고 있다.

〈분노의 질주: 더 세븐〉. © Universal Pictures, Etalon film, Original Film

27-4. Danza Kuduro performed by Don Omar

선곡 영화 〈분노의 질주 : 언리미티드 Fast & Furious 5/ Fast Five〉(2011).

푸에르토 리코 출신 레게 아티스트 돈 오마르 Don Omar.

영화 시리즈와 오랜 인연을 맺고 있는 대표적 뮤지션이다.

그는 'Conteo'와 'Bandoleros'를 〈분노의 질주: 도쿄 드리프트 Fast and Furious: Tokyo Drift〉(2006)에 수록시키면서 인연을 맺은 바 있다.

〈분노의 질주 : 언리미티드〉.

댄스 곡 'Danza Kuduro'가 마지막 장면에서 흘러나오는 동안 그는 리코 산토스 역할로 깜짝 연기 실력을 펼쳐 보이고 있다.

노래에서는 루센조 Lucenzo의 보컬도 들려오고 있다.

이 곡은 리오 Rio에서 돔과 그의 동료들이 맹활약을 펼치는 몽타주 장면과 함께 흘러나오면서 응원 곡 역할을 하고 있다.

수익금을 분배한 뒤 각자의 길을 가고 있는 동료들의 모습을 통해 해피엔딩으로 마무리 되고 있음을 짐작시켜 주고 있다.

이러한 모습 속에서 'Danza Kuduro'는 딱 맞는 트랙 역할을 해내고 있다.

〈분노의 질주 : 언리미티드〉. © Universal Pictures, Etalon film, Original Film

27-3. Act A Fool performed by Ludacris

선곡 영화 〈패스트 & 퓨리어스 2 2 Fast 2 Furious〉(2005).

〈패스트 & 퓨리어스 2〉에서 들려오고 있는 루다크리스 Ludacris 싱글은 일종의 타임캡슐 역할을 해내고 있다.

그의 노래는 이전 앨범에서 체감하게 했던 열정적 에너지를 불러일으키고 있다.

〈패스트 & 퓨리어스 2〉. © Universal Pictures, Etalon film, Original Film

'Act A Fool' 뮤직 비디오는 시리즈에 대한 향수를 선사해 주고 있다는 찬사를 듣는다.

루다크리스 노래는 화려한 색상의 자동차들이 속도를 내며 달리는 장면과 완벽하게 조화를 이루면서 흘러나오고 있다.

이 노래는 드래그 레이싱과 2000년대 유행했던 힙합에서 벗어나 '분노의 질주' 음악 영역을 확장시켜 주는데 일조했다는 평가를 받는다.

'Act A Fool'로 루다크리스는 그래미 어워드 비주얼 미디어를 위한 노래 Best Song Written for Visual Media 부분 후보에 지명 받는다.

위즈 칼리파 Wiz Khalifa와 찰리 푸스 Charlie Puth가 팀웍을 맞춰 불러 준 'See You Again'은 이 부문상에 연이어 후보 지명을 받게 된다.

27-2. Tokyo Drift performed by Teriyaki Boyz

선곡 영화 〈패스트 & 퓨리어스-도쿄 드리프트 The Fast And The Furious: Tokyo Drift〉(2006).

주제곡으로 선곡 된 'Tokyo Drift'를 불러 준 음악인은 일본 힙 합 그룹 테리야키 보이즈 Teriyaki Boyz. 영화 개봉 이후에도 한 동안 컬트적 지위를 얻으면서 음악 팬들의 환대를 받아낸다.

테리야키 보이즈의 불같은 창법은 한켠으로 치우쳐 있는 듯 보이지만 그만큼 열성 팬들을 사로잡는 이들 뮤지션들의 특징이 되고 있다.

카우벨 같은 악기 cowbell-like instrumentation 연주 특성을 접해 볼 수 있는 노래로 기억되고 있다.

음악 전문가들은 파렐 윌리암스 Pharrell Williams와 차드 휴고 Chad Hugo의 음반 프로덕션을 담당하고 있는 더 넵튠스 The Neptunes가 노래 프로듀서를 맡아 야심찬 크로스오버 스타일의 곡조(曲調)를 선사해 주고 있다는 호평을 보냈다.

노래 제목에 맞게 극중 자동차 드리프트 장면에서 들려오고 있는 곡이 'Tokyo Drift'이다.

이 곡에 대해 관심을 보인 힙 합 뮤지션 푸샤 T Pusha T와 리치 브라이언 Rich Brian 등이 리믹스 버전을 발표해 연이은 주목을 받아낸다.

이러한 편곡 움직임에 힘입어 '분노의 질주' 중 최고의 관심을 받는 트랙 중 한 곡으로 기록되고 있다.

〈패스트 & 퓨리어스-도쿄 드리프트〉. © Universal Pictures, Etalon film, Original Film

27-1. See You Again performed by Wiz Khalifa Featuring Charlie Puth

〈분노의 질주: 더 세븐 Fast & Furious 7〉. © Universal Pictures, Etalon film, Original Film

선곡 영화 〈분노의 질주: 더 세븐 Fast & Furious 7〉(2014).

'분노의 질주'의 핵심적인 역할을 했던 폴 워커 Paul Walker의 갑작스런 죽음은 당연히 영화업계와 시리즈 제작진에게는 큰 충격이 된다.

워커는 시리즈 7번째 작품이 결국 유고작(遺稿作)이 된다.

안타깝게도 주제곡 'See You Again'는 고인이 된 배우에 대한 감동적인 찬사를 보내는 노래가 된다.

'분노의 질주' 시리즈 사운드트랙에 단골 초빙됐던 위즈 칼리파(Wiz Khalifa)는 진정한 우정을 다룬 랩송에 자신의 모든 감정을 쏟아 붓고 있다.

이 노래는 음악계에서 '빈 디젤과 워커의 온 스크린/ 오프 스크린에서 맺은 유대감을 암시해 주는 노래로 주목 받는다. 불행한 일이 벌어졌지만 이 노래는 분명히 그 목적을 달성하면서 지구촌 음악 애호가들을 감동시킨다.

피처링 보컬리스트 찰리 푸스 Charlie Puth 또한 자신의 음악 경력을 구축하는데 큰 도움을 받게 된다.

푸스 Puth의 피아노 인트로와 소울 스타일의 후렴구는 계속해서 소름이 돋을 듯한 우울함을 선사하고 있다는 찬사를 듣는다. 이런 호응 덕분에 7부 이후 제작되는 '분노의 질주' 시리즈에서 이 노래는 꾸준히 선곡되고 있다.

수많은 '분노의 질주' 트랙 중 단연 1위로 추천 받는 이유는 바로 이와 같은 성원 덕분이다.

<뷰티풀 라이프 A Beautiful Life> - 북유럽 덴마크 음악인들 열정 담겨

비범한 목소리를 갖고 있는 젊은 어부 엘리어트. 유명 음악 매니저 수잔이 파티에서 그를 발견하면서 일생일대의 기회를 얻게 된다.

- 넷플릭스

Elliott, a young fisherman with an extraordinary voice, gets the chance of a lifetime when high-profile music manager Suzanne discovers him at a party.

- Netflix

넷플릭스 Netflix가 제작 지원을 맡은 〈뷰티풀 라이프 A Beautiful Life〉.

우리에게는 다소 낯선 북유럽 덴마크 메디 아바즈 Mehdi Avaz가 메가폰을 잡았고 역시 전혀 알려지지 않은 연기자 크리스토퍼 Christopher, 잉가 이브

스도터 릴레아스 Inga Ibsdotter Lilleaas, 크리스틴 알벡 보르헤 Christine Albeck Bøage 등이 콤비 공연을 펼치고 있다.

2023년 6월 1일 덴마크 현지 개봉 이후 '주연 겸 작곡을 직접 맡은 크리스토퍼가 들려주는 아름다운 선율이 가득한 영화'라는 박수갈채를 받아내고 있다는 소식.

할리우드 현지 비평가들은 '덴마크 뮤지컬 로맨스 스토리 〈뷰티풀 라이프 A Beautiful Life〉는 경이로운 사운드트랙을 제공하고 있다. 영화는 유명한 음악 매니저에게 발탁된 뒤 프로 음악 경력을 쌓아 나간다는 전직 어부 엘리오트 윈더의 사연을 펼쳐주고 있다.'는 리뷰를 보낸다.

〈뷰티풀 라이프〉. © Netflix

음악 경력을 본격적으로 시작하면서 엘리오트는 여류 음악 프로듀서 릴리(잉가 이브스도터 릴레아스)와 천상의 콤비를 이루게 된다.

엘리오트가 음악가로 서서히 인정받으면서 두 사람도 깊은 사랑에 빠지게 된다.

〈뷰티풀 라이프〉 사운드트랙 대부분은 배우이자 덴마크 팝스타 크리스토퍼가 작곡하고 부른 음악을 사용하고 있다.

아름다운 트랙은 스토리라인과 완벽하게 맞아 떨어지며 각 플롯 포인트의 감정적 영향을 강화시켜주는 역할을 해냈다는 찬사를 받고 있다.

〈뷰티풀 라이프 A Beautiful Life〉 사운드트랙에는 9곡이 포함되어 있다.

4곡은 영화를 통해 감상할 수 있다.

사운드트랙은 크리스토퍼 Christopher와 계약한 레코드 회사 파라폰 뮤직 덴마크 Parlophone Music Denmark에서 출반했다.

영화 공개 이전에 홍보 차원에서 'Hope This Song Is for You'가 음악 팬들을 위해 공개된다.

영화가 공개된 이후에는 사운드트랙 전곡을 스트리밍으로 감상하거나 구매할 수 있다.

* 〈뷰티풀 라이프〉 사운드트랙 해설

28-1. Led Me to You performed by Christopher

'Led Me to You'는 흡사 영화 주제가처럼 화면에서 여러 번 들을 수 있다.

가장 먼저 올리버는 엘리오트에게 수잔 생일 공연을 위해 기타를 연주해 주도록 부탁한다.

올리버가 긴장해서 노래를 이어가지 못하면 엘리오트가 이어 받아서 부르는 것으로 약속한다. 노래가 끝난 후 엘리오트는 올리버가 자신을 테스트 한 것으로 판단해서 두 사람은 감정 다툼을 벌이게 된다.

'Led Me To You'는 엘리오트가 스튜디오에서 릴리를 위해 연주하는 첫 번째 노래로 선택된다.

28-2. Smoke on the Water performed by Deep Purple

스튜디오에서 릴리는 엘리오트가 불러 주는 모든 노래가 독창적인 느낌이 나지 않으며 감정이 스며들지 않은 건조한 느낌이라는 따가운 질책을 한다.

릴리가 노래를 듣는 이들에게 무언가를 느끼게 하는 노래를 연주해 보라고 말한다. 엘리오트는 일렉트릭 기타로 록 밴드 딥 퍼플 명곡 'Smoke on the Water'를 연주해준다.

리프 기법을 사용해 연주하는 동안 릴리는 비웃고 현장을 떠난다.

이 노래는 영화에서는 들을 수 있지만 공식 사운드트랙에서는 누락된다.

28-3. Hope This Song Is For You performed by Christopher

엘리오트는 가족사진을 보고 울다가 침대에서 기타를 치며 노래 한 곡을 즉석에서 작곡한다. 그 곡이 'Hope This Song Is For You'이다.

나중에 릴리와 엘리오트는 인적이 드문 물가에서 이야기를 나누게 된다.

그녀는 누구를 위해 글을 쓰고 노래를 부르는지 그에게 묻는다.

이 질문은 그에게 많은 창작 영감을 던져 주게 된다.

물가에서 노래 작업을 마친 후 그는 릴리, 수잔 및 다른 음악 프로듀서 패트릭 앞에서 'Hope This Song Is For You'를 연주한다.

〈뷰티풀 라이프〉. © Netflix

28-4. Piano Concerto No. 2 in C Minor 3rd Movement Allegro Scherzando performed by Sergei Rachmaninoff

릴리가 아버지 소유의 보트를 이용해 엘리오트를 수캔 Sucanne 집까지 태워 주게 된다. 배로 이동하는 도중 라디오에서 라흐마니노프의 클래식 명곡 'Piano Concerto No. 2 in C Minor 3rd Movement Allegro Scherzando' 가 흘러나오고 있다. 엘리오트는 고전 클래식이 듣기 싫어 라디오 채널을 돌리려고 하지 릴리는 라디오를 만지지 말라고 말한다.

릴리와 엘리오트는 이 클래식 노래를 듣고 연주 방식에 대해 논쟁을 벌인다.

클래식 곡은 딥 퍼플 곡과 마찬가지로 화면에서는 잠시 들을 수 있지만 사운드트랙에서는 빠져 있다.

28-5. Honey, I'm so High performed by Christopher

엘리오트는 자신의 노래가 유튜브 YouTube를 통해 서서히 알려지고 있다는 것을 전해 듣는다.

용기를 얻은 그는 후속 곡 'Honey, I'm so High'를 녹음한다.

이 노래가 흘러나오는 동안 화면에서는 녹음 장면, 앨범 커버를 촬영하고 버스를 타고 여행하고 팬들에게 인사하는 장면 등이 몽타쥬로 보여지고 있다.

릴리와 키스하고 포옹을 나눈다.

두 사람은 서서히 서로에 대한 감정과 친밀함을 쌓아 간다.

서로에 대한 사랑이 더욱 깊어지고 있다는 것을 보여준다.

'Honey, I'm so High' 가사는 엘리오트와 그의 음악 팀이 성공과 명성을 얻으면서 느끼는 감정을 드러내 주는 노래로 각인 된다.

28-6. Hope This Song Is for You (John Alto Remix) performed by Christopher

엘리오트와 올리버가 클럽에서 술을 마시고 수다를 떤다.

이런 장면의 배경 노래로 'Hope This Song Is for You (John Alto Remix)'가 흘러나오고 있다.

올리버는 수잔이 엘리오트와 함께 공연한 뒤 그에게 적극적인 태도를 취했다는 것을 알고 두 남자의 대화가 더욱 뜨거워진다.

올리버는 클럽의 모든 사람에게 지금 흘러나오는 노래가 엘리오트 노래라고 외친다. 당사자 엘리오트는 당황한다.

28-7. Would Ya performed by Christopher

올리버는 취향에 맞는 앨범 커버를 선택한다.

반면 엘리오트는 스튜디오에서 밴드와 함께 'Would Ya'를 성공적으로 녹음한다. 패트릭과 릴리는 올리버가 지켜보는 가운데 이 노래에 대한 믹스 작업을 진행한다.

올리버는 녹음하는 와중에 릴리와 대화를 시작한다.

그리고 올리버에게 마무리 작업 중이니 조용히 앉아 있으라고 권유한다.

올리버의 표정은 잠시 행복한 감정에서 이번에는 질투심으로 바뀌게 된다.

엘리오트와 올리버가 떠난 후 릴리는 사운드보드에 앉아 노래에 대한 선율과 보컬의 균형을 맞추는 작업을 한다.

이 노래는 나중에 엘리오트가 올리버에게 백 보컬을 요청할 때 다시 한 번 흘러나오고 있다.

28-8. Hope This Song Is For You (Reprisal) performed by Christopher

엘리오트는 아버지 소유 작은 선박이 전소되는 사고를 당한다.
콘서트 장에서 'Hope This Song Is For You (Reprisal)'를 다시 부른다.
너무 감정적으로 목이 메어 노래를 그만 둔다.
이에 노래를 듣던 청중들이 떼창으로 노래를 이어 불러주고 있다.

28-9. Led Me to You (Reprisal)

〈뷰티풀 라이프 A Beautiful Life〉가 끝나갈 무렵.
릴리는 런던으로 떠나기 위해 짐을 꾸린다.
이러한 장면의 배경 곡으로 'Led Me to You (Reprisal)'가 흘러나오고 있다.
그녀는 침대에서 전화기를 집어 들고 엘리오트가 보낸 메시지와 전화 통화 내역을 삭제한다.

〈뷰티풀 라이프〉. © Netflix

28-10. A Beautiful Life performed by Christopher

엘리오트는 영국 토크쇼 '로켓'에 출연하게 된다.

쇼에서 히트 곡 'Hope This Song Is For You'를 라이브로 연주해 달라는 요청을 받게 된다.

그는 노래를 부르기 위해 마이크에 다가갔을 때 방송 공개 무대 2층에 있는 릴리를 목격하게 된다.

엘리오트는 피아노로 걸어가 요청 받은 노래 대신 'A Beautiful Life'를 연주하기 시작한다. 그는 릴리를 바라보면서 대부분의 노래를 불러준다.

이 노래는 영화 초반에 두 사람이 섹스를 한 후 그녀가 연주한 피아노 음표를 기반으로 작곡된 곡이다.

이 장면은 극중 등장인물의 행적에 관객들이 친밀한 동조를 하게 만들어 준다.

〈뷰티풀 라이프〉 사운드트랙에는 수록됐지만 영화 화면에서는 들을 수 없는 3곡의 노래는 다음과 같다.

Ready to Go performed by Christopher
Book of Me performed by Christopher
Hey Love performed by Christopher

영화에서 들려오지 않는 노래가 사운드트랙에 포함된 이유는 확실하지 않다.

음악 전문가들은 1시간 38분의 러닝타임을 감안할 때 영화를 단축하기 위해 잘라낸 노래가 수록된 것이라는 의견이 제기됐다.

이유를 불문하고 노래는 영화에 존재하는 서정적 주제와 음악적 스타일을 유지해 주는데 일조하고 있다는 칭송을 받는다.

로맨틱한 정서가 가득 담겨져 있는 사운드트랙은 2023년 6월 1일 출반됐다.

주요 노래는 YouTube, Spotify, Amazon Music, Apple Music, iTunes, Amazon 등 다양한 음악 유통 플랫폼을 통해서 감상할 수 있다.

비디오 게임 영화 음악의 진수 '기타 히어로 Guitar Hero' 시리즈 추천 12곡

기타 연주자들의 업적을 조명한 비디오 게임 음악 '기타 히어로 Guitar Hero'는 2005년 개봉 된 뒤 '기타 히어로 2 Guitar Hero II' '기타 히어로 3: 레전드 오브 락 Guitar Hero III: Legends of Rock' 등 시리즈가 연속 공개되면서 프랜차이즈로 각광 받고 있다.

'기타 히어로에서 좋아하는 밴드의 리드 기타리스트가 되어 보세요. Be the lead guitarist of your favourite bands on Guitar Hero.'라는 선전 문구를 내건 시리즈는 당연히 현란하고 다채로운 록 음악 트랙을 포진시키고 있다.

음악계에서 독보적인 입지를 구축해 나가고 있는 불멸의 기타리스트들이 들려주는 음악은 '뛰어나다' '훌륭하다'는 찬사가 제기될 뿐이다.

2015년 '기타 히어로 라이브 Guitar Hero Live'가 공개 된 이후 이 시리즈는

'기타 히어로'. © the Guitar Hero

음악 영화 및 게임으로 출시되어 장수 인기를 누리고 있다.

'기타 히어로'는 사운드트랙 선곡을 위해 혁신적이고 기술적으로 매우 까다로운 연주 테크닉을 시도해 온 3,000여 곡을 후보작으로 엄선했다고 한다.

노래 장르로는 가장 대중적인 팝에서부터 프로그레시브, 재즈에서 헤비메탈, 네오 클래식 까지. 거의 모든 종류의 음악 장르에서 추천작을 골랐다고 한다.

이 와 같이 '기타 히어로 Guitar Hero' 시리즈 사운드트랙을 위해 엄청난 양의 노래 목록이 거론된 것이다.

많은 곡들은 지금까지도 록 음악 장르에서 가장 상징적인 곡 중 하나로 널리 인정받고 있다.

사운드트랙에서 가장 빈번하게 인용되고 있는 역대 최고의 기타 히어로 Guitar Hero 노래가 무엇인지 선정하는 것은 매우 흥미로운 일이다.

음악 관계자들은 '기타 히어로에 선정된 노래가 반드시 역대 최고의 노래가 아닐 수도 있다.

하지만 기타 히어로 시리즈에서는 인상적인 기타 중심 악기 연주 또는 영화와 게임 음악으로 단골로 선정된다는 점을 고려한다면 '기타 히어로' 트랙은 그 가치를 인정받을 수 있는 것이다.'는 의견을 내놓고 있다.

엄선된 12 트랙의 면면은 다음과 같다. 〈그룹 혹은 아티스트, 노래 제목 順〉

29-12. 딥 퍼플 Deep Purple - Smoke on the Water

1980년대 록 음악의 전성기를 주도했던 딥 퍼플의 대표적 히트 노래 'Smoke on the Water'. © the Guitar Hero

많은 신예 록 스타들이 기타 독주법으로 선택하는 첫 번째 노래가 'Smoke on the Water'로 알려져 있다.

'기타 히어로' 프랜차이즈 중에서 선곡 된 노래 중 최고의 기타 연주 기법을 들어 볼 수 있는 노래이다.

'Smoke on the Water'는 시그니처 리프가 가장 뛰어난 노래로 공인 받고 있다. 록 애호가들이 가장 좋아하는 곡우선 순위로 언급하고 있다.

트랙의 하이라이트는 리치 블랙모어 Ritchie Blackmore가 들려주는 연주하기 쉽고 전염성 강한 중독성 있는 중심 테마를 빼놓을 수 없다.

29-11. 본 조비 Bon Jovi - Livin on a Prayer

1986년 발매 된 앨범 'Slippery When Wet'에 수록되어 있다.

본 조비 Bon Jovi를 상징시켜 주는 대표적 히트곡이 'Livin on a Prayer'이다.

기타 플레이어들은 '리드 기타로 연주하기 가장 쉬운 트랙 중 한 곡 one of the easiest tracks to play on lead guitar'으로 평가하고 있다.

'Livin on a Prayer'는 본 조비가 월드 투어를 시작할 때 매번 첫 번째 트랙으로 선곡할 만큼 애착을 보이고 있는 노래로도 알려져 있다.

본 조비의 현란한 기타 연주가 청각을 자극시켜 주고 있는 'Livin on a Prayer'. © the Guitar Hero

빌보드는 '이 트랙은 1980년대 글램 메탈 클래식이다. 그리고 여전히 록 팬들이 가장 좋아하는 노래 The track is a classic of 80s glam metal and remains a fan-favorite song'라고 호평을 보내고 있다.

29-10. 이글즈 The Eagles – Hotel California

'Hotel California'는 역대 최고의 기타 히어로 노래 중 한 곡이다.

그룹 이글스 The Eagles가 1976년 발매한 5번째 스튜디오 앨범 'Hotel California' 타이틀 노래이다.

빌보드는 '밴드의 독창적인 필생의 역작이다. 클래식과 히트 곡의 광범위한 레퍼토리를 고려할 때 인상적인 성과를 거두고 있다. the band's creative magnum opus and an impressive achievement considering their extensive repertoire of classics and hits'는 평가를 내리고 있다.

그룹 이글즈를 상징시켜주고 있는 대표적 히트곡이 'Hotel California'이다. © the Guitar Hero

29-9. 린야드 스키너드 Lynyrd Skynyrd – Free Bird

린야드 스키너드의 'Free Bird'. © the Guitar Hero

소위 '밈으로서의 지위 a status as a meme'를 얻은 노래다.

린야드 스키너드의 'Free Bird'는 '남부 록 찬가 southern rock anthem'로 애창되고 있다.

기타리스트들은 'Free Bird'에 대해 '가장 길고 어려운 트랙 중 한 곡 one of the longest and hardest tracks'으로 인식하고 있다.

빌보드는 '느린 오프닝부터 맹렬히 빠른 솔로까지 템포가 다양한 거의 10분 트랙 동안 플레이어의 지구력은 한계까지 밀려날 것이다.

해머-온, 셋 잇단 음표 및 복잡한 프렛팅을 통해 'Free Bird'는 기타 히어로에서 최고이다. 하지만 가장 어려운 곡 중 한 곡이다. A player's endurance will be pushed to its limit during the nearly ten-minute track which varies in tempo from the slow opening to the blisteringly fast solo. Hammer-ons, triplets and complex fretting throughout ensure that Free Bird is one of the best but hardest songs in Guitar Hero'라고 평가해 주고 있다.

29-8. 건즈 앤 로지스 Guns N Roses – Sweet Child O Mine

그룹 건즈 앤 로지스 Guns N Roses의 클래식 트랙 'Sweet Child O Mine'은 기타 플레이어들이 연주해 보고 싶은 최고의 노래 중 한 곡으로 관심을 보내고 있다.

1988년 데뷔 앨범 'Appetite for Destruction'에 수록 된 'Sweet Child O

Mine'은 '절묘한 역작(力作) riff tour de force'이라는 찬사를 받고 있다.

이런 호평을 입증 하듯 '의심 할 여지없이 밴드의 가장 상징적 노래 중 한 곡이다. 솔로 기타리스트들이 새로운 연주 능력을 테스트하기 위해 단골로 선곡하고 있다. 도전 정신을 제공하고 있지만 어느 정도 수완을 갖고 있는 기타 플레이어에게는 다소 쉬운 트랙이 될 여지가 있다.'는 해설도 제기했다.

'Sweet Child O Mine'은 록 기타 클래식으로 대접 받고 있다.

여러 기타리스트들이 자신만의 특색을 담은 수정된 버전 곡을 발표해서 공감을 얻고 있다.

건즈 앤 로지스의 'Sweet Child O Mine'. © the Guitar Hero

29-7. 푸 파이터스 Foo Fighters - Everlong

푸 파이터스가 1997년 발표한 얼터너티브 록 'Everlong'은 '기타 히어로 Guitar Hero'에서 연주하기 비교적 쉬운 트랙으로 받아 들여졌다.

푸 파이터스의 'Everlong'. © the Guitar Hero

하지만 대다수 기타리스트들은 '패기만만한 플레이어에게는 확실히 도전 해 볼만한 곡이다. 그렇지만 때로는 믿을 수 없을 정도로 어려운 연주 테크닉을 요구하는 곡이다.'는 의견을 내놓고 있다.

빌보드는 'Everlong의 가장 어려운 부분은 노래를 번갈아 가며 치는 패턴과 빨간색과 녹색 위치 사이에서 검지 손가락을 앞뒤로 빠르게 움직여야 하는 지속적인 필요성이다. 그럼에도 불구하고 트랙은 클래식이다. 기타 히어로 시리즈에서 가장 위대한 곡 중 한 곡이다. The hardest parts of Everlong are the song's alternate strumming pattern and the continual need to quickly maneuver the index finger back and forth between the Red and Green positions. In spite of this, the track is a classic and it is one of the greatest songs featured in the Guitar Hero series'는 평가를 해주고 있다.

29-6. 메탈리카 Metallica - One

메탈리카의 'One'. © the Guitar Hero

4대 메탈 밴드 중 하나인 메탈리카 Metallica는 잔인할 정도로 무겁고 맹렬하게 빠른 트랙을 단골로 발표하는 것으로 유명하다.

'One'은 이들 밴드만의 특징을 노출시켜 주고 있는 대표적 히트곡이다.

할리우드 시나리오 작가 달튼 트럼보 Dalton Trumbo가 발표한 소설 '자니 갓 히즈 건 Johnny Got His Gun'에서 아이디어를 얻어 창작했다는 곡이 'One'이다. 밴드의 존재감을 떠올리게 해주는 인기곡이다.

기타 플레이어들에게는 '연주하기 가장 어려운 곡'으로 알려져 있다.

노래는 '기타 히어로 3: 레전드 오브 락 Guitar Hero 3: Legends of Rock'에

서 선곡된 뒤 '기타 히어로: 메탈리카 Guitar Hero: Metallica' 배경 곡으로 연속 채택된다.

기타 연주 전문가들은 '빠른 템포와 짜증나는 노란색으로 인해 One은 완전한 연속 연주를 얻기가 엄청나게 어려운 트랙 its rapid tempo and that one infuriating yellow One is notable for being an incredibly difficult track to get a full combo on'이라고 받아들이고 있다.

29-5. 반 헬렌 Van Halen - Eruption

'기타 히어로: 반 헬렌 Guitar Hero: Van Halen' 편 메인 곡으로 선곡된 'Eruption'은 지금까지 가장 영향력 있는 하드록 곡 중 한 곡으로 굳건하게 자리 잡고 있다.

반 헬렌의 'Eruption'. © the Guitar Hero

아이러니 한 것은 발표 당시에는 '치명적인 과소평가를 받았지만 시간이 흐른 뒤 극찬으로 재평가를 받고 있는 반전(反轉) 에피소드를 갖고 있는 곡'이다.

빌보드는 '연주 길이는 1분 42초에 불과하다. 하지만 전설적인 기타리스트 에디 반 헬렌이 작곡하고 연주한 헤비메탈 기타 솔로는 악기 테크닉의 혁신적인 사용으로 유명하다. Although only 1:42 in duration, the heavy metal instrumental guitar solo composed and performed by legendary guitarist Eddie Van Halen is famous for its exhibition of innovative use of instrumental techniques'는 평가를 제시하고 있다.

현역에서 활동하고 있는 기타리스트들은 이 곡의 연주 스타일에 대해 '상대적으로 짧은 트랙인만큼 'Eruption'은 육체적, 정신적 지구력의 도전이라기보다는 탭, 풀오프, 파쇄의 포격을 견디기 위한 싸움에 가깝다. As it is a relatively short track Eruption is less a challenge of physical and mental endurance and more a fight to withstand the barrage of tapping, pull-offs and shredding'는 의견을 제시하고 있다.

29-4. 캔사스 Kansas - Carry On My Wayward Son

캔사스의 'Carry On My Wayward Son'. © the Guitar Hero

그룹 캔사스 Kansas의 'Carry On My Wayward Son'은 클래식하고 프로그레시브한 하드록 찬가로 알려진 곡이다.

'기타 히어로: 스매시 힛트 Guitar Hero: Smash Hits' 및 '기타 히어로 라이브 Guitar Hero Live' 시리즈, '기타 히어로 2 Guitar Hero 2' 등에서 단골 배경 음악으로 선곡되고 있는 노래이기도 하다.

빌보드는 'Carry On My Wayward Son은 어떤 식으로든 지나치게 도전적이지 않으며 복잡하고 따라서 적당히 어려운 솔로가 있다. 하지만 트랙은 대부분 간단한 악기 테크닉에 대한 지식만 필요하다. Carry On My Wayward Son is not exceedingly challenging in any way, and although it has an intricate and therefore, moderately difficult solo, the track, for the most part, only requires knowledge of simple instrumental techniques'는 평가를 하고 있다.

'기타 히어로'에 선곡된 많은 노래 가운데 'Carry On My Wayward Son'은 반복해서 가장 많은 호응을 받은 곡으로도 유명하다.

29-3. 스티브 오이메트 Steve Ouimette – The Devil Went Down to Georgia

컨트리 록 전문 찰스 다니엘즈 밴드 The Charlie Daniels Band의 대표 히트곡이 'The Devil Went Down to Georgia'이다.

시종 경쾌하고 흥겨운 이 노래는 '기타 히어로 3: 록의 전설 Guitar Hero 3: Legends of Rock' 마지막에 펼쳐지는 전투 장면에서는 스티브 퀴메트 Steve Ouimette가 거친 화면 전개에 맞추어 '스피드 메탈 트랙 a speed metal track'으로 편곡된 곡이 삽입돼 메탈 록 마니아들을 흥분시켰다.

음악 전문가들은 'The Devil Went Down to Georgia'는 가장 경험이 많은 '기타 히어로 Guitar Hero'에 등장하는 수많은 기타 플레이어들에게 지구력에 대한 진지

스티브 오이메트의 'The Devil Went Down to Georgia'.
© the Guitar Hero

한 테스트를 할 수 있는 노래이다. 의도적으로 어렵지만 퀴메트의 감각적 편곡은 최고의 커버 중 한 곡이다.'는 평점을 보내고 있다.

29-2. 에릭 존슨 Eric Johnson - Cliffs of Dover

에릭 존슨의 'Cliffs of Dover'. © the Guitar Hero

일부 음악 애호가들은 '기타 히어로 Guitar Hero' 시리즈에는 의외로 어려운 곡들이 많다는 푸념도 제기되고 있다.

이런 여론을 염두에 둔다면 에릭 존스 Eric Johnson의 'Cliffs of Dove'는 시종일관 비틀고 왜곡시키는 리듬으로 가득찬 정통 메탈 곡이 아니다.

'악기를 중심에 둔 신-고전주의와 프로그레시브 록의 조직적으로 밝은 조합 a texturally bright combination of instrumental neo-classical and progressive rock'을 엿보게 해주는 곡으로 평가 받는다.

빌보드는 'Cliffs of Dover의 특히 복잡하고 어려운 섹션은 작곡의 3개 솔로로 구성되어 있다. 모두 기타 히어로에 등장하는 가장 무거운 헤비메탈 트랙만큼이나 어려운 곡이다. 그렇지만 에릭 존슨의 'Cliffs of Dover'는 믿을 수 없을 정도로 중독성 있는 멜로디를 갖고 있다.

더구나 금속 리듬은 상쾌한 휴식을 제공하고 있다. '기타 히어로' 시리즈에서 모두 적용될 만큼 융통성이 있는 최고의 노래 중 한 곡이다. A particularly complex and difficult section of Cliffs of Dover consists of three solos of composition. All are as difficult as the heaviest heavy metal tracks on Guitar Hero. But Eric Johnson's Cliffs of Dover has an incredibly catchy melody. Moreover, the metal rhythm provides a re-freshing break. Enough to apply to all of the Guitar Hero series. One of the best flexible songs'는 호평을 보내고 있다.

29-1. 드래곤포스 DragonForce - Through the Fire and Flames

'기타 히어로 3: 록의 레전드 Guitar Hero 3: Legends of Rock'의 보너스 곡으로 처음 등장해서 알려졌다.

연이어 '기타 히어로: 스매시 힛트 앤 기타 히어로 라이브 Guitar Hero: Smash Hits and Guitar Hero Live'에 선곡되면서 'Through the Fire and Flames'은 영국 파워 메탈의 진수(眞髓)를 들려주는 곡으로 각광 받는다.

노래 히트 덕분에 밴드 '드래곤포스 DragonForce'의 존재감도 확고부동한 위치를 차지한 것은 당연지사이다.

빌보드는 '노래의 극단적인 속도를 유지하는 것은 그 자체로 어렵다.

그러나 진정한 도전은 트랙 전반에 걸쳐 필요한 다양한 고급 기술과 함께 나타나고 있다. 해머 온, 강렬한 스트러밍 및 복잡한 프레팅은 Through the Fire and Flames가 기타 히어로 프랜차이즈의 방대한 음악 카탈로그에서 통과하기 가장 어려운 노래 중 하나임을 확인시켜 주고 있다. Maintaining the extreme speed of the song is difficult in its own right; however, the real challenge emerges with the various advanced techniques required throughout the track-hammer-ons, intensive strumming and complex fretting ensure that Through the Fire and Flames is one of the hardest songs to pass in the vast musical catalog of the Guitar Hero franchise'는 리뷰를 게재한다.

드래곤포스의 'Through the Fire and Flames'. © the Guitar Hero

비욘세 Beyoncé 10곡,
위대한 영화를 만들어 주다

팝 디바 비욘세 Beyoncé.

솔로 아티스트, 데스티니 차일드 Destiny's Child 멤버로 활동하던 시기.

모두 기준 이상의 히트곡을 탄생시킨 강력한 흥행 파워를 보유하고 있는 뮤지션이다.

그가 불러준 많은 노래는 영화 배경 곡으로도 선택돼 위대한 영화로 평가 받는 견인차 역할을 해낸 것으로도 인정받고 있다.

2022년 6월 비욘세 Beyoncé는 7집 스튜디오 앨범 'Renaissance'의 리드 싱글 'Break My Soul'을 히트시키면서 장수 인기를 누리고 있다.

비욘세는 현재 가장 영향력 있고 유행을 선도하는 아티스트 중 한 명으로 굳건한 자리를 고수해 나가면서 세대를 초월한 광범위한 찬사를 받아내고 있다.

팝 비평가들은 '중독성 있는 선율과 생각을 자극하는 가사 catchy tunes and thought-provoking lyrics'를 비욘세만의 흥행 포인트로 지목하고 있다.

실제로 그녀의 노래는 깊고 의미가 있다.

많은 노래가 훌륭한 영화 소재로도 활용할 가치가 있다는 찬사가 쏟아지고 있다.

로맨틱 코미디에서 드라마틱한 사연에 이르기까지 비욘세 노래들은 극중 분위기를 고조시켜줄 충분한 요소를 담고 있다는 것이다.

발표하는 노래마다 음악 스타일을 다양하게 변주해서 팝 팬들의 지속적인 사랑을 받고 있는 비욘세.

사운드트랙으로 선곡돼 흥행 가에서 주목을 받은 노래도 다수 있다.

팝 전문지들은 일선 영화감독들에게 영화 소재로 활용할 만한 비욘세 히트 곡을 구체적인 설명과 함께 추천해 주고 있다.

이런 소재를 제공하고 있는 비욘세 대표적 10곡 면면은 다음과 같다.

30-10. Survivor

비욘세 'Survivor'. © Parkwood, Columbia, Music World

'Survivor'는 데스티니 차일드 Destiny's Child의 2001년 동명 앨범 데뷔 싱글이다.

노래는 저항과 독립이라는 고무적인 메시지를 사용하여 남녀 관계를 회복하고자 하는 여성의 의지에 대해 노래하고 있다.

비디오 영상에는 방향을 잃고 정글에 고립된 3명의 멤버 모습이 담겨져 있다.

히트 곡 'Survivor'를 기반으로 한 영화가 제작된다면 노래 가사와 비디오 설정을 조합해서 역경을 극복하고 있는 여성 주인공들의 사연을 들려줄 최적의 소재라고 언급하고 있다.

팝 전문가들은 '주변 상황과 대적하고 있는 흑인 여성을 앞세운다면 고전 영웅 이야기를 떠올려 주는 관심거리가 될 것. 여기에 공포 요소를 줄거리에 융합시킨다면 기본 이상의 흥행은 거둘 수 있을 것'이라고 조언해 주고 있다.

30-9. Independent Women

데스티니 차일드 Destiny's Child가 〈미녀 3 총사 Charlie's Angels〉 사운드트랙을 위해 특별하게 작곡했다는 노래이다.

제목에서 알 수 있듯이 자신을 돌보는 독립적인 여성에 대해 이야기를 다루고 있다.

'독립적인 모든 여성 all the women who are independent'에 대한 찬가로 불리워지고 있다.

비욘세 'Independent Women'. © Parkwood, Columbia, Music World

노래 가사에는 〈미녀 3 총사〉 주인공 카메론 디아즈 Cameron Diaz, 드류 배리모어 Drew Barrymore, 루시 리우 Lucy Liu 등에 대한 언급도 담겨져 있다.

〈미녀 3 총사〉에는 여성들의 독립적 활동을 위한 가능한 최선의 방법을 제시하고 있다.

주제가 'Independent Women'도 다른 사람들에게 자신을 돌보는 방법을 배우도록 돕는 여성 그룹의 이야기를 들려주고 있다.

원작 영화가 묘사하고 있는 첩보 설정을 포함해서 여성 대원들 간의 우애에 대한 소소한 이야기를 담아내 관객들의 공감을 얻어냈다.

30-8. Beautiful Liar

비욘세 'Beautiful Liar'. © Parkwood, Columbia, Music World

샤키라 Shakira의 보컬이 돋보이고 있는 노래가 'Beautiful Liar'이다.

그녀는 제라드 피케 Gerard Piqué와 결별한 뒤 다소 과소평가된 'Beautiful Liar'가 재평가를 받으면서 팝 헤드라인을 장식하게 된다.

두 명의 여성이 동일한 남자와 교제를 하고 있다는 것을 알게 된다.

황당한 상황에 처한 두 명의 여성 처지를 들려주면서 궁극적으로 '그가 비난을 받을 사람 he's the one to blame'이라는 결론을 제시하고 있다.

노래는 훌륭한 복수 영화를 만드는데 일조할 것으로 예상되고 있다.

강한 남자라고 거들먹거리는 대상에게 복수를 계획하는 2명의 여성 행적을 펼쳐줄 수 있는 노래로 지목되고 있다.

서구 영화 비평가들은 '서로의 계획을 알아내고, 그들은 그를 영원히 쓰러뜨리기 위해 팀을 이룬다. 함께 일하는 여성은 항상 가치 있는 일을 할 수 있다. 그녀들의 목표가 여권을 확립하기 위한 명예로운 것이라면 행동과 업적을 더욱 인정받을 수 있다.'는 격려 메시지를 보내고 있다.

30-7. Listen

'Listen'은 음악 영화 〈드림걸스 Dreamgirls〉 사운드트랙으로 선곡돼 폭발적 히트를 기록하게 된다.

소유욕이 강한 남편 커티스.

그의 지배 아래 살고 있는 디나(비욘세).

남자에게 귀속된 종속 된 상태에서 벗어나 여성으로서 독자적인 삶을 살겠다는 선언이 'Listen' 가사에 담겨져 표현되고 있다.

〈드림걸즈〉는 최고의 노래를 펼쳐주고 있는 뮤지컬로 갈채를 얻고 있다.

비욘세 'Listen'. © Parkwood, Columbia, Music World

주제가 'Listen'은 이런 평가를 받고 있는 완벽한 본보기로 언급되고 있다.

'Listen'을 기반으로 한 영화는 그녀의 목소리를 통해 해방을 추구하는 억압받는 여성의 상황을 들려주고 있다.

가사는 여성이 주장하는 목소리에 대해 이야기 하고 있다.

음악은 그녀에 대한 권리 주장에 대한 은유를 사용하고 있다.

뮤지컬 영화는 여성이 가수로서 자신의 재능을 발견하지만 그녀를 침묵시키려는 그녀 주변 남성과 투쟁을 벌이게 된다.

이런 과정을 펼쳐 주고 있는 것은 당연한 설정으로 풀이된다.

30-6. Single Ladies (Put A Ring On It)

비욘세의 틀림없는 가장 상징적인 노래 중 한 곡이 'Single Ladies (Put A Ring On It)'이다. 최근에 연인과 헤어진 여성에 대해 이야기를 들려주고 있다.

비욘세는 가사를 통해 '당신이 그것을 좋아한다면 반지를 꼈어야 했어요 if you like it, then you should've put a ring on it'라고 우유부단한 행동을

비욘세 'Single Ladies (Put A Ring On It)'.
© Parkwood, Columbia, Music World

취하고 있는 남성 태도를 꼬집어 주고 있다.

'Single Ladies (Put A Ring On It)'는 로맨틱 코미디 소재 배경 음악으로 채택되기를 기대하고 있다.

영화는 최근에 관계를 끊은 여성과 그녀에게 헌신하기를 거부함으로써 자신이 얼마나 많은 것을 잃었는지 알게 되는 남성을 상황을 묘사하게 될 것으로 예측 된다.

팝 전문가들은 '일선 영화감독들에게 단순한 소재이다. 그렇지만 프로덕션 개발에 따라 얼마든지 로맨틱 장르의 진정한 가치를 새삼 깨우쳐 줄 것이다.'는 의견을 제시하고 있다.

'줄거리가 여성이 자기 발견의 여정을 따를 것이기 때문에 한 때 관계를 맺었던 커플이 다시 결합한다는 것은 요점을 벗어날 수 있다.'고 추가적인 주문을 하고 있다.

30-5. Diva

'diva'라는 단어는 종종 부정적인 의미를 내포하고 있다.

'타협을 거부하는 강력하고 까다로운 여성 a bossy and demanding woman who refuses to compromise'을 지칭할 때 단골로 쓰이고 있기 때문이다.

비욘세가 불러 주고 있는 'Diva'는 부정적인 단어 의미를 재정의 하고 있다.

그녀는 열심히 일하는 여성이 그에 합당한 영예를 얻는다는 맥락으로 재구성한 것이다.

'Diva'는 〈악마를 프라다를 입는다 The Devil Wears Prada〉에서 묘사된 패션 전문 매거진 '런웨이'의 독선적 편집장 미란다(메릴 스트립)와 같은 캐릭터가 정상에 오르는 과정을 펼쳐 줄 수 있다.

미란다는 종종 최고의 여성 영화 악당으로 지목 받고 있다.

그렇지만 반드시 악(惡)한 존재는 아닌 것이다.

미란다가 지치지 않는 야망을 탐구하고 성공을 추구하는 행적은 여타 여성들의 롤 모델이 될 충분한 여지가 있는 것이다.

이와 비교해 봤을 때 '디바'는 많은 여성들에게 진정으로 무엇을 추구해야 할 것인가에 대한 더 많은 통찰력을 제공할 소재가 될 것으로 점쳐지고 있다.

비욘세 'Diva'. © Parkwood, Columbia, Music World

30-4. I Was Here

'I Was Here'는 비욘세의 '가장 강력한 노래 중 한 곡 The most powerful songs'이다.

다이안 워렌(Diane Warren)이 작사했다.

노래는 과거와 자신이 한 일을 되돌아보고 있다. 자신이 세상에 남기고 있는 흔적에 대해 후회하지 않고 평화롭게 지내고 있음을 드러내는 여주인공 처지를 들려주고 있다.

비욘세 'I Was Here'. © Parkwood, Columbia, Music World

'성장 영화 장르 The coming-of-age genre'에 적합한 소재로 거론되고 있다.

인생 황혼에 접어든 관객들에게도 자신의 행적을 반추(反芻)해 볼 수 있는 기대감을 모으고 있다.

'I Was Here' 노래 가사를 기반으로 한 영화는 '성장 영화' 목록에 추가할 가치가 있다는 의견을 듣고 있다.

일선 영화 비평가들은 '영화가 제작된다면 세상에 자신의 업적을 남기기 위해 고군분투하는 여성을 묘사할 수 있다.'는 조언을 던지고 있다.

'부정할 수 없이 우울한 분위기를 풍기겠지만, 영화는 어떤 여성에 관한 삶의 끝에서 인간 가치와 본성에 대해 새로운 가치관을 드러낼 수도 있을 것이다.'는 의견을 첨부하고 있다.

30-3. Run The World (Girls)

비욘세 'Run The World (Girls)'. © Parkwood, Columbia, Music World

비욘세 Beyoncé 네 번째 정규 앨범 '4' 수록된 노래가 'Run the World (Girls)'.

여성의 권리를 역설하는 역동적 메시지가 일렉트로닉 팝 리듬에 담겨져 펼쳐지고 있다.

가사는 한 여성이 갖고 있는 능력에 대해 언급하면서 여성이 '어머니를 지배하고 있다.'는 노골적인 선언을 들려주고 있다.

뮤직 비디오 'Run the World (Girls)'에서는 2010년대 최고의 액션 영화 중 하나인 〈매드 맥스: 분노의 도로 Mad Max: Fury Road〉에서 제시했던 황량하고 다소 묵시적인 설정을 보여주고 있다.

만일 'Run the World(Girls)'를 기반으로 한 영화가 제작된다면 '모계 사회가 지배하는 포스트 아포칼립스 세계 a post-apocalyptic world where society lives under a matriarchy'가 시대 배경에 적합 할 것으로 예측된다.

영화는 권력을 행사하고 있는 여성에게 유리한 결정적인 입장을 취하고 지도자로서 능력과 강점을 보여주는데 최적의 소재가 될 것이라는 의견이 대두되고 있다.

30-2. Halo

비욘세 'Halo'. © Parkwood, Columbia, Music World

'파워 발라드의 끝판 왕'으로 평가 받는 노래가 'Halo'이다. 발매 당시 '새 천년의 가장 낭만적인 노래 중 한 곡 one of the most romantic songs of the new millennium'이라는 평가를 받아낸다.

비욘세 Beyoncé의 3번째 스튜디오 앨범 'I Am Sasha Fierce'에 수록 됐다.

'Halo'는 라이안 테더 Ryan Tedder, 에반 보가트 Evan Bogart가 주로 작곡을 했고 비욘세 Beyoncé도 일부 기여한 것으로 알려졌다.

가사는 '한 여성의 뜨겁고도 파워풀한 사랑 선언 a woman's passionate and powerful declaration of love'이 담겨져 있다.

'Halo'는 발라드 강점을 부각시켜 로맨틱 영화의 가장 적합한 아이디어를 제공할 것으로 점쳐지고 있다.

가사에서 들려주는 은유적인 설정을 그대로 재현하자면 아마 천사 남자가 인간 여성과 사랑에 빠진다는 니콜라스 케이지+멕 라이언 주연의 〈시티 오브 엔젤 City of Angel〉(1998)과 유사한 작품이 탄생될 것으로 점쳐지고 있다.

할리우드 영화 비평가들은 '〈시티 오브 엔젤〉 스타일은 너무 무사 안일한 설정이 될 수 있다. 보다 직접적인 접근 방식이 가장 좋을 수 있다. 일례로 연약한 여성과 남성 사이의 로맨스는 여전히 상당한 관객을 끌어들일 만큼 매력적인 설정이다.'는 조언을 제시하고 있다.

30-1. Formation

비욘세 'Formation'. © Parkwood, Columbia, Music World

비욘세 Beyoncé가 'Formation'을 발표했을 때 비평가들은 이구동성으로 찬사를 내놓았다.

노래는 미국에서 흑인 여성으로서의 정체성과 성공에 대한 비욘세의 자부심을 다루고 있다.

미국 사회에 '인종과 정치에 대한 토론을 촉발 igniting discussions about race and politics' 시키는 계기도 제공한 노래이다.

노래는 오늘날에도 여전히 영향력이 있으며 '남성에 의한 여성의 성적인 폭력을 고발했던 '미 투 # MeToo 운동에 대한 찬가로 채택 adopted as an anthem for the #MeToo movement' 된다.

'Formation'에서 영감을 얻어 제작되는 영화는 명확하고 공격적인 정치적 입장을 채택해야 한다고 주문 받고 있다.

줄거리는 여러 방향으로 갈 수 있다.

그 중심에는 흑인 여성이 있어야 한다는 조건이 제기되고 있다.

노래 가사에는 '오케이 숙녀 여러분, 이제 대열(隊列)을 시작합시다. Okay ladies, now let's get in formation'라고 외치고 있다.

할리우드 현지 영화 비평가들은 '자신의 커뮤니티에서 다른 사람들에게 영감을 주려는 한 여성의 행적은 영화의 중추적 소재로 활용될 수 있을 것'이라는 의견을 내놓고 있다.

30-0. 비욘세 Beyoncé는 어떤 가수?

본명 비욘세 지젤 노우레스-카터 Beyoncé Giselle Knowles-Carter.

1981년 9월 1일 텍사스 주 휴스턴 Houston, Texas, U.S 태생. 2024년 기준 43세. 싱어 송 라이터, 사업가.

'경계를 뛰어 넘는 예술성과 보컬 퍼포먼스 boundary-pushing artistry and vocal performances'에 대해 '퀸 베이 Queen Bey'라는 애칭을 부여하고 있다.

1980년대 생 출신 가수 중 '가장 위대한 엔터테이너 중 한 명으로 대접 regarded as one of the greatest entertainers of her generation' 받고 있다.

10대 시절 3인조 리듬 앤 블루스 걸 그룹 '데스티니 차일드 Destiny's Child' 멤버로 두각을 드러낸다.

솔로로 독립해 앨범 'Dangerously in Love'(2003) 'B'Day'(2006) 'I Am... Sasha Fierce'(2008) '4'(2011)를 연속적으로 발매해 모두 밀리언셀러를 기록한다.

기혼 부부 일탈 행각인 부정(infidelity), 여권주의 feminism, 여성주의 womanism 등을 노랫말로 구성한 앨범 'Beyoncé'(2013) 'Lemonade' (2016) 등을 발매해 뜨거운 환대를 받아낸다.

성소주자 LGBT: lesbian, gay, bisexual and transgendered의 권리 회복을 강조한 댄스 앨범 'Renaissance'(2022)을 발매해 장수 인기를 이어가고 있다.

싱글 히트 곡으로 'Crazy in Love' 'Baby Boy' 'Irreplaceable' 'If I Were a Boy' 'Halo' 'Single Ladies (Put a Ring on It)' 'Run the World (Girls)' 'Love On Top' 'Drunk in Love' 'Formation' 'Break My Soul' 'Cuff It' 등이 있다.

음악 동료이자 남편 제이-Z Jay-Z와 협력한 앨범 'Everything Is Love'(2018)을 출반했다.

사운드트랙 〈라이온 킹: 더 기프트 The Lion King: The Gift〉(2019)에서 영감을 얻어 앨범 'Black Is King'(2020)을 발매한다.

영화배우로도 병행 활동하고 있다.

〈오스틴 파워: 골드멤버 Austin Powers in Goldmember〉(2002) 〈핑크 팬더 The Pink Panther〉(2006) 〈드림걸즈 Dreamgirls〉(2006) 〈캐딜락 레코드 Cadillac Records〉(2008) 〈옵세드 Obsessed〉(2009), 실사 영화 〈라이온 킹 The Lion King〉(2019) 등에 출연했다.

2020년 주간지 타임은 '지난 세기를 정의한 100명의 여성 100 women who defined the last century' 중 한 명으로 선정했다.

2023년 팝 전문지 '롤링 스톤 Rolling Stone'은 '가장 위대한 가수 200 the 200 greatest singers of all time' 중 8위로 추천했다.

비치 보이스 The Beach Boys 노래가 가장 잘 사용된 영화 10편

The 10 Best Uses of Beach Boys Songs in Movies

1960년대 시원한 해변 가에서 즐겨 듣게 되는 '중독성 서핑 록 음악 catchy surf rock music'을 통해 폭발적 성원을 받았던 중창단이 비치 보이스 The Beach Boys.

이들 밴드의 음악성을 드러내는 노래들은 〈환타스틱 Mr. 폭스 Fantastic Mr. Fox〉에서 부터 〈부기 나이트 Boogie Nights〉 〈올모스트 페이모스 Almost Famous〉 등에 이르기까지 다양한 영화에서 사용됐다.

1960년대 전성기를 보낸 이들 비치 보이스는 음악계에서 가장 영향력 있는 아티스트 중 한 팀으로 인정받고 있다.

전 세계 음반 시장을 통해 누적 판매고 1억 장 이상의 음반을 판매한 것으로 집계 됐다.

음악 공적을 인정받아 록큰롤 명예의 전당을 포함하여 음악계에서 수여 하는 대부분 음악 관련 명예 전당에 헌정 된다.

팝 전문지 '롤링 스톤 Rolling Stone'은 '역사상 가장 위대한 음악가 the greatest musical artist of all time' 12위로 추천했다.

밴드가 시도한 서핑 록과 사이키델릭 장르를 융합시킨 음악 스타일은 엄청난 팬 층을 확보하는 특징이 된다.

당연히 많은 영화감독들은 이들 비치 보이스 밴드가 남긴 주옥같은 노래들을 자신들 영화 배경 노래로 앞 다투어 사용하고 있다.

가장 잘 활용되어 음악과 영화 관객들의 절찬을 받은 대표적 영화 10선은 다음과 같다.

31-1. California Girls -〈러시 아워 2 Rush Hour 2〉

홍콩 출신 성 룡과 할리우드 흑인 코믹 배우 크리스 터커 콤비작 〈러시아워 2 Rush Hour 2〉. © imdb, hollywood reporter

〈러시 아워〉 영화 자체는 그저 킬링 타임용 오락 액션 극이다.

성룡과 크리스 터커의 티격태격 케미스트리는 시리즈 2부작으로 이어지게 만든다.

영화에서 가장 관객들

의 호응을 받았던 장면은 리(성룡)와 카터(크리스 터커)는 차 안에서 비치 보이스의 'California Girls'을 부르는 장면이다.

비치 보이스는 〈러시 아워〉 프랜차이즈와는 여러 인연을 맺고 있다.

1부에서는 'Surfin USA'가 들려왔다.

시리즈 3부에서는 다시 리의 핸드폰 벨소리 음악으로 'California Girls'이 울려 퍼지고 있다.

31-2. Sail On, Sailor - 〈디파티드 The Departed〉

마틴 스콜세즈 감독의 묵직한 범죄 스릴러 〈디파티드 The Departed〉.

핑크 플로이드 리드 보컬 로저 워터스(Roger Waters) 버전의 'Comfortably Numb'과 밴드 롤링 스톤(Rolling Stones)의 노래 중 스콜세즈가 가장 좋아한다는 'Gimme Shelter' 등과 같은 히트 곡들이 흠잡을 데 없는 사운드트랙을 구성하는데 일조하고 있다.

잭 니콜슨의 카리스마 연기가 돋보였던 〈디파티드〉. © Warner Bros, imdb, hollywood reporter

이런 틈바구니에서 비치 보이스 Beach Boys의 'Sail On, Sailor'를 들을 수 있다.

이 노래는 괴짜 마피아 보스 캐릭터 프랭크 코스텔로(잭 니콜슨)가 일부 가톨릭 수사 priests에게 접근해서 그들로부터 여러 의견을 듣고 메모하는 장면의 배경 노래로 들려오고 있다.

31-3. Wouldn't It Be Nice - 〈해적 라디오 Pirate Radio〉

엠마 톰슨+빌 나이 주연의 〈해적 라디오〉. © canal plus, imdb, hollywood reporter

〈락 앤 롤 보트 The Boat That Rocked〉로 공개됐던 '해적 라디오 Pirate Radio'.

바다 한가운데 정박한 해적 라디오 방송국을 묘사하면서 청각을 자극시키는 풍성한 사운드트랙을 들려주고 있다.

비치 보이스 The Beach Boys의 'Would not It Be Nice'는 배가 가라앉을 때 해적 스테이션에서 연주되는 마지막 노래로 들려오고 있다.

크리스마스 시즌.

쿠엔틴(빌 나이)이 칼(톰 스터리지)에게 어머니가 온다고 말하는 장면의 배경 노래로 비치 보이스의 휴일 찬가 히트곡 'Little Saint Nick'이 들려오고 있다.

31-4. I Get Around - 〈환타스틱 Mr. 폭스 Fantastic Mr. Fox〉

〈환타스틱 Mr. 폭스〉. © 20th Century Fox, imdb, hollywood reporter

작가 로알드 달(Roald Dahl) 원작의 '환타스틱 미스터 폭스 Fantastic Mr. Fox'를 웨스 앤더슨(Wes Anderson)이 스톱모션 애니메이션으로 각색했다.

이 작품에서는 비치 보이스(Beach Boys) 노래가 몇 곡 들려오고 있다.

농부들이 집에서 동물들을 제압한다. 이어 미스터 폭스가 친구들이 사용하지 않은 재능을 모두 검토해서 계획을 세운다.

이러한 장면에서 'I Get Around'가 흘러나오고 있다.

31-5. Let's Go Away For Awhile - 〈베이비 드라이버 Baby Driver〉

에드가 라이트 Edgar Wright 감독의 〈베이비 드라이버 Baby Driver〉에는 죽음을 떠올려 주는 사운드트랙이 있다.

영화는 일종의 액션으로 가득찬 주크박스 뮤지컬이라고 해도 손색이 없다.

타이틀 캐릭터인 도주 운전자는 자신이 가장 좋아하는 iPod 재생 목록 리듬에 맞추어 범죄를 저지르고 있다. 베이비는 엄마가 일하던 식당에 앉아 있다.

그 장소에서 젊은 미모의 웨이트리스 데보라를 목격하고 그녀에게 단번에 호감을 느낀다.

이러한 장면에서 비치 보이스의 'Let's Go Away for Awhile'이 흘러나오고 있다.

〈베이비 드라이버〉. © imdb, hollywood reporter

31-6. Surfin Safari - 〈아메리칸 그래피티 American Graffiti〉

조지 루카스 감독이 묘사한 청춘 풍속도 〈아메리칸 그래피티〉.
© 20th Century Fox, imdb, hollywood reporter

조지 루카스(George Lucas)가 연출 신입 시절 공개했던 성장 영화 코미디 고전 작이 〈아메리칸 그래피티 American Graffiti〉.

미국 캘리포니아 중부 도시 모데스토 Modesto를 자동차로 순항하는 청춘 남녀의 모습을 다채롭게 펼쳐주고 있다.

비치 보이스 Beach Boys의 Surfin Safari'를 포함해서 영화가 진행되는 동안 1960년대 유행했던 멋진 사운드트랙이 가득히 들려오고 있다. 'Surfin Safari'는 존(폴 르 매트)이 도로를 운전하다가 과속 혐의를 받고 경찰에 의해 세워질 때 흘러나오고 있다.

비치 보이스의 또 다른 트랙 'All Summer Long'은 영화의 엔딩 크레디트에서 들을 수 있다.

31-7. Good Vibrations - 〈어스 Us〉

조단 필 Jordan Peele 감독의 스릴러 〈어스 Us〉.

조시 Josh와 키티 Kitty는 알렉사 스타일의 가상 비서 virtual assistant 오펠리아 Opelia에서 비치 보이스 The Beach Boys의 'Good Vibrations'를 듣고 있다.

필 감독은 노래의 기발한 선율이 흐르는 와중에 화면에서는 피에 흠뻑 젖는 익살스러운 장난을 보여 주어 불안한 병치를 만들어 내고 있다.

키티가 마지막 숨을 내쉬며 '오펠리아, 경찰을 불러'라고 말하지만 가상 비서는 말을 잘못 알아듣고 있다.

이러한 안타까운 장면에서는 힙 합 그룹 NWA의 'F**k the Police'가 흘러나오고 있다.

엘리자베스 모스 주연의 〈어스〉. © imdb, hollywood reporter

31-8. Feel Flows - 〈올모스트 페이모스 Almost Famous〉

카메론 크로우(Cameron Crowe) 감독이 유명한 록 밴드 순회 공연에 동행하는 10대 롤링 스톤 기고가에 대한 사연을 담은 드라마가 〈올모스트 페이모스 Almost Famous〉.

흘러간 팝 선율이 화면을 가득 채우고 있다.

페니 레인(케이트 허드슨)이 웃음을 짓고 있는 〈올모스트 페이모스〉의 한 장면. © Warner Bros, imdb, hollywood reporter

비치 보이스의 'Feel Flows'는 윌리암(패트릭 푸지트)이 페니 레인(케이트 허드슨)과 록 밴드 스틸워터 멤버를 처음 만나는 장면에서 흘러나오고 있다.

그들이 처음 만났을 때 페니는 윌리암에게 매우 미스테리한 인물이라는 촌평을 말한다.

비치 보이스 노래는 영화가 끝나가 무렵 폴라로이드로 촬영한 화면을 몽타주로 보여주는 장면에서 다시 흘러나오고 있다.

31-9. God Only Knows - 〈부기 나이트 Boogie Nights〉

폴 토마스 앤더슨(Paul Thomas Anderson) 감독이 성인물 제작 영화 산업의 일화를 다룬 〈부기 나이트 Boogie Nights〉를 공개한다.

감독은 마틴 스콜세즈의 〈좋은 친구들 Goodfellas〉 제작 기법을 모방해서 1960년대 주목을 받았던 흘러 간 팝 히트 곡을 풍성하게 담은 사운드트랙을 제공하고 있다.

대령 한 명이 교도소에 수감되고 롤러 걸은 시험을 치른다.

새로운 나이트클럽이 개장을 알린다.

앰버는 벅의 가게 광고를 촬영하고 있다.

등장인물들 주변에서 벌어지는 일상적 모습을 몽타쥬로 빠르게 보여주는 장면에서 비치 보이스의 'God Only Knows'가 흐르고 있다.

헤더 그래함이 출연하고 있는 〈부기 나이트〉. © imdb, hollywood reporter

31-10. Heroes and Villains - 〈환타스틱 Mr. 폭스 Fantastic Mr. Fox〉

웨스 앤더슨 감독은 비치 보이스의 'Ol Man River'와 'I Get Around'를 훌륭하게 사용한 전력을 갖고 있다.

〈환타스틱 Mr. 폭스〉에서 가장 기억에 남는 것은 오프닝 장면에서 비치 보이스의 'Heroes and Villains'을 선곡해서 들려주고 있다는 것이다.

스쿼브 농장에 침입해서 새 장에 갇히게 직전.

폭스 부인은 미스터 폭스에게 자신이 임신했다고 말한다.

총을 든 농부들이 다가온다.

위급한 상황에서 폭스 부인은 폭스 씨에게 자신들이 살아서 나오게 된다면 더욱 합법적인 일자리를 찾겠다고 다짐한다.

〈환타스틱 Mr. 폭스〉. © 20th Century Fox, imdb, hollywood reporter

<위대한 레보스키 The Big Lebowski> - 기발한 범죄 코믹극에서 들려오는 밥 딜런, 짚시 킹스, CCR 등의 팝 명곡

두드 레보스키(제프 브리지스)는 친구들과 볼링장에서 시간을 죽이며 지내는 것을 좋아하고, 칵테일을 입에 붙이고 사는 백수.

어느 날 그의 집에 강도가 침입한다.

강도들은 가난한 두드 레보스키를 같은 동네 거주하고 있는 백만장자 빅 레보스키(데이비브 허들스톤)와 혼동한 것이다.

두 명의 강도들은 두드의 양탄자에서 소변을 보면서 그가 전혀 알지 못하는 빚을 갚도록 강요 한다

강도들 때문에 카펫트가 더럽혀 지자 백수 레보스키는 갑부 레보스키에게 변

상을 요구하러 간다.

이때 백만장자 레보스키 젊은 아내 버니(타라 레이드)는 인질범에게 납치당한다.

백수 레보스키는 협상을 위해 돈을 건네줄 사람으로 지명 받는다.

친구 월터와 함께 인질금 백만 달러 돈 가방을 중간에 가로채려다 불법 주차 단속에 걸려 차가 돈 가방과 사라지는 바람에 목적을 이루지 못한다.

백수 레보스키와 월터는 사라진 돈가방을 찾아 헤맨다.

이 와중에 백만장자 레보스키는 백수 레보스키 일행의 뒤를 쫓는다.

〈위대한 레보스키〉. © Polygram Filmed Entertainment, Working Title Films

두드와 월터는 빅 레보스키와 마주하게 된다.

그리고 버니는 아무에게도 말하지 않고 단순히 마을을 나갔던 것이 밝혀진다.

골목에서 두드는 영화 내레이터인 스트레인저를 만나게 된다.

그는 모드가 작은 레보스키를 임신했다고 귀띔해 준다-버라이어티 범죄 코미디를 표방하고 있는 〈위대한 레보스키〉.

밥 딜런에서 부터 록 밴드 CCR(Creedence Clearwater Revival)까지 다양한 아티스트 노래들이 사운드트랙을 구성해 주고 있다.

코헨 형제 감독의 기발한 컬트 클래식 〈위대한 레보스키 The Big Lebowski〉는 명품 배경 음악으로도 주목을 받아낸다.

필름 느와르 성향을 담고 있다.

동명이인으로 오해를 받는 동시에 복잡한 납치 음모 사건에 휘말려 평온한 생활을 즐기던 제프 두드 레보스키가 겪는 에피소드를 들려주고 있다.

〈위대한 레보스키〉. © Polygram Filmed Entertainment, Working Title Films

찐득한 블루스 곡과 냉정한 록큰롤 히트곡으로 가득찬 사운드트랙은 코헨 형제 감독의 특유의 엉뚱한 네오 느와르를 편안하고 태평한 분위기에서 감상하도록 유도하고 있다.

개봉 당시 엇갈린 평가를 받았다.

처음에는 박스 오피스에서 철저한 외면을 받았다.

그렇지만 시간이 지날수록 〈위대한 레보스키〉에 대한 광범위한 컬트 추종자들이 성원을 보내면서 코미디 걸작으로 추앙 받는다.

두드는 음악에 대한 상당한 조예가 있는 인물로 묘사되고 있다.

두드는 록 밴드 CCR Creedence Clearwater Revival의 열렬한 팬이지만 이글즈 Eagles 팬은 아니다.

밥 딜런 Bob Dylan에서 케니 로저스 Kenny Rogers, 캡틴 비프하트 Captain Beefheart에 이르기까지 〈위대한 레보스키 The Big Lebowski〉 사운드트랙은 영화 자체만큼이나 기발하고 상징적인 노래들로 가득 채워져 있다.

* 〈위대한 레보스키〉 사운드트랙 해설

32-1. Tumbling Tumbleweeds performed by Sons of the Pioneers

'Tumbling Tumbleweeds'는 카메라가 로스 엔젤레스 전역을 회전해서 보여주고 있는 오프닝 장면을 장식하고 있다. 이어 스트레인저(샘 엘리오트)의 나레이션이 앞으로 전개될 스토리를 소개해 주고 있다.

나중에 두드가 스트레인저를 만났을 때 볼링장 주크박스에서 노래가 다시 들려오고 있다.

32-2. The Man in Me performed by Bob Dylan

밥 딜런의 'The Man in Me'는 오프닝 크레디트를 장식해 주고 있다.

두드가 훔친 양탄자를 타고 L.A. 상공을 떠다니는 꿈 장면에서 다시 들려오고 있다.

32-3. Mucha Muchacha performed by Esquivel

두드가 수영장 옆에 앉아 발톱에 매니큐어를 칠하고 있는 버니(타라 레이드)를 만났을 때 들을 수 있다.

32-4. I Hate You performed by The Monks

볼링장에서 리그 경기가 진행될 때 그룹 몽크스의 'I Hate You'가 흘러나오고 있다.

스모키(지미 데일 길모어)의 발이 볼링 선을 넘어가는 반칙을 하게 된다.

〈위대한 레보스키〉에서 가장 재미있는 캐릭터인 월터(존 굿맨)는 스모키에게 총구를 0으로 표시하라고 명령한다.

32-5. Her Eyes Are a Blue Million Miles performed by Captain Beefheart

두드는 양탄자 위에서 태극권을 한다.

자동 응답기 메시지를 들으면서 레코드플레이어에서 캡틴 비프하트 Captain Beefheart 노래를 재생시킨다.

32-6. Requiem in D Minor performed by Wolfgang Amadeus Mozart

두드가 갑부 빅 레보스키를 만나고 자신의 집으로 귀가한다.

이때 갑부가 화로 불 옆에서 자신을 기다리고 있는 것을 목격하게 된다.

갑부는 아내 버니가 납치 되었다고 말한다.

이러한 장면에서 장송곡(葬送曲) 분위기의 모차르트 작곡 'Requiem in D Minor'가 들려오고 있다.

32-7. Hotel California performed by The Gipsy Kings

두드는 자동차 라디오에서 운전기사가 이글즈 노래를 듣고 있는 것에 대해 '그들 음악이 싫다'고 불평하다 택시에서 쫓겨난다.

월터와 두드가 볼링을 치는 동안 잔뜩 화가 난 지저스 퀸타나(존 터투로)가 볼링장으로 들어온다.

지저스 퀸타나가 등장하는 매우 상징적인 장면에서 이글즈 대표적 히트곡 'Hotel California'를 짚스 킹스가 커버한 노래가 들려오고 있다.

32-8. Glück Das Mir Verblieb performed by Ilona Steing－ruber, Anton Dermota, and The Austrian State Radio Orchestra

브랜트(필립 세이무어 호프만)은 두드에게 버니 납치범들에게 지불할 인질 금액에 대해 엄격한 지시를 내리고 있다.

이런 장면에서 에릭 볼프강 콘골드(Erich Wolfgang Korngold) 작곡의 오페라 '죽음의 도시 Die Tote Stadt'에 삽입 됐던 'Glück Das Mir Verblieb'가 흐르고 있다.

32-9. Run Through the Jungle performed by Creedence Clearwater Revival

두드가 자동차에서 내리려는 월터를 방해한다.

이에 월터가 달리는 자동차에서 뛰어 내린다.

긴박한 장면에서 그룹 CCR의 대표 히트곡 중 하나인 'Run Through the Jungle'이 흘러나오고 있다.

32-10. Behave Yourself performed by Booker T. & The M.G.'s

두드가 볼링장에 들어서 하차를 잘못한다.

이때 전화벨이 울린다.

전화벨을 무시하고 볼링장으로 올라온다.

이러한 장면에서 'Behave Yourself'가 들려오고 있다.

32-11. Walking Song performed by Meredith Monk

모드 스튜디오를 찾아 왔다가 통로를 못 찾아 잠시 방황하는 두드.

그가 머리 위로 그림을 그리던 그녀의 캔버스에서 페인트가 튀기는 것을 발견하게 된다.

이러한 장면에서 'Walking Song'이 들려오고 있다.

32-12. Traffic Boom performed by Piero Piccioni

모드가 두드에게 성인 영화 〈로감민 Logjammin〉을 보여준다.

'Traffic Boom'은 바로 영화에서 사용된 주제가이다.

〈위대한 레보스키〉. © Polygram Filmed Entertainment, Working Title Films

32-13. Standing on the Corner performed by Dean Martin

빅 레보스키가 고용하고 있는 리무진 운전사.
그가 주인의 지시를 받고 두드를 그의 아파트로 데려다 준다.
이런 장면에서 'Standing on the Corner'가 흘러나오고 있다.

32-14. Tammy performed by Debbie Reynolds

진상 행동으로 레스토랑에서 나가 달라는 요구를 받는 월터.
그는 태연하게 커피를 다 마시고 나가겠다고 반발한다.
그리고 불경스러운 대사를 터트린다.
이러한 장면에서 'Tammy'가 들려오고 있다.

32-15. We Venerate Thy Cross performed by The Rustavi Choir

두드가 모드가 운영하는 스튜디오로 돌아온다.
그곳에서 크녹스 해링턴(데이비드 튜리스)를 만나게 된다.
이러한 장면에서 'We Venerate Thy Cross'가 흘러나오고 있다.

32-16. My Mood Swings performed by Elvis Costello

두드가 모드의 전담 의사로 부터 건강 검진을 받는다.
진료 받는 동안 두드는 헤드폰을 통해 'My Mood Swings'을 듣고 있다.

32-17. Lookin Out My Back Door performed by Creedence Clearwater Revival

두드는 잠시 분실했던 자동차를 다시 되찾는다.
모드 의사로부터 건강 문제에 대한 해결책을 듣게 된다.
편안한 심정에 젖어 있는 두드는 'Lookin Out My Back Door'를 듣고 있다.

32-18. Gnomus performed by Modest Mussorgsky

두드의 집 주인이 댄스 쇼 장소에 있을 때 'Gnomus'가 연주되고 있다.

32-19. Oye Como Va performed by Santana

월터가 실수로 스포츠카를 박살낸다.
화면이 전환 된 뒤 월터, 두드, 도니가 패스트푸드 버거를 먹으면서 집으로 운전을 하고 있다.
〈위대한 레보스키〉 중 가장 재미있는 장면 가운데 하나에서 그룹 산타나가 연주, 노래해 주고 있는 'Oye Como Va'가 흘러나오고 있다.

32-20. Ataypura performed by Yma Sumac

성인 영화 전문 제작자 재키 트리혼.
그의 집에서 성대한 파티가 펼쳐지고 있다.
유쾌한 장면에서 흥을 돋구워 주는 'Ataypura'가 흐르고 있다.

32-21. Lujon performed by Henry Mancini

두드가 재키와 이야기를 하고 있다.
재키는 외부에서 걸려 온 전화를 받는다.
이러한 장면에서 'Lujon'이 흘러나오고 있다.

32-22. Piacere Sequence performed by Teo Usuelli

재키가 전화를 마치고 돌아와 두드에게 다른 음료수를 섞어준다.
약에 취한 칵테일이 두드를 기절시키기 직전에 'Piacere Sequence'가 흘러나오고 있다.

32-23. Just Dropped In (To See What Condition My Condition Was In) performed by Kenny Rogers

두드가 약물 복용 후 초현실적인 꿈을 꾸게 된다.
이러한 상황에서 케니 로저스의 'Just Dropped In (To See What Condition My Condition Was In)'이라는 긴 제목의 노래가 흐르고 있다.

32-24. Peaceful Easy Feeling performed by the Eagles

두드가 택시로 이동하는 도중 택시 운전사가 듣고 있는 노래가 'Peaceful Easy Feeling'이다.

노래를 듣게 된 두드는 '나는 빌어먹을 이글즈가 싫어 I hate the f***ing Eagles, man!'라고 외친다.

32-25. Viva Las Vegas performed by Richard Johnson

버니는 차를 몰고 지나가면서 'Viva Las Vegas'를 따라 부르고 있다. 그러면서 자신이 납치 된 것이 아니라고 밝힌다.

32-26. I Got It Bad and That Ain't Good performed by Nina Simone

두드와 모드가 함께 침대에 누워 있다.
그리고 서로를 잘 알게 됐다는 감정을 갖게 될 때 'I Got It Bad and That Ain't Good'이 들려오고 있다.

32-27. Stamping Ground performed by Moondog

두드와 월터가 자동차 안에서 납치된 버니를 구출하기 위한 계획을 짤 때 'Stamping Ground'가 재생되고 있다.

32-28. Dead Flowers performed by Townes van Zandt

두드와 월터가 볼링을 치러 가는 마지막 장면.
상상 속에 있는 듯한 인물 스트레인저가 클로징 나레이션을 말하고 있다.
이러한 장면에서 'Dead Flowers'가 흘러나오고 있다.

32-29. Viva Las Vegas performed by Shawn Colvin

'Dead Flowers'에 이어 엔딩 크레디트 2번째 노래로 선곡된 곡이 흥겨운 리듬을 잔뜩 담고 있는 'Viva Las Vegas'이다.

〈위대한 레보스키〉. © Polygram Filmed Entertainment, Working Title Films

<슈렉 Shrek> 시리즈 흥행을 이끌어낸 노래 베스트 - 록 밴드 스매시 마우스 'All-Star' 덕분에 대중적 환대 받아 내

'All-Star'에서 'Bad Reputation' 까지 귀여운 녹색 괴물 '슈렉'.

흥미진진한 모험 극을 펼쳐 주면서 시리즈 4부까지 공개되는 성원을 받아냈다.

슈렉과 피오나 사연을 담고 있는 〈슈렉〉 시리즈를 거론할 때면 단번에 떠오르는 노래가 있다.

모두가 좋아하고 있는 노래도 여러 곡이 언급되고 있다.

뉴 욕 타임즈 New York Times는 '슈렉 Shrek' 프랜차이즈 흥행 포인트의 핵심 요인으로 MZ 세대 마음까지 포획한 다채로운 배경 노래를 제시해 독자들의 공감을 얻어냈다.

할리우드 팝 비평가들도 '약간의 웃음. 약간의 향수심 그리고 종 종 펑크 감성이 담겨져 있는 팝 선율이 슈렉에게 꾸준히 환대를 보낼 수 있는 요소가 됐다.'는 의견을 내놓았다.

시리즈 〈슈렉〉에서 들려오는 모든 음악은 많은 메시지를 간접 전달해주고 있다. 함께 제공되는 장면에 대한 코믹한 상황도 설명해주고 있다.

예를 들어 데이비드 보위 David Bowie의 'Changes' 커버는 〈슈렉 2 Shrek 2〉 마법 물약을 마시고 신체 형태가 변형되는 배경 음악에서 들려오고 있다.

관객들에게 장면에 대한 강한 인상을 남기는데 일조했음은 당연하다.

〈슈렉〉 프랜차이즈에서 선곡됐던 노래들은 귀에 쏙쏙 들어왔다.

특정 장면에 대해 영향을 끼치는 문화적 영역이 컸다고 할 수 있다.

월트 디즈니 아성을 허물어트리는데 앞장서게된 신흥 애니메이션 명가 드림웍스 DreamWorks.

〈슈렉 Shrek〉은 〈슈렉 2 Shrek 2〉 〈슈렉 3 Shrek the Third〉 및 〈슈렉 포에버 Shrek Forever After〉는 드림웍스 버전의 독특한 사운드트랙을 담고 있는 애니메이션으로 유명세를 지속해 나가고 있다.

*〈슈렉〉 시리즈에서 선곡된 노래 베스트 해설

33-10. Isn't It Strange performed by Scissor Sisters, 〈슈렉 포에버 Shrek Forever After〉(2010).

2000년대-2000년부터 2009년까지-디스코 분위기에 맞추어 춤을 출 수 있는 분위기를 만들어준 노래가 'Isn't It Strange'이다.

팝 록 밴드 시저 시스터즈 Scissor Sisters가 〈슈렉〉 사운드트랙을 위해 특별하게 작곡한 것으로 알려졌다.

〈슈렉 포에버〉. © DreamWorks SKG

〈슈렉 Shrek〉 프랜차이즈의 4번째 작품의 오프닝을 장식하고 있는 매우 기분 좋은 노래로 주목받는다.

〈슈렉 포에버 Shrek Forever After〉에서 슈렉은 가족생활에 환멸을 느끼고 있다. 자신이 얼마나 많이 변했는지도 되돌아보고 있다.

이전에는 슈렉을 쫓아다니면서 위협했던 마을 사람들.

이제는 그에게 쇠스랑을 겨냥하기보다 서명을 해달라고 요청하는 역전 상황이 펼쳐진다.

이러한 반전(反轉) 장면의 배경 노래로 'Isn't It Strange'가 사용되고 있다.

팝 비평가들은 '훌륭한 곡이지만 단지 아쉬운 점은 〈슈렉〉 프랜차이즈에서 가장 낮게 평가된 4부에 수록되어 있다는 것이 일말의 아쉬움을 주고 있다.'는 의견을 밝혔다.

33-9. Bad Reputation performed by Joan Jett, 〈슈렉 Shrek〉 (2001)

〈슈렉〉 첫 번째 영화.

성 밖 늪지대에 거주하고 있는 못생기고 무지무지 큰 괴물 슈렉.

어느 날 자신만의 '고요한 안식처'에 여러 동물들이 무리 지어 쳐들어온다.

탐욕스런 파콰드 영주 Lord Farquaad가 일단의 동물 무리들을 추방시킨 것.

이런 사실을 알게 된 슈렉은 쉴 새 없이 떠들어 대는 당나귀 덩키의 안내를 받아 파콰드 영주와 담판을 지으러 찾아간다.

〈슈렉〉 프랜차이즈 1부. © DreamWorks SKG

성 외곽에서 파콰드를 추종하는 무리들과 장대한 한 판 싸움을 펼치게 된다.

이러한 장면에서 흘러나오는 박진감 넘치는 펑크 록이 여걸 조안 제트의 샤우팅 창법이 돋보이는 'Bad Reputation'이다.

'Bad Reputation'이 흘러나오는 동안 슈렉은 파콰드 추종 무리들을 가볍게 제압해 버리면서 더욱 활기차고 흥미진진한 장면을 만들어 낸다.

노래 제목처럼 슈렉은 자신에게 가해질 외부 평판에 신경 쓰지 않는다. 자신의 무서운 면을 적극 활용해서 외부 침입자들을 방류한 이들을 제압하겠다는 의지가 강하다.

다시 홀로 평화롭게 지내겠다는 심정을 드러내는 노래로 활용되고 있는 것이다.

길 징거 감독, 히스 레저 + 줄리아 스타일스 주연의 로맨틱 코미디 〈내가 널 사랑할 수 없는 10가지 이유 10 Things I Hate About You〉(1999), 저드 아파토우 감독의 컬트 시리즈 〈프릭스 앤 긱스 Freaks and Geeks〉(1999)에서도 이미 'Bad Reputation'이 배경 노래로 사용된 전력이 있다.

'슈렉'의 강한 의지력만큼 펑크 Punk 및 하드 록 hard rock을 표방하고 있는 'Bad Reputation'.

다채로운 영화 장르에서 노래에 대한 진가를 인정받고 있는 것이다.

33-8. I'm On My Way performed by The Proclaimers, 〈슈렉 Shrek〉 (2001)

〈슈렉〉에서 파쿼드 무리들을 제압하기 위해 의기투합하고 있는 동키와 슈렉. © DreamWorks SKG

불 뿜는 용이 보초를 서고 있는 성에 갇힌 피오나 공주.

피오나 공주를 구하기 위해 의기양양하게 수다쟁이 동키를 동반하고 여정을 떠나는 슈렉.

피오나 공주 구출 작전이 성공하기를 바라는 심정에서 배경 노래로 들려오는 곡이 그룹 프로크레이머스 The Proclaimers의 'I'm On My Way'.

노래가 시작되는 시점에서 반항적인 슈렉은 파쾨드 영주가 자신의 늪 보호구역에 몰려 온 여러 동물들을 철수시키는 조건으로 피오나 공주를 구출해 오겠다는 조건에 합의를 하게 된다.

노래 가사 중 '나는 불행에서 행복으로 가고 있네 I'm on my way to misery to happy'는 슈렉이 노숙자와 같은 비천한 삶의 구렁이에서 향후 피오나와의 사랑을 맺어 삶의 급격한 변화를 겪을 것이라는 점을 예고시켜주고 있다.

수다쟁이 동키와 함께 슈렉이 농장과 황무지를 밤낮으로 걸어서 오래된 성으로 향하는 여정 동안 경쾌한 선율이 지속되고 있다.

그러나 유쾌한 분위기를 조성해 주었던 노래와는 다르게 오래된 성에 도착한 슈렉과 동키.

이들 앞에는 깊은 용암 골짜기, 오래된 성이 풍겨 주고 있는 위압감, 강력한 불을 내품는 무시무시한 용이 존재하고 있다.

반전(反轉)을 제시하는 상황.

관객들에게 극에 몰입할 수 있는 흥미로움을 던져주고 있다.

33-7. Immigrant Song performed by Led Zeppelin, 〈슈렉 3 Shrek the Third (2007)〉

〈슈렉 3 Shrek the Third〉는 록 밴드 레드 제플린 Led Zeppelin 명곡 'Immigrant Song'을 가장 잘 사용했던 몇 안 되는 영화 중 하나로 평가 받고 있다.

1970년 처음 발표된 상징적인 록은 피오나와 그녀의 공주 친구들이 마법 재능을 폭력으로 사용하는 모습의 배경 노래로 흘러나오고 있다.

피오나 아버지 해롤드 왕이 위독해져 슈렉과 피오나가 왕위를 계승해야 하는 상황이 벌어진다는 것이 3부.

해롤드 왕은 슈렉에게 왕위 계승 다음 서열인 피오나 먼 친척 아더 왕자를 찾아오면 슈렉이 원하는 늪으로 돌아가도 좋다는 타협책을 제시한다.

슈렉은 동키, 장화 신은 고양이와 함께 아더 왕자를 찾기 위한 머나먼 여정을 떠나게 된다.

슈렉이 없는 틈을 이용해 차밍 왕자는 동화 속 악당들을 집결시켜 겁 나 먼 왕국을 차지하려는 음모를 꾸민다.

왕국에 남아있던 피오나 등 5 공주-백설 공주, 신데렐라, 잠자는 숲속의 공주, 라푼젤-와 릴리안 왕비는 힘을 합쳐 차밍 음모 저지 작전에 나선다.

백설 공주. 악당 왕자 차밍를 보호하는 경비병을 따돌리기 위해 숲속에 거주하고 있는 동물들을 유인하려고 한다.

〈슈렉 3〉. © DreamWorks SKG

백설 공주는 포크 메탈 folk metal 진수를 담고 있는 'Immigrant Song' 오프닝을 매혹적인 보컬로 불러 주고 있다.

'Immigrant Song'은 노래 작곡에 얽힌 극적인 일화를 갖고 있는 곡이다.

1970년 여름 레드 제플린은 아이슬랜드 레이카비크에서 순회공연을 준비 중이었다. 아이슬란드 정부 초대를 받고 현지에 도착한다.

밴드가 도착하기 전날 모든 공무원이 파업에 들어갔고 공연이 취소될 예정이라는 통보를 받는다. 대학에서 레드 제플린을 위한 콘서트홀을 제공한다.

대학생들의 뜨거운 반응 속에서 콘서트는 예정대로 진행된다.

극적인 순간을 경험한 리드 싱어 로버트 프랜트는 북유럽 신화와 모험을 즐겼던 바이킹과 같은 인물의 여정을 헤비 메탈 리듬에 담아 곡을 작곡하게 된다.

1970년 11월 5일 발매된 노래는 레드 제플린 대표 명곡으로 환대 받는다.

'Immigrant Song' 가사에는 전투와 전쟁을 언급하는 내용이 들어 있다.

〈슈렉 3〉에서는 비록 'Immigrant Song' 오프닝 리듬만을 사용하고 있다.

그렇지만 사악한 차밍 왕자 음모를 저지하려는 백설 공주 의지를 효과적으로 드러내 주는 역할을 해냈다는 찬사를 받는다.

33-6. Ever Fallen In Love performed by Pete Yorn, 〈슈렉 2 Shrek 2〉(2004)

〈슈렉 2〉에서 동키, 푸시, 슈렉. © DreamWorks SKG

'사랑해야 할 사람과 사랑에 빠진 적이 있나요? Ever fallen in love with some-one you should've?'.

펑크 록 Punk rock, 뉴 웨이브 장르 노래로 평가 받은 'Ever Fallen In Love'

영국 펑크 록 밴드 버즈콕스 Buzzcocks가 1978년 발표, 영국 팝 차트 12위까지 진입했다.

'Ever Fallen in Love (With Someone You Shouldn't've)'이 다시 주목을 받은 것은 미국 싱어 송 라이터 피트 욘(Pete Yorn)이 커버한 이후.

이 노래는 자유분방하게 살아 온 슈렉이 피오나의 왕실과 어울리는지 심사숙고하는 장면의 배경 노래로 흘러나오고 있다.

노래 가사는 흡사 슈렉이 처한 상황을 묘사해 주는 것처럼 상황이 맞아 떨어지고 있다.

2부는 허니문에서 돌아온 슈렉과 피오나 커플의 여정으로 시작된다.

녹색 커플은 겁나먼 왕국 왕과 왕비인 피오나의 부모님으로부터 초대를 받는다.

슈렉이 모습을 드러내는 순간, 멋진 왕자를 기대했던 모든 이들은 기절초풍.

피오나 공주도 슈렉을 닮아 녹색 괴물이 되어 버린 상태.

충격적인 상황에 화가 치솟은 피오나 아버지 해롤드 왕.

피오나의 강력한 예비 신랑이었던 차밍 왕자와 그의 엄마 요정 대모의 협박까지 가세한다.

해롤드 왕은 슈렉을 제거하기 위해 전문 킬러 '장화 신은 고양이'를 호출해 피오나로부터 녹색 괴물 슈렉을 영원히 떼어놓을 작전을 지시한다.

슈렉은 해롤드 왕이 자신을 제거하기 위한 음모를 꾸민 사실을 알게 된다.

'해피 엔딩' 전문이라는 명함을 보고 요정 대모의 오두막을 찾는다.

요정 대모는 '공주가 행복해 지기 위해서는 괴물만 없어지면 된다.'고 선언한다.

슈렉은 최후 수단으로 마법의 약을 만드는 공장에 몰래 잠입해서 물약을 훔치는데 성공한다.

이런 상황을 겪으면서 슈렉은 피오나를 향한 사랑이 노력할 가치가 있는지 진지하게 생각하게 된다.

피트 욘이 흥겹고 빠른 템포로 편곡시킨 'Ever Fallen In Love'가 흐리는 동안 슈렉은 자신의 목숨을 노리는 석궁을 피하고, 서까래에서 휘두른다.

거대한 보라색 물 약 냄비를 쏟아 일꾼들을 비둘기로 만드는 마법을 만들어 내는 동안 들려오는 노래 리듬은 장면과 적절하게 어울리고 있다.

33-5. I'm A Believer performed by Smash Mouth, 〈슈렉 Shrek〉(2001)

'나는 사랑이 동화에서만 사실이라고 생각했어요. I thought love was only true in fairytales'.

그룹 스매시 마우스 Smash Mouth가 〈슈렉 Shrek〉 사운드트랙을 위해 그룹 몽키스 The Monkees의 팝 클래식 'I'm A Believer'를 특별하게 커버했다는 후문.

불을 뿜어 대는 사나운 용이 지키고 있는 성(城)에 갇혀 있는 피오나 공주.

전격적으로 구출하는데 성공한 슈렉. 졸지에 피오나와 함께 생활하게 된 상황.

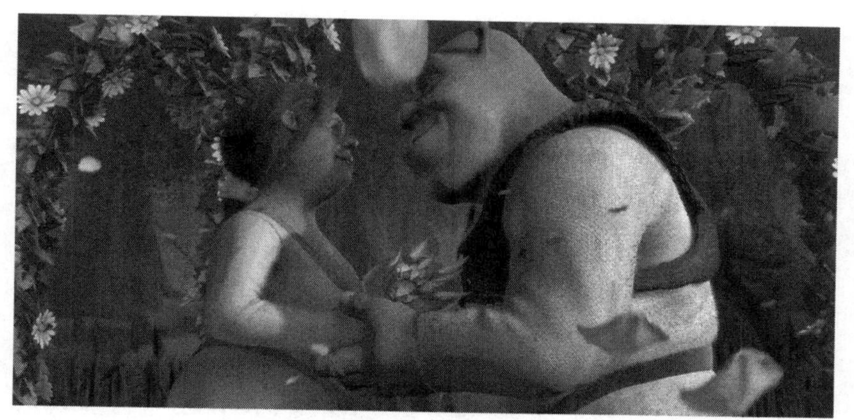

〈슈렉〉에서 펼쳐지고 있는 슈렉과 피오나의 결혼식 장면. © DreamWorks SKG

피오나는 '잠자는 숲속의 공주'처럼 누워 있다가 갑자기 키스를 해달라고 조른다. 산적들이 나타나면 공중제비를 돌며 '매트릭스' 발차기를 하는 등 엽기적 행동에 슈렉의 마음이 기우러진다.

피오나 공주 역시 외모는 흉측하지만 보면 볼수록 듬직한 슈렉에게 서서히 마음을 빼앗긴다.

못생긴 녹색 괴물 슈렉이 기품 있는 귀족 가문 피오나와 전격 결혼식을 치르게 된다는 환상적인 내용.

1994년 출범한 미국 5인조 록 밴드 스매시 마우스 Smash Mouth.

이들이 편곡시켜 수록 한 'I'm A Believer' 노래 가사는 〈슈렉〉의 해피엔딩을 예측시켜 주는 분위기를 만들어 내고 있다.

빌보드는 '첫 번째 영화 마지막 결혼식 장면에서 이 노래가 들려오고 있는 것은 적절하다. 말도 안 되게 귀에 쏙쏙 들어오고 낙관적이어서 듣고 나면 미소를 짓지 않을 수 없다. it's only fitting that this song plays at their wedding at the end of the first movie. It's also ridiculously catchy and optimistic and it's impossible not to smile after hearing it'는 리뷰를 게재한다.

33-4. Livin La Vida Loca performed by Antonio Banderas & Eddie Murphy, 〈슈렉 2 Shrek 2〉(2004)

〈슈렉 2〉에서 노래 솜씨를 발휘하고 있는 동키와 장화 신은 고양이.

차밍 왕자가 피오나에게 키스한다.

사랑에 빠지는 대신 차밍은 피오나의 일격을 받고 쓰러진다.

해롤드는 사랑의 묘약이 들어있는 피오나의 녹차를 다른 차로 바꿨다고 밝힌다.

분노한 요정 대모는 마법 지팡이로 슈렉을 죽이려 한다.

해롤드는 그 앞으로 뛰어 들어 개구리 왕자로 되돌아간다.

주문은 그의 갑옷에서 튀어 나와 대모를 거품으로 증발시켜 버린다.

요정 대모가 사라지자 해롤드는 릴리안의 사랑을 얻기 위해 몇 년 전에 'Happily Ever After' 물약을 사용한 것을 인정하고 사과한다.

슈렉과 피오나의 결혼을 승인한다.

릴리안은 해롤드에게 여전히 그를 사랑한다고 확신시킨다.

시계가 자정을 가리키자 피오나는 인간으로 남겠다는 슈렉의 제안을 거부하고 오우거로 돌아간다. 당나귀도 정상으로 돌아간다.

당나귀와 결혼했던 드래곤은 이제 몇 마리의 드래곤-당나귀 잡종 아기가 있었음이 밝혀진다.

댄스 파티 마무리 장면.

장화를 신은 고양이(안토니오 반데라스)와 동키(에디 머피)는 흥겨운 라틴 댄스 곡 'Livin La Vida Loca'를 듀엣으로 열창한다.

원곡은 1999년 3월 19일 리키 마틴 Ricky Martin이 발표해 빌보드 1위에 진입된 히트곡이다.

2000년대 초까지 라틴 및 댄스곡이 서구 팝 시장을 석권하는 선도 역할을 한 흥겨운 노래이다.

앞서 언급한 대로 〈슈렉 2〉는 사악한 요정 대모가 거품으로 변하고, 피오나 공주를 유혹하려는 차밍 왕자 계획이 실패하게 된다.

슈렉과 피오나가 여러 난관을 극복하고 다시 한 번 돈독한 동반자 관계에 놓여 있게 된다는 것으로 마무리 된다.

슈렉과 피오나의 맞게 되는 상황은 확실히 축하할 일이다.

당나귀, 장화 신은 고양이 등 상징적인 조역들이 마이크를 잡고 왕실 무도회를 위한 쇼를 펼친다.

근엄했던 해롤드 왕이 개구리 왕자로 변해 흥겨운 댄스 파티에 합류한다.

이때 들려오는 'Livin La Vida Loca'는 관객들도 흥에 빠트리고 있다.

33-3. Accidentally In Love performed by Counting Crows, 〈슈렉 2 Shrek 2〉(2004)

〈슈렉 Shrek 2〉를 위해 록 밴드 카운팅 크로우스 Counting Crows가 발표한 'Accidentally In Love'.

77회 아카데미 주제가 상 후보로 지명되는 열띤 호응을 얻어낸다.

드림웍스 DreamWorks는 〈슈렉 2〉의 흥행을 조성하기 위해 록 밴드 리드 싱어 아담 두리츠 Adam Duritz를 초빙해서 완전한 창작의 자유를 제공했다고 한다.

노래 작성 과정에 도움을 주기 위해 개봉 전에 영화를 미리 감상할 수 있는

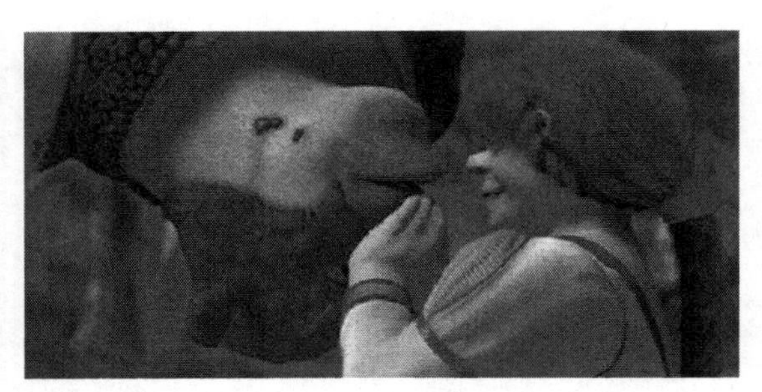
〈슈렉 2〉에서 키스를 나누고 있는 슈렉과 피오나. © DreamWorks SKG

기회도 제공했다고 한다.

신혼여행에서 돌아온 슈렉과 피오나 공주.

결혼을 축하하기 위해 피오나 부모가 왕실 무도회에 초대했다는 사실을 알게 된다.

슈렉과 피오나의 신혼여행을 축하하면서 오프닝에서 흘러나오는 노래가 'Accidentally In Love'이다.

피오나 공주는 잘생긴 왕자가 그녀를 탑에서 구해줄 것으로 기대했다.

반면 슈렉은 자신의 영역을 침범한 여러 동물들을 철수시키겠다는 파콰드 영주의 제안을 받고 피오나를 구출해 주었을 뿐이었다.

처음에는 서로에게 무심했지만 우연히 사랑에 빠지게 된다.

이런 상황은 그들이 계획 한 것은 전혀 아니었다.

슈렉과 피오나의 돌발적 러브 라인 형성은 영화에서 펼쳐질 흥겨운 분위기를 조성해 주는 정말 좋은 상황인 것은 틀림없다.

우연하게 사랑에 빠졌다는 사연을 들려주고 있는 'Accidentally In Love'.

〈슈렉 2〉에 대한 고양된 분위기를 조성해 주는 틀림없이 즐거운 노래라고 할 수 있다.

33-2. Holding Out for A Hero performed by Jennifer Saunders, 〈슈렉 2 Shrek 2〉(2004)

해롤드는 요정 대모 아들 차밍 왕자가 자신의 노후 안위를 지켜 줄 것이라고 믿고 슈렉을 제거하기로 마음먹는다.

장화 신은 고양이를 암살자로 파견한다.

그렇지만 슈렉을 제거할 수 없다고 판단한 고양이는 해롤드로부터 매수 당했다고 고백하면서 동맹이 되겠다고 제안한다. 슈렉, 동키, 고양이는 대모 요정의 공장에 잠입해서 묘약인 'Happily Ever After' 물약을 훔친다.

슈렉과 당나귀는 물약을 마시지만 아무 일도 일어나지 않는다.

한편, 머나 먼 왕국에 머물고 있는 피오나는 슈렉이 집으로 돌아갈 수 있도록 준비한다. 다음날 아침 물약은 슈렉과 피오나는 인간으로, 당나귀를 흰 종마로 변신하게 된다. 이러한 변화를 영구적으로 유지하려면 슈렉은 자정까지 피오나에게 키스해야 한다.

〈슈렉 2〉에서 요정 대모가 노래하는 장면. © DreamWorks SKG

슈렉, 당나귀, 고양이는 성으로 돌아간다. 물약이 도둑 당했다는 것을 발견한 요정 대모는 차밍을 보내 슈렉으로 가장하고 피오나의 사랑을 얻도록 한다.

요정 대모의 재촉에 슈렉은 피오나를 행복하게 만드는 가장 좋은 방법은 그녀를 놓아주는 것이라고 믿고 성을 떠난다.

차밍과 사랑에 빠지도록 요정 대모는 해롤드에게 피오나가 마실 차에 넣을 사랑의 묘약을 제공한다. 이러한 술수는 동키가 폭로해 버린다.

〈슈렉 Shrek 2〉의 클라이막스 무도회 장면.

요정 대모(제니퍼 사운더스)가 열창해 주면서 관객들의 관심을 폭증시키는 노래가 'Holding Out for A Hero'. 허스키한 창법이 매력 포인트였던 보니 타일러 Bonnie Tyler가 1984년 1월 발표했다.

케빈 베이컨 주연의 댄스 영화 〈풋루즈 Footloose〉 사운드트랙에 수록되면서 대중적 인기를 얻어낸다.

요정 대모가 왕실 무도회에서 노래를 열창하는 동안 장면이 바뀐다.

거대한 진저브레드 맨 Giant Gingerbread Man 어깨 위에 동키, 장화 신은 고양이, 피노키오, 빅 배드 울프, 3명의 아기 돼지, 3마리 눈 먼 쥐 등이 올라타 슈렉과 함께 성을 공격하고 있다.

슈렉은 사랑의 묘약이 효과를 발휘하지 못하도록 차밍 왕자보다 먼저 피오나에게 키스하기 위해 달려간다.

'Holding Out for A Hero'가 점층법으로 고조된다.

노래 제목처럼 피오나에게도 영웅이 필요한 것처럼 보인다.

그녀는 키스를 하려는 차밍에게 박치기로 쓰러 트려 기선을 제압한다.

스스로 구조자가 된다. 노래는 장면과 매우 잘 어울린다. 제니퍼 사운더스 버전은 원곡자 보니 타일러와 비교해도 전혀 손색이 없다는 찬사를 받는다.

33-1. All-Star performed by Smash Mouth, 〈슈렉 Shrek〉 (2001)

외모는 불품 없지만 볼수록 귀여움을 발산해 주고 있는 녹색 괴물 슈렉. © DreamWorks SKG

5인조 얼터너티브 록 밴드로 1994년부터 활동한 스매시 마우스 Smash Mouth.

이들은 그룹 워 War의 'Why Can't We Be Friends?', 릭 애슬리 Rick Astley의 'Never Gonna Give You Up', 심플 마

인드 Simple Minds의 'Don't You (Forget About Me)', 그룹 퀸 Queen의 'Under Pressure' 등 익히 알려져 있는 록 곡을 커버 버전으로 발표해 주목을 받아냈다.

독자적 음색을 표출해서 주목을 받은 곡은 'Walkin on the Sun'(1997).

1999년 발표했던 곡이 'All Star'.

2001년 공개된 〈슈렉 Shrek〉 시작 부분.

슈렉이 늪 속에 있는 변기 문 밖으로 the door of his swamp toilet 걸어 나오는 상징적 장면의 배경 노래로 'All Star'가 채택되면서 밴드 스매시 마우스 Smash Mouth의 존재감을 뚜렷하게 각인시킨다.

〈슈렉〉 흥행 덕을 가장 많이 본 록 밴드라는 질투 어린 찬사를 받게 된다.

'All-Star'는 2000년대가 시작되는 시대 분위기에 가장 어울리는 매우 기분 좋은 곡이라는 칭송이 쇄도한다.

외부 침입자로 인해 자신의 영역이 뒤집어지기 직전.

늪에서 방귀를 뀌고 무서운 자화상을 드러내는 독신자 오우거 슈렉.

그의 상황을 매우 재치 있게 각인시키는 역할을 해낸 것이 배경 노래 'All-Star'이다.

밴드 스매시 마우스에서 기타 겸 작곡가로 참여하고 있는 그레그 캠프 Greg Camp.

사회에서 소외 받고 방치되고 있는 '추방자들을 위한 찬가 an anthem for outcasts'를 위해 노래를 작곡했다고 밝혔다.

노래는 밴드가 1999년 5월 4일 2번째 앨범 'Astro Lounge'에 수록된다.

뮤직 비디오에는 코믹 연기자 벤 스틸러 Ben Stiller가 주연을 맡았던 영화 〈미스테리 맨 Mystery Men〉의 주요 영상이 인용돼서 보여지고 있다.

여러 일화를 탄생시켰지만 어쨌든 'All-Star'는 지금도 〈슈렉〉이 탄생시킨 대표적 히트 곡으로 추천 받고 있다.

<슈팅 스타 Shooting Stars>, 농구 스타 업적 칭송해주기 위해 그룹 코모도스+밴드 아웃캐스트 히트 곡 초빙

농구 스타 르브론 제임스의 어린 시절을 조망해 보고 있다. 르브론 제임스와 버즈 비싱거의 공동 저서 '슈팅 스타'를 각색한 장편 영화이다. - 버라이어티

A look at the young life of basketball star LeBron James. Feature film adaptation of LeBron James and Buzz Bissinger's book Shooting Stars. - Variety

스포츠 영화 배경 음악으로는 그룹 코모도스 The Commodores의 널리 알려진 히트 곡에서부터 경쾌한 아웃캐스트 Outkast 트랙에 이르기까지 다양하게 선곡되어 있다.

르브론 제임스의 전성기 시절의 일화를 다룬 영화의 사운드트랙은 1970년대부터 시작해서 2000년대 발표된 노래까지 다채롭게 선곡돼 음악 팬들의 기대감을 증폭시켜 주고 있다.

〈슈팅 스타〉. © Universal Studios

할리우드 리포터는 '슈팅 스타는 스포츠 세계를 1990년대 후반과 2000년대 초반으로 되돌려 놓고 있다. 슈팅 스타는 르브론 제임스의 고등학교 농구팀의 감동적인 이야기를 담아내기 위해 향수를 불러일으키는 히트로 가득 찬 사운드트랙을 포함하고 있다. Bringing the sports world back to the late 1990s and early 2000s, Shooting Stars has a nostalgic hit-filled soundtrack to score the touching story of Lebron James high school basketball team'는 찬사를 보내고 있다.

르브론 제임스는 4번의 NBA 챔피언 자리에 올랐던 농구 스포츠 달인.

그가 유소년 농구 팀-슈팅 스타 The Shooting Stars-에서 겪은 일화.

그리고 'Fab Five' 팀 동료 드루 조이스 3세 Dru Joyce III, 윌리 맥기 Willie McGee, 시안 코튼 Sian Cotton, 로미오 트래비스 Romeo Travis 등과 의기투합해서 불세출의 농구 스타로 성장하기까지의 실화 과정을 대형 화면으로 각색해 펼쳐 보이고 있다.

영화는 르브론 제임스의 중학교 시절부터 2003년 NBA 드래프트까지 이어지고 있다.

보잘 것 없는 시작에서 10대 때 엄청난 스타덤에 오르는 그의 빠른 성장이 박진감 넘치게 묘사되고 있다.

젊은 배우들이 〈슈팅 스타 Shooting Stars〉 실제 캐릭터를 떠올려주는 실감나는 이야기를 들려주고 있다.

농구 영화이지만 흘러간 히트곡과 1990년대 후반의 팝계를 장식했던 다양한 노래들이 사운드트랙으로 포진하고 있다,

10대들의 부모와 슈팅 스타 Shooting Stars 코치들이 공감했던 1970년대 리듬 앤 블루스 장르 노래도 들을 수 있다는 것이 흥행 포인트를 높여주는 요소가 된다.

르브론 팀의 농구 경기와 연습을 득점하든, 흥미진진한 경기를 펼치든, 캐릭터가 노래를 부르든.

〈슈팅 스타 Shooting Stars〉에서 들려오는 다양한 노래들은 스포츠 영화의 향수를 훌륭하게 향상시켜 주고 있다.

* 〈슈팅 스타〉 사운드트랙 해설

34-1. Zoom performed by The Commodores

중학교 시절 슈팅 스타 Shooting Stars 팀이 성공적인 경기 시합을 끝낸다.

드루 Dru 코치는 흥에 겨워 소년들을 집으로 데려다 줄 때 흥얼거리면서 불러주는 노래가 'Zoom'이다.

아들 릴 드루 Lil Dru(카렙 맥라그린)는 악성 음치 아버지가 불러 주는 노래를 듣고 매우 부끄러워한다.

이 노래는 팀이 시니어 챔피언십 경기에서 우승한 후에 다시 불리워진다.

이번에는 TV 시리즈 〈기묘한 이야기 Stranger Things〉에서 루카스 역할로 알려진 카렙 맥라그린 Caleb McLaughlin을 포함한 주변 소년들이 함께 노래해 주고 있다.

34-2. Young, Gifted and Black performed by Aretha Franklin

1972년 아레사 프랭클린이 소울 풍으로 불러 주어 리듬 앤 블루스 차트에서 호응을 얻었던 곡이 'Young, Gifted and Black'.

이 노래는 〈슈팅 스타 Shooting Stars〉에서 14세 르브론 제임스가 문신을 새기는 장면에서 흘러나오고 있다.

르브론은 문신을 한 것에 대해 어머니가 심한 질책을 할 것을 예상하고 이 노래가 흐르는 동안 자전거를 타고 오하이오 주 아크론 Akron을 통과하고 있는 장면이 보여지고 있다.

〈슈팅 스타〉. © Universal Studios

34-3. It Was a Good Day performed by Ice Cube

팹 4 Fab Four가 새로 입학한 학교에서 처음 몇 개월 동안 농구 훈련을 하는 장면이 슬로우 모션 몽타주로 보여지고 있다.

이러한 장면에서 1992년 아이스 큐브가 히트시켰던 힙합 노래 'It Was a Good Day'가 들려오고 있다.

34-4. SLAM performed by Onyx

팀이 댐브로트 코치와 함께 농구 트라이아웃 훈련을 받는다.

이러한 장면에서 오닉스 그룹의 'SLAM'이 배경 노래로 흘러나오고 있다.

34-5. Made You Look performed by Nas

영화가 상영된 지 약 30분이 지난 뒤.

고등학교 팀 선배들과의 팹 4 Fab Four가 양보 없는 경기를 펼치게 된다.

치열한 승부욕을 드러내는 장면의 격려 곡으로 'Made You Look'이 사용되고 있다.

34-6. We're an American Band performed by Grand Funk Railroad

파이팅 아이리시 Fighting Irish 팀이 구야호가 폴스 Cuyahoga Falls를 상대로 치열한 승부전을 펼치고 있다.

시합 장면이 슬로우 모션으로 보여 지면서 1973년 발매됐던 록 음악 'We're an American Band'가 흘러나오고 있다.

이 노래는 시합을 치르는 팀의 활동 상황을 보도한 다양한 신문 기사 장면을 보여주는 동안 계속해서 들려오고 있다.

34-7. WHOA! performed by Black Rob

윌리가 차를 구해 또래 소녀들을 태우고 시내를 돌아다니는 드라이브에 나선다. 〈슈팅 스타 Shooting Stars〉 주요 출연진들은 흥겨운 분위기에 휩싸여 2000년에 발표된 'WHOA!'를 흥겹게 따라 부르고 있다.

34-8. Everyone Nose (All the Girls Standing in the Line for the Bathroom) performed by N.E.R.D

르브론, 드루, 윌리, 시안이 게임을 마치고 파티장에 첫 번째로 도착하고 있다. 이들의 등장을 축하한다는 듯이 'Everyone Nose (All the Girls Standing in the Line for the Bathroom)'이 배경 음악으로 들려오고 있다.

34-9. We Gonna Make It performed by Jadakiss feat. Styles P

창단 3년째를 맞고 있는 파이팅 아이리쉬 팀.

이들이 존재감을 드러낼 큰 경기를 위해 이동 버스에 탑승한다.

버스에 오르면서 승리를 위한 결속을 다지면서 'We Gonna Make It'을 힘차게 따라 부르고 있다.

노래는 이들 팀이 시즌 경기를 펼치는 것과 팀 결속의 하이라이트 장면을 몽타주로 보여주는 동안 배경 노래로 흘러나오고 있다.

34-10. B.O.B performed by Outkast

오크 힐 Oak Hill 고학년 팀을 상대로 파이트 아이리시 Fight Irish가 빅 매치를 펼친다. 이러한 장면에서 'B.O.B'가 흘러나오고 있다.

34-11. It's So Hard to Say Goodperformed bye to Yesterday performed by Boyz II Men

챔피언십 게임에서 승리한다. 〈슈팅 스타〉 마지막 장면.

미래의 NBA 스타가 되는 르브론 제임스와 그의 팀원들이 동료와 가족 앞에서 팔짱을 끼고 호기스러운 포즈를 취하고 있다.

아름다운 화음을 자랑하는 흑인 중창단 보이즈 투 맨의 'It's So Hard to Say Goodperformed bye to Yesterday'가 사운드트랙 대미를 장식해 주고 있다.

사운드트랙의 주요 곡은 스트리밍 방식으로 제공되는 Spotify, Apple Music, Amazon Music 등을 통해 감상해 볼 수 있다. 이미 발표된 노래 외에 사운드트랙 배경 음악은 마크 아이샴 Mark Isham이 작곡을 맡았다.

〈슈팅 스타〉. © Universal Studios

<스타 이즈 본 A Star Is Born>
레이디 가가 주제가 'Shallow' 선곡에 얽힌 일화

작곡가 마크 론슨 Mark Ronson은 브래들리 쿠퍼가 원래 'Shallow' 대신 〈스타 이즈 본 A Star is Born〉에서 완전히 다른 레이디 가가 노래를 원했다는 일화를 공개해 팝 뉴스를 제공하고 있다.

주요 내용을 정리하자면 이렇다.

〈스타 이즈 본〉 감독 및 주연을 맡았던 브래드리 쿠퍼 Bradley Cooper는 원래 〈스타 이즈 본 A Star is Born〉에서 레이디 가가 Lady Gaga의 'Joanne'을 메인 주제가로 사용하고 싶었다.

작곡가 마크 론슨 Mark Ronson은 'Joanne'의 사용을 거부한다.

대신 영화를 위해 'Shallow'를 가가와 공동 작곡하는데 동의한다.

〈스타 이즈 본〉. © Warner Bros

마크 론슨의 주장으로 선택됐던 'Shallow'는 대성공을 거두었다. 빌보드 싱글 100 1위이자 역사상 가장 많이 팔린 디지털 싱글 중 한 곡으로 등극된다.

흥행작 뒤에는 수많은 일화가 전해지고 있다.

4번째 리메이크 되는 〈스타 이즈 본〉도 주제가 선정에 얽힌 여러 일화가 뒤늦게 공개돼 음악 애호가들의 구미를 당겨주고 있다.

〈스타 워즈 본 A Star is Born〉이 탄생시킨 중심 히트곡 'Shallow'는 감독 브래들리 쿠퍼는 별로 탐탁하게 여기지 않았다고 한다.

2018년 공개된 〈스타 이즈 본〉 4번째 이야기는 인기가 시들어 존재감이 쇠퇴해져 가는 음악가 잭슨 메인(영화를 감독하고 공동 집필하기도 한 브래들리 쿠퍼)이 재능 있는 가수 엘리(레이디 가가)를 발견하고 멘토링하는 과정을 따라가고 있다.

발탁한 여 가수 엘리의 명성이 상승될 수 록 잭슨이 누렸던 과거 은총은 점차 떨어지는 것과 맞물리게 된다.

2019년 2월 24일 진행된 91회 아카데미 어워드에서 주제가 상을 수상한다.

'Shallow'는 로맨틱 커플이 함께 부른 첫 번 째 라이브 듀엣 곡 수상이라는 기록을 수립한다.

이 노래가 극중 엘리를 슈퍼 스타덤에 올려놓은 점에서 〈스타 이즈 본〉 신작 이야기 중심을 이루게 된다.

영국 팝 전문지 'NME'는 최근 작곡가이자 프로듀서 마크 론슨 Mark Ronson과 함께 〈바비 Barbie〉 사운드트랙 참여에 대한 여러 이야기를 나누게 된다.

이 와중에 〈스타 이즈 본〉 주제가 선정에 대해 알려지지 않은 비화를 듣게 됐다고 보도한다.

인터뷰를 통해 론슨은 감독 브래들 리가 원래 〈스타 이즈 본 A Star is Born〉 메인 테마를 위해 가가가 향후 발매할 타이틀 트랙으로 준비했던 'Joanne'을 원했다고 밝힌 것.

론슨은 가가 앨범 프로듀서를 진행하면서 브래들리가 관심을 기우렸던 'Joanne'는 가가의 신규 앨범에 적합한 노래라고 판단해서 'Shallow'라는 대타 곡을 만들기로 합의를 보았다고 한다.

론슨은 당시 일화에 대해 인터뷰 도중 다음과 같이 밝혔다.

우리는 가가의 신규 앨범 'Joanne'을 작업하고 있었다. 브래들리 쿠퍼는 어느 날 오후 스튜디오를 방문했다.

나는 그가 출연한 영화를 좋아하고 있었다.

우리는 쿠퍼가 준비하고 있는 〈스타 이즈 본〉 시나리오를 이야기 했다.

이때 나는 가가 신보 앨범을 위해 준비하고 있었던 'Joanne'이라는 노래를 들려주게 된다.

쿠퍼를 듣자마자 '아주 좋다.

이 노래를 내가 준비하는 영화 주제곡으로 사용해도 괜찮은가?'라고 물었다.

나는 이번 노래는 가가의 신보 앨범 타이틀 노래라는 것을 알리면서 완곡하게 거절 의사를 밝혔다.

대신 〈스타 이즈 본〉 주제가에 맞는 새로운 노래를 작업하기로 동의하게 됐다.

당시 나와 쿠퍼는 로스 엔젤레스 말리부에 위치한 릭 루빈 Rick Rubin의 스튜디오 상그릴 라 Shangri La에 있었다.

이 스튜디오는 긴 울림을 들리게 하는 긴 복도를 갖고 있다. 30피트 떨어진 곳에서 가가가 신보 앨범 작업을 하는 노래 소리가 들려왔다.

매우 강열한 인상을 남겨준 기억이 됐다. 그때 가가는 피아노에 앉아서 노래 구절인 'I'm off the deep end...'를 부르고 있었다.

〈스타 이즈 본〉. © Warner Bros

35-1. 〈스타 이즈 본〉에서 'Shallow'는 결국 'Joanne'보다 더 탁월한 선택이 된다

'Joanne'은 레이디 가가 Lady Gaga가 2016년 발매한 5집 앨범 'Joanne' 타이틀 노래로 발표된다.

〈스타 이즈 본 A Star is Born〉이 극장가에서 공개되기 2년 전이었다.

결국 'Shallow'를 선곡한 것은 〈스타 이즈 본〉의 흥행 결과를 증폭시켜 주는 결정적 역할을 했다는 것이 음악 전문가들의 공통된 견해였다.

사실 'Joanne'은 가가가 어린 시절 돈독한 유대 관계를 맺었던 고모에 대한 추억과 애도의 마음을 들려주고 있는 지극히 개인적인 노랫말을 담고 있었다.

'Shallow'는 서정적인 분위기 속에서 극중 잭슨과 엘리 사이의 밀고 당기기는 관계를 매우 적절하게 묘사해 주는데 일조했던 것이다.

'Shallow'는 'Joanne'보다 훨씬 더 과격한 곡으로 레이디 가가의 가창력을 한껏 뽐내고 있는 노래이다.

이런 곡조는 〈스타 이즈 본〉 사운드트랙에서의 자부심을 고려할 때 매우 중요한 스타일이 됐다는 것이다.

이와 비교했을 때 'Joanne'은 시종 차분하게 진행돼 강력한 보컬 파워는 없다.

이 때문에 〈스타 이즈 본〉에서 엘리 명성이 상승하는 분위기를 극적으로 체감시키는 데는 한계가 있는 노래라는 지적이 덧붙여졌다.

음악 팬들의 반응은 〈스타 이즈 본〉을 위해 'Shallow'를 창작한 것이 올바른 결정이었다는 것이 입증 된다.

쿠퍼가 애착을 보였던 'Joanne'은 이태리에서 싱글로 발매됐을 뿐 미국과 유럽 팝 차트에서 거의 주목을 받지 못했다.

반면 'Shallow'는 레이디 가가에서 자신의 4번째 빌보드 탑 1위곡이라는 영예를 가져다주게 된다.

35-2. 'Shallow'는 어떤 노래?

2018년 9월 27일 발매 된 〈스타 이즈 본 A Star Is Born〉 사운드트랙에 수록됐다.

레이디 가가와 브래들리 쿠퍼 듀엣 곡.

포크-팝 folk-pop, 컨트리 country 스타일 노래로 규정 된다.

'Shallow'는 극중 잭슨 메인이 자신의 콘서트에 엘리를 초대해서 함께 불러 주는 것이 가장 돋보이는 장면으로 기억되고 있다.

이 장면은 로스 엔젤레스 그리스 극장 Greek Theater in Los Angeles에서 라이브 공연으로 촬영될 만큼 쿠퍼의 노래 솜씨도 수준급으로 알려져 있다.

'Shallow'는 엘리와 잭슨이 서로에 대해 이야기하는 내용으로 노랫말이 구성되어 〈스타 이즈 본〉의 중추적 역할을 해 낸 곡으로 인정받고 있다.

공동 작사가인 레이디 가가는 엘리가 자신이 누구인지 만족하는지 스스로에게 묻는 방식으로 가사를 구성했다고 밝혔다.

록, 컨트리, 포크 팝이 어우러진 파워 발라드로 인정받는다.

가가와 쿠퍼가 점 차 클라이막스 마지막 후렴구를 향해 나아가며 가가의 보컬이 마무리를 해주고 있다. 음원에는 극적 효과를 부추겨 주기 위해 청중의 소음과 박수 소리로 삽입시켰다고 한다.

35-3. 'Shallow' 주요 가사 내용

말해 봐, 소녀 Tell me something, girl
이 현대 사회에서 행복해? Are you happy in this modern world?
아니면 더 필요해? Or do you need more?
찾고 있는 다른 것이 있어? Is there something else you're searchin for?
나는 추락하고 있어 I'm falling
모든 좋은 시간에, 나는 변화를 갈망하는 나 자신을 발견했어.
In all the good times, I find myself longin for change
그리고 나쁜 시간에, 나는 나 자신이 두려워. And in the bad times, I fear

myself.

말해 봐, 소년 Tell me something, boy

그 공허함을 채우려고 노력하는데 지치지 않았어요? Aren't you tired trying to fill that void?

아니면 더 필요해요?

Or do you need more?

〈스타 이즈 본〉. © Warner Bros

하드코어하게 유지하는 것이 어렵지 않아요?

Ain't it hard keeping it so hardcore?

나는 추락하고 있어요. I'm falling

모든 좋은 시간에, 나는 변화를 갈망하고 있음을 발견하죠

In all the good times, I find myself longing for change

그리고 나쁜 시간에, 나는 나 자신이 두려워

And in the bad times, I fear myself

난 깊은 끝에서 벗어났어요, 내가 다이빙하는 걸 지켜봐요

I'm off the deep end, watch as I dive in

나는 결코 쓰러지지 않을 거야

I'll never meet the ground

그들이 우리를 다치게 할 수 없는 표면을 통해 충돌할 거야

Crash through the surface, where they can't hurt us

우리는 지금 얕은 곳에서 멀리 떨어져 있어요.

We're far from the shallow now

sha-ha, sha-ha-llow에서 In the sha-ha, sha-ha-llow

샤-하-샤-라-라-라-로우에서 In the sha-ha-sha-la-la-la-llow

sha-ha, sha-ha-llow에서 In the sha-ha, sha-ha-llow

<스파이더-맨: 어크로스 더 유니버스 Spider-Man: Across the Spider-Verse> 스코어 앨범 발매

작곡가 다니엘 펨버튼 프랜차이즈 5년 만에 복귀.

소니 뮤직 마스터웍스 Sony Music Masterworks는 다니엘 펨버튼 Daniel Pemberton이 작곡한 〈스파이더-맨: 어크로스 더 유니버스 Spider-Man: Across the Spider-Verse〉 오리지널 스코어 Original Score를 출반한다고 밝혔다.

이번 애니메이션은 아카데미 작곡상을 수상한 〈스파이더맨: 뉴 유니버스 Spider-Man: Into the Spider-Verse〉(2018)에 이어지는 애니메이션 3부작 중 2번째 작품이다.

펨버튼은 2018년 〈스파이더-맨: 뉴 유니버스 Spider-Man: Into the Spider-Verse〉 배경 음악을 작곡한 뒤 5년 만에 프랜차이즈 배경 음악을 맡게 됐다.

펨버튼은 전작 스코어 앨범을 통해 팬들과 평론가 모두에게 큰 인기를 끌었다.

〈스파이더-맨: 어크로스 더 유니버스〉 사운드트랙 앨범. © Sony Classical

빌보드는 '사운드트랙 내에서 작곡가의 오케스트라와 일렉트로닉이 만나는 곡의 폭과 확장성, 레코드 스크래칭의 획기적인 사용 the composer's orchestral-meets-electronic score for its breadth and expansiveness as well as its groundbreaking use of record scratching within a soundtrack'에 대해 찬사를 보낸바 있다.

팝 전문지 롤링 스톤은 앨범 출시 직후 '오페라 테너 보컬과 100인조 오케스트라에서 인도 타악기, 펑크 록, 테크노 드럼, 다층 전자 장치, 디튠 된 첼로, 늘어지는 비트와 시간에 이르기까지 모든 것을 통합해서 멀티버스 설정의 새로운 이야기를 포함하도록 오리지널 사운드스케이프를 확장했다. expanded his original soundscape to encompass new stories in the multiverse setting, incorporating everything from operatic tenor vocals and a 100-piece orchestra to Indian percussion, punk rock, techno drums, multi-layered electronics, detuned cellos, time-stretched beats and more'는 리뷰를 보도했다.

작곡가 다니엘 펨버튼은 '스파이더-버스는 내가 전자 기기, 레코드 스크래칭, 오케스트라, 펑크 록 밴드, 힙합 비트, 휘파람, 오페라를 결합할 수 있는 유일한 장소이다. 첫 번째 영화의 음악적 주제와 사운드를 적용하고 확장할 뿐만 아니라 모든 캐릭터와 세계에 대한 새로운 음파와 모티프의 눈사태가 있어 이 독특한 우주가 소리를 내고 함께 연결되는 방식을 크게 확장했다.

이 놀라운 영화 작품에 관련된 다른 모든 사람들과 마찬가지로, 나는 이전에 들어본 적이 없는 음악을 만들기 위해 슈퍼히어로 영화 음악이 될 수 있는 것의 경계를 넓히려고 노력했다. The Spider-Verse is the only place I can combine electronics, record scratching, an orchestra, a punk rock band, hip-hop beats, whistling and opera and have it not feel weird. As well as adapting and expanding on the musical themes and sounds of the first film, there is an avalanche of new sonics and motifs for all the characters and worlds, greatly expanding how this very unique universe sounds and connects together. Like everyone else involved with this incredible piece of cinema, I have tried to push the boundaries of what a superhero film score can be to hopefully create music like nothing you've heard before'는 작곡 일화와 의욕을 드러냈다.

* 스코어 앨범 출시 2023년 6월 2일.

Track Listing

1. Across the Spider-Verse (Intro)	2:45
2. Spider-Woman (Gwen Stacy)	3:06
3. Vulture Meets Culture	1:35
4. Spider-Man 2099 (Miguel O'Hara)	1:03
5. Guggenheim Assemble	4:36
6. The Right to Remain Silent	4:14
7. Across the Titles	0:33
8. My Name Is... Miles Morales	3:22

9. Back Where It All Started 2:58
10. Spot Holes 1 1:20
11. To My Son 1:42
12. Miles Sketchbook 2:01
13. Under the Clocktower 2:55
14. Rio and Miles 4:25
15. Creation of The Spot 5:03
16. Spider-Man India (Pavitr Prabhakar) 2:20
17. Mumbattan Madness 2:35
18. Spider-Punk (Hobie Brown) 2:10
19. Spot Holes 2 1:11
20. Indian Teamwork 4:42
21. Welcome to Nueva York (Earth-928) 1:43
22. Spider Society 2:06
23. 2099 Lab 2:36
24. Peter and Mayday Parker 1:39
25. Canon Event 7:09
26. All Stations-Stop Spider-Man 4:23
27. Hold the Baby 1:13
28. Nueva York Train Chase 5:59
29. The Go Home Machine 4:56
30. Falling Apart 8:24
31. I Beat Them All 2:29
32. The Anomaly 3:46
33. Five Months 2:30
34. Across the Spider-Verse (Start a Band) 3:54

〈스파이더-맨: 어크로스 더 유니버스〉. © Sony Classical

<애스터로이드 시티 Asteroid City>, 1950년대 사막 도시에 바치는 미드센추리 무드 담긴 사운드트랙 공개!

웨스 앤더슨 감독의 마법 같은 신작 〈애스터로이드 시티〉가 듣는 순간 1950년대 황홀한 사막 도시 '애스터로이드 시티'로 소환시키는 명품 사운드트랙을 공개했다.

〈애스터로이드 시티〉는 가상의 사막 도시 '애스터로이드 시티'에 모인 이들이 우연한 사건으로 인해 도시에 격리되면서 벌어지는 이야기.

〈애스터로이드 시티〉 사운드트랙은 아카데미, 골든 글로브 시상식 음악상을 수상한 바 있는 음악감독 알렉상드르 데스플라(Alexandre Desplat)가 웨스 앤더슨 감독의 전작 〈프렌치 디스패치〉에 이어 다시 한 번 사운드트랙을 맡아

〈애스터로이드 시티〉. © Universal Pictures

기대감을 더한다. 25곡으로 구성됐다.

미스터리한 무드와 영화 속 긴장감을 고조시키는 'WXYZ-TV Channel 8', 'Emergency Assembly'를 시작으로, 1957년 영국 싱글 차트 2위에 오른 바 있는 조니 던컨의 'Last Train To San Fernando'와 컨트리풍 사운드가 돋보이는 'Kaw-Liga', 그리고 1940-1960년대를 풍미한 영화음악 작곡가이자 오케스트라 지휘자 레스 박스터의 'April In Portugal' 등이 담겨져 있다.

미국 컨트리 가수 슬림 휘트먼(Slim Whitman)의 'Indian Love Call', 'Rose Marie', 텍스 리터(Tex Ritter)의 'Jingle Jangle Jingle', 'High Noon', 벌 아이브스(Burl Ives)의 'Cowboy's Lament' 등 실제로 1950년대에 활동한 뮤지션들의 곡들로 채워 영화의 몰입도를 높이는 동시에 1950년대 미드센추리 무드가 가득 담긴 명반의 위엄을 자랑하고 있다.

영화적 메시지를 담은 'You Can't Wake Up If you Don't Fall Asleep'은 자비스 코커(Jarvis Cocker)가 기타 선율을 타고 낮은 목소리로 조리듯 노래해 영화의 깊은 여운을 선사하고 있다.

자비스 코커(Jarvis Cocker)는 웨스 앤더슨의 전작 〈환타스틱 Mr. 폭스〉에서 '패티' 목소리 연기와 함께 'Petey's Song'을 불렀으며, 〈프렌치 디스패치〉의 사운드트랙에도 참여, 프랑스 샹송가수 크리스토프의 대표곡 Aline'을 불러

화제를 모은 바 있다.

웨스 앤더슨 감독이 자비스 코커(Jarvis Cocker)의 열혈팬으로 알려져 있어 그의 〈애스터로이드 시티〉 사운드트랙 참여 소식은 영화 팬들을 더욱 설레게 했다.

1950년대 미드센추리 무드를 가득 담아 관객들에게 대체불가한 감성과 황홀함을 선사할 〈애스터로이드 시티〉 사운드트랙은 Youtube Music, Apple Music, SPOTIFY, Amazon Music, iTunes Store 등 글로벌 스트리밍 사이트에서 확인할 수 있다.

〈애스터로이드 시티〉. © Universal Pictures

<앤트-맨과 와스프: 퀀텀마니아 Ant-Man and the Wasp: Quantumania>(2023) 예고편 노래로 'Goodbye Yellow Brick Road'를 선곡한 이유?

〈앤트-맨과 와스프: 퀀텀마니아 Ant-Man and the Wasp: Quantumania〉 예고편을 관람한 팬들은 궁금증을 갖게 됐다.

캐릭터 활약상과 전개 과정에 딱 들어맞는 엘튼 존 팝 클래식 'Goodbye Yellow Brick Road'가 애절하게 들려오고 있다는 것.

더욱 의아한 점은 본편에서는 이 노래가 빠져 있다는 점.

엘튼 존 노래는 '우주 양자 영역에 갇히게 된 앤트맨 패밀리가 우주 정복자 캉과의 숙명적 대결을 확인시켜 주는 동시에 정복자 캉의 야욕을 확인시켜 주는

엘튼 존 히트 곡 'Goodbye Yellow Brick Road'. © Mercury Records

힌트'가 됐기 때문이다.

이번 영화는 MCU가 의욕적으로 공개하고 있는 '멀티버스 영웅담 Multiverse Saga' 중 가장 중요한 영화라는 의미 부여를 하고 있다.

'어벤져스: 더 캉 다이너스티 Avengers: The Kang Dynasty'는 지구 최강 영웅들과 맞서게 될 악당 정복자 캉의 존재감을 드러내 주고 있는 시리즈.

시리즈 연장선상에서 공개된 〈앤트-맨과 와스프: 퀀텀마니아〉. 악당 캉 역할을 맡고 있는 조나단 메이저스의 존재감이 유감없이 드러나고 있는 작품이다.

제작사 마블은 2023년 2월 〈앤트-맨과 와스프: 퀀텀마니아〉를 일반 개봉하기에 앞서 예고편에 엘튼 존 Elton John의 클래식 발라드 'Goodbye Yellow Brick Road'를 수록시켜 대대적인 홍보 활동을 전개시켰다.

영국에서는 1973년 9월 7일, 미국 팝 시장에서는 1973년 10월 15일 발매됐던 이 고전 팝은 미국 빌보드 100 10위에 등극된 히트 곡.

2010년 팝 전문지 '롤링 스톤 Rolling Stone'은 '역대 위대한 노래 500 500 Greatest Songs Of All Time' 390번째 노래로 선정한 바 있다.

1970년대 엘튼 존 Elton John과 음악 협력자로 돈독한 관계를 유지해 왔던 버니 타핀 Bernie Taupin이 노랫말을 쓴 곡이 'Goodbye Yellow Brick Road'.

영화로 공개됐던 〈오즈의 마법사 The Wizard of Oz〉에서 히로인 도로시 Dorothy의 소회(所懷)를 담고 있는 노래로 알려져 있다.

가사 주요 내용은 '자신의 성공으로 인해 피해를 입은 사람에 대한 은유 a metaphor for a person who has been damaged by their own success'를 담고 있는 노래로 풀이 받았다.

타핀은 노래 공개 당시 '아메리칸 송라이터 American Songwriter와 인터뷰를 통해 '내가 성공에 등을 돌리거나 성공을 원하지 않는다고 말한 적이 없다고 생각한다. 나는 내가 그렇게 순진했다고 생각하지 않는다. I don't believe I was ever turning my back on success or saying I didn't want it. I just don't believe I was ever that naive'라는 의견을 밝힌 적이 있다.

타핀은 '좀 더 고요한 환경에서 성공적으로 존재할 수 있는 행복한 중간 길이 있을지도 모른다고 바랐던 것 같아요. I think I was just hoping that maybe there was a happy medium way to exist successfully in a more tranquil setting'라고 덧붙였다.

타핀은 여러 인터뷰를 통해 '노란 벽돌 길을 배반과 속임수의 상징 the yellow brick road a symbol of treachery and deceit'으로 여겼다.

마치 오즈의 마법사에서 도로시가 권력을 가진 척하지만 실제로는 그녀가 오즈에 갇혀 있는 존재에 불과했던 것처럼.

노래 창작에 얽힌 일화를 염두에 두고 있다면 'Goodbye Yellow Brick Road'가 〈앤트-맨과 와스프: 퀀텀마니아〉 스토리와 완벽하게 어울리고 있다는 것을 인정할 수 있다.

영화 주인공인 슈퍼히어로 스코트 랭(폴 러드)은 '엔드게임 Endgame'의 주요 미스터리에 대한 답을 제공하고 있는 존재로 등장하고 있다.

그는 가족 관계로 인해 고통을 겪고 있는 존재이다.

그는 늘 행복한 대상을 찾기 위해 고군분투하고 있다.

유명한 슈퍼히어로가 되는 것 호프 반 다인과 연인이 된다는 것.

두 사람 사이에 출생한 딸 캐시는 10대 시절부터 정치 활동가가 되어 브립이 주도하는 실향민을 적극 도우면서 아버지 스코트와 긴장 관계를 갖게 된다.

시리즈 연출을 맡고 있는 페이튼 리드는 '〈앤트-맨 3 Ant-Man 3〉에서는 스코트 랭이 겪은 경험이 자신의 삶에서 진정한 우선순위를 선택할 것을 강요할 것이다.

이런 과정을 통해 스코트가 훨씬 더 균형 잡힌 개인으로 지구로 돌아갈 수 있을 것'이라는 의견을 제시하고 있다.

다시 노래로 돌아오면 'Goodbye Yellow Brick Road'는 영화 줄거리가 '오즈의 마법사' 기억을 불러일으킨다는 반응을 얻었다.

예고편은 도로시의 행적과 마찬가지로 앤트-맨 Ant-Man과 그의 친구들이 '양자 영역 Quantum Realm'에 좌초될 것임을 시사해 주고 있다.

'양자 영역'은 셀 수 없이 많은 다른 생물과 종(種)이 생존하고 있는 낯선 땅이 됐다.

앤트-맨과 그의 친구 및 가족이 탈출하려면 그곳을 탐색해야 한다.

정복자 캉 Kang the Conqueror은 앤트-맨에게 집으로 돌아가는 길을 제공하는 위대하고 강력한 '오즈'의 역할을 하게 된다.

캉은 대가로 자신에게 호의를 제공할 것을 원하고 있다.

도로시가 '오즈'의 제국에서 벗어나도 '오즈'는 자신의 영역에서 벗어날 수 없는 존재이다.

마찬가지로 정복자 캉 Kang the Conqueror도 '양자 영역 Quantum Realm'에 갇혔을 가능성이 매우 높은 상황으로 이해되고 있다.

앤트-맨 Ant-Man의 탈출 시도는 캉Kang이 자신을 자유롭게 하는데 도움이 될 수 있는 것이다.

〈앤트-맨과 와스프: 퀀텀마니아 Ant-Man and the Wasp: Quantumania〉 전개 과정은 〈어벤져스: 캉 다이너스티 Avengers: The Kang Dynasty〉로 영역을 확장 할 수 있는 발사대 the launchpad 역할을 해내고 있다는 찬사를 받게 된다.

〈앤트-맨과 와스프: 퀀텀마니아〉. © Marvel Studio

<앤트-맨과 와스프: 퀀텀매니아 Ant-Man and the Wasp: Quantumania> - 엘튼 존 팝 명곡은 예고편만 사용, 크리스토프 벡의 재치 있는 트랙도 일품

슈퍼히어로 파트너 스캇 랭(폴 러드)과 호프 반 다인(에반젤린 릴리),

호프 부모 재닛 반 다인(미셸 파이퍼)과 행크 핌(마이클 더글라스) 그리고 스캇의 딸 캐시 랭(캐서린 뉴튼).

미지의 '양자 영역' 세계 속에 빠져 버리게 된 앤트맨 패밀리.

그 곳에서 새로운 존재들과 무한한 우주를 다스리는 정복자 캉(조나단 메이저스)과 대면하게 된다.

이어 한계를 뛰어 넘는 모험을 시작하게 된다.

〈앤트-맨과 와스프: 퀀텀마니아〉. © Marvel Studio

〈앤트-맨과 와스프: 퀀텀마니아 Ant-Man and the Wasp: Quantumania〉에는 놀랍도록 훌륭한 노래들이 다수 포진되어 있다.

〈앤트-맨과 와스프: 퀀텀매니어〉에는 이전에 공개됐던 '앤트-맨' 프랜차이즈 영화와 마찬가지로 인기 있는 노래를 훌륭하게 사용해서 영화의 작품 수준을 증폭시키는데 기여하게 된다.

'퀀텀매니어'에서는 마블 시네마틱 유니버스 Marvel Cinematic Universe 영화들의 특징을 이어 받아 관객들의 호감을 얻을 만한 익히 알려져 있는 팝 음악을 충실하게 펼쳐주고 있다.

〈토르: 러브 앤 썬더 Thor: Love and Thunder〉와 〈가디언즈 오브 갤럭시 Guardians of the Galaxy〉 프랜차이즈와 비교 되면서 '앤트-맨'도 점 점 더 인기를 얻어 가고 있는 추세를 보여주고 있다.

'퀀텀마니아 Quantumania'에는 2020년대 들어서 공개됐던 여타 MCU 영화만큼 다채로운 음반 목록이 들려오고 있지는 않다.

그럼에도 불구하고 강한 여운을 남겨 주고 있는 알짜 사운드 트랙으로 구성되어 음악 애호가들의 환대를 받아냈다.

조나단 메이저스 Jonathan Majors가 엄청나게 강력한 정복자 캉 역을 맡은

〈앤트-맨과 와스프: 퀀텀마니아 Ant-Man and the Wasp: Quantumania〉.

이번 작품 또한 장대한 마블 시네마틱 유니버스 Marvel Cinematic Universe 시리즈의 흥행 파워를 입증시켜 주는데 일조하게 된다.

멀티유니버스 영웅 담 Multiverse Saga의 장대한 2부작 피날레인 〈어벤져스: 캉 다이너스티 Avengers: The Kang Dynasty〉와 〈어벤져스: 시크릿 워 Avengers: Secret Wars〉 등이 각각 2025년과 2026년 흥행가를 노크할 예정이다.

이런 시기에 공개 된 '퀀텀마니아 Quantumania'는 MCU 프랜차이즈의 흥미진진한 진행 중인 스토리에서 중요한 역할로 제반 기능을 수행해 냈다.

이번 작품 스코어 작곡은 〈앤트-맨 Ant-Man〉 〈완다비젼 WandaVision〉으로 인지도를 알렸던 크리스토프 벡 Christophe Beck이 맡았다.

그가 들려주는 훌륭한 배경 음악을 포함해서 신중하게 선택한 음악사용은 영화의 중심 주제를 드러내고 모든 음악 애호가에게 부정할 수 없이 즐거운 영화 관람 경험을 제공했다는 찬사를 받아낸다.

* 〈앤트맨과 와스프: 퀀텀마니아〉 사운드트랙 해설

39-1. Goodbye, Yellow Brick Road performed by Elton John

엘튼 존의 대표 히트 곡 'Goodbye, Yellow Brick Road'는 실제 영화 화면에서는 들려오지 않는다.

그렇지만 '퀀텀마니아' 홍보 마케팅에서는 큰 역할을 해냈다.

즉, 팝 클래식 곡의 리믹스 버전은 극장 예고편 배경 음악으로 선곡됐던 것이다.

39-2. Welcome Back (Theme From Welcome Back, Kotter) performed by John Sebastian

'Welcome Back'은 '퀀텀마니아'에서 2번 흘러나온다.

오프닝 및 클로징에서 보여주는 몽타주 장면의 배경 노래로 들려오고 있는 것이다. MCU 시리즈에서 제공하는 화면 속 유머는 일반적으로 등장인물들의 행동을 통해 펼쳐주고 있다.

프랜차이즈를 맡고 있는 여러 작곡가들은 악보에 재미있는 농담을 숨겨오고 있는 것이다. 크리스토프 벡 Christophe Beck도 예외는 아니다.

〈토르: 러브 앤 썬더 Thor: Love and Thunder〉와 〈스파이더-맨: 홈커밍 Spider-Man: Homecoming〉 3부작 악보를 작곡하면서 MCU의 충실한 협력자 마이클 지아치노 Michael Giacchino와 마찬가지로 벡 Beck은 종종 자신의 노래 제목에 재미있는 말장난을 숨겨 오고 있는 것으로 유명하다.

벡이 창작해 낸 트랙 중 최고는 에릭 클랩튼의 노래 제목을 모방한 'Sting Low, Sweet Variant'와 영화 제목을 떠올려 주고 있는 'Honey, I Shrunk the Energy Core'일 것이다.

그러나 아마도 전체 배경 음악 중 가장 주목 할 만한 트랙은 더 이상 생각할 필요가 없는 제목인 '강의 50가지 그림자 Fifty Shades of Kang' 일 것이다.

이 제목은 짐작했겠지만 2015년 공개됐던 샘 테일러 존슨 감독의 성인 멜로물 〈그레이의 50가지 그림자 Fifty Shades of Grey〉를 교묘하게 패러디한 것이다.

'퀀텀마니아 Quantumania' 사운드트랙에는 부활절 달걀을 떠올려주는 트랙 'Holes'가 포함되어 있다.

〈앤트-맨 Ant-Man〉 시리즈가 배출한 슈퍼히어로 벱 역의 데이비드 다스트 말치안 David Dastmalchian이 전작에 이어 공연자로 합류하고 있다.

〈앤트-맨 Ant-Man〉과 〈앤트-맨 와스프 Ant-Man and the Wasp〉에서 전과자 커트 역할을 연기한 다스트마치안은 '퀀텀마니아'에서는 인체의 다양한 구멍에 이상하게 집착하는 퀀텀 제국 젤라틴 주민 벱 역할을 연기하고 있다.

공식 사운드트랙의 추가 보너스로 음악 마니아들은 벱이 부르는 짧지만 재미있는 곡을 감상할 수 있다.

노래 가사에는 '여러 인간 홀즈 several human holes'에 대해 다소 불편한 세부 사항을 들려주고 있다.

보너스 곡은 완전히 예상치 못한 것이다.

뛰어난 사운드트랙에 놀라움을 추가로 선사하고 있는 트랙이라는 찬사가 보내졌다.

〈앤트-맨과 와스프: 퀀텀마니아〉. © Marvel Studio

<엔니오: 더 마에스트로 Ennio>, 최고 영화음악 작곡가의 뛰어난 음악 업적 재조명

음악은 과학이 아니라 경험이다. 좋은 음악이 저질 영화를 구해 줄 수는 없다.
Music is an experience, not a science, You can't save a bad movie with a good score.
- 엔니오 모리코네

'21세기 최고 영화음악 작곡가' '영화음악계의 모차르트'.

〈황야의 무법자〉 〈미션〉 〈언터처블〉 〈시네마 천국〉 〈벅시〉 〈원스 어폰 어 타임 인 아메리카〉 그리고 아카데미 작곡상을 수여 받은 〈헤이트풀 8〉까지.

약 480여 편의 명작 영화의 배경 음악을 통해 '사운드트랙이 전달해 줄 수 있는 최상의 감동을 안겨준 영화 음악계 마에스트로'를 다룬 음악 다큐가 〈엔니오: 더 마에스트로 Ennio〉이다.

'전설적인 영화 작곡가 엔니오 모리코네를 다룬 다큐멘터리 A documentary on the legendary film composer Ennio Morricone' - 선전 문구

엔니오의 고국 이태리에서 2021년 9월 10일 베니스 영화제 Venice Film Festival를 통해 첫 상영됐다.

2021년 11월 13일 스웨덴 스톡홀름 영화제 Stockholm International Film Festival, 2021년 11월 22일 네덜란드 암스테르담 국제 다큐 영화제 International Documentary Festival Amsterdam 등 주요 각국 영화제를 통해 초청 상영된다.

한국에서는 2023년 4월 29일 전주 영화제 Jeonju International Film Festival에서 공개된 뒤 2023년 7월 일반 개봉됐다.

연출자 주세페 토르나토레 Giuseppe Tornatore는 〈시네마 천국〉을 통해 엔니오와 천상의 호흡을 맞춘 영화인.

엔니오는 2020년 7월 6일 향년 91세로 타계했다.

감독은 음악 동료에 대한 헌정 다큐를 통해 심금을 울려 주었던 위대한 영화 음악가의 행적을 반추시켜 주고 있다.

유명 배우, 감독 및 영화음악 작곡 동료들이 영화에 대한 그의 공헌을 축하하는 동안 엔니오를 육성을 통해 유명해 진 영화 음악을 이끈 요인에 대해 차분하게 설명해주고 있다.

러닝 타임 2시간 36분.

엔니오는 세르지오 레오네 Sergio Leone 감독과 의기투합해서 '달러 3부작 Dollars Trilogy'-〈황야의 무법자〉 시리즈과 〈원스 어폰 어 타임 인 웨스트 Once Upon a Time in the West〉로 단번에 주목을 받아낸다.

길로 폰테코르보 Gillo Pontecorvo 감독 〈알제리 전투 The Battle of Algiers〉, 베르나르도 베르톨루치 Bernardo Bertolucci 감독의 〈1900〉, 테렌스 말릭 Terrence Malick 감독의 〈천국의 나날 Days of Heaven〉, 브라이

〈엔니오: 더 마에스트로〉. © Piano b Produzioni

언 드 팔마 Brian De Palma 감독의 〈언터처블 The Untouchables〉, 그리고 유작이 된 쿠엔틴 타란티노 Quentin Tarantino 감독의 〈헤이트풀 8 The Hateful Eight〉 등을 통해 오케스트라 배경 음악의 가치를 확산시키면서 확고한 입지를 구축하게 된다.

156분이라는 상영 시간 동안 일부 관객들은 '엔니오가 창작한 엄청난 음악 작업에 대해 시각적, 정서적 과부하를 느낄 수 있다.

하지만 2020년 사망하기 직전 우연히 촬영된 인터뷰 장면과 사운드트랙을 구상하기 위해 애썼던 거물 영화 음악가의 업적이 몽타쥬로 펼쳐져 거대한 호기심을 유지시켜 주고 있다.'는 칭송을 받아낸다.

다큐에는 엔니오의 업적을 치하하거나 협력했던 영화 작업에 대한 회고를 위해 감독 쥬세페 토르나토레를 비롯해 클린트 이스트우드, 올리버 스톤, 테렌스 말릭, 배리 레빈슨, 왕가위, 다리오 아르헨토 등 유명 감독과 한스 짐머, 존 윌리암스, 퀸시 존스, 브루스 스프링스틴 등 1급 뮤지션들이 직접 출연해 육성 일화를 들려주고 있다.

한스 짐머는 '엔니오 모리코네는 약점까지도 장점으로 만들어 내는 지적이고 간결한 리듬과 함께 무엇보다 음악에 가장 중요한 위치를 부여하는 수준의 선율을 창작해낸 마에스트로이다. Ennio Morricone is a maestro who created a level of melody that gives music the most important place above all else with an intelligent and concise rhythm that turns even weaknesses into strengths.'라는 칭송을 보내고 있다.

포크 가수 존 바에즈 Joan Baez는 모리코네는 1960년대 엘비스 프레슬리를 비롯해 미국 팝을 세계 시장으로 전파시켰던 RCA 레코드 발매 팝송에 대해 혁신적인 편곡을 가미시켜 음악 영역을 확장시키는데 결정적 기여를 한 주역'이라고 기억해주고 있다.

영국 감독 롤랑 조페 Roland Joffé는 모리코네가 지휘하는 대규모 오케스트라가 연주해 주었던 자신의 작품 〈미션 The Mission〉에 대한 칭송을 아끼지 않고 있다.

〈엔니오: 더 마에스트로〉. © Piano b Produzioni

조페 감독은 모리코네와 보다 원숙한 작업을 위해 이태리어를 직접 배웠다는 일화도 공개했다.

이번 다큐 작업을 진두지휘한 쥬세페 토르나토레 Giuseppe Tornatore 감독. 〈시네마 천국 Cinema Paradiso〉에서 모리코네와 팀웍을 이뤄 만들어 낸 천상의 영화 음악에 대한 추억을 반추 하면서 '엔니오가 창작해낸 다양한 음악은 영상 세계의 풍요로움을 오래도록 간직시켜 주는데 결정적 이바지를 하고 있다.'는 찬사를 보내고 있다.

<엘비스 Elvis> - 오스틴 버틀러 + 마네스킨 + 도자 캣 등이 엘비스 클래식을 커버 버전으로 들려 줘

바즈 루어만 감독의 〈엘비스 Elvis〉.

록큰롤 황제 엘비스 프레슬리와 매니저 파커 대령과의 일화를 다루고 있다.

세세한 사건을 극대화시켜 전개하는 접근 방식 maximalist approach과 스토리를 완벽하게 보완하는 인상적 사운드트랙으로 강한 인상을 남긴다.

록 황제 엘비스에 대한 전기 영화를 내걸고 공개됐기 때문에 관객들은 제작 뉴스를 접하고부터 기억에 남을 만한 엘비스 노래를 반추해 볼 수 있다는 기대감이 충만했다.

엘비스 전기 영화의 예측 가능한 경로는 엘비스의 가장 상징적인 노래만 포함하는 것은 당연지사.

그렇지만 바즈 루어만 감독은 자신의 음악적 감각을 추가시켜 〈엘비스〉 사운

〈엘비스〉. © Warner Bros, Bazmark Films, Roadshow Entertainment

드트랙에 대해 색다른 접근 방식을 시도해 음악 애호가들의 기대감을 충족시켜 주게 된다. 그동안 뮤지션 일대기를 소재로 한 음악 영화는 통상 그들이 남긴 '전형적인 최고 히트 곡 typical greatest hits'으로 사운드트랙을 구성하는 것이 관례화되어 있다.

반면 루어만 감독은 전작 〈위대한 갯츠비 The Great Gatsperformed by〉와 유사한 접근 방식을 택했다.

즉, 현대 음악계에서 활동하는 팝 아티스트가 엘비스 Elvis의 익히 알려진 클래식을 샘플링 한 커버 버전을 수록했다. 이런 음악적 배치는 오리지널과 비교 감상해 볼 수 있는 선택적 폭을 넓히는 여지를 제공했던 것이다.

음악 애호가들의 환대를 받았던 몇 가지 사례는 그룹 마네스킨 Måneskin이 불러 준 'If I Can Dream'과 같은 커버 곡, 도자 캣 Doja Cat의 'Vegas'처럼 널리 알려진 노래를 샘플링 해서 새롭게 취입한 노래 그리고 'Craw-Fever'와 같이 엘비스의 숨어 있는 클래식 노래를 재작업 reworkings 해서 수록했다는 것 등을 언급할 수 있다.

여기에 엘비스 역을 맡고 있는 재능꾼 오스틴 버틀러 Austin Butler가 육성으로 불러준 엘비스 명곡을 대형 화면을 통해 생생하게 들어 볼 수 있다는 것도 빼놓을 수 없다.

사운드트랙의 다양한 특성과 여러 성향의 아티스트를 초빙했다는 것은 관객들에게 '무엇인가를 제공 받았다'는 충족감을 선사했다는 공감을 얻어낸다.

〈엘비스〉에서 듣게 되는 노래가 항상 경의를 표하는 오리지널과 똑같이 들리지는 않는다.

그렇지만 관객들이 엘비스 전성기 음악을 들었을 때 받았던 느낌을 거의 완벽하게 전달해 주려고 했다는 것이 〈엘비스〉 영화의 제작 목적으로 알려져 있다.

빌보드는 '2022년 공개 된 엘비스 사운드트랙의 극대주의적 접근 방식은 영화 자체를 완벽하게 모방했다. 그리고 짝을 이루어 록큰롤 제왕의 실제보다 더 큰 페르소나와 음악에 새로운 에너지를 불어 넣었다. The Elvis 2022 movie soundtrack's maximalist approach perfectly mimics and pairs with the film itself, breathing new energy into the larger-than-life persona and music of the King of Rock and Roll'는 찬사를 보낸다.

* 〈엘비스〉 사운드트랙 해설

41-1. Suspicious Minds (Intro) performed by Elvis Presley

오프닝이 펼쳐지면서 엘비스 고전 록 'Suspicious Minds'가 들려오고 있다. 영화가 본격적으로 펼쳐질 것임을 선포하고 있다.

41-2. Also Sprach Zathathrusta / An American Trilogy performed by Elvis Presley

오프닝 무렵.

엘비스가 라스 베가스에서 공연 시작을 알릴 때 불러 주는 노래가 'Also Sprach Zathathrusta/An American Trilogy'이다.

엘비스는 공연 직전에 쓰러졌지만 간신히 회복된다.

이런 몸 상태인데도 파커 대령이 강제로 무대로 올려 공연을 강행시키면서 부르는 노래이다.

41-3. Vegas performed by Doja Cat

빅 마마 손톤 Big Mama Thornton의 'Hound Dog'은 엘비스가 재취입해서 더욱 유명세를 얻은 노래.

엘비스는 수많은 흑인 아티스트들로부터 영향을 받게 된다.

'Vegas'에서 도자 캣 Doja Cat은 엘비스의 음악에 영향을 준 흑인 아티스트에게 경의를 표하고 있다.

'Vegas'는 1950년대 빌 스트리 Beale Street를 몽타주로 보여주는 배경 장면에서 들려오고 있다.

〈엘비스〉. © Warner Bros, Bazmark Films, Roadshow Entertainment

41-4. The King And I performed by Eminem and CeeLo Green

엘비스 'Jailhouse Rock' 리프 the riff를 샘플링 한 노래가 'The King And I'로 알려져 있다.

이 곡은 영화의 엔딩 크레디트에서 들려오고 있다.

41-5. Tupelo Shuffle performed by Swae Lee and Diplo

엘비스의 'That's All Right' 커버를 샘플링 해서 발표한 노래가 'Tupelo Shuffle'이다.

청소년 시절 엘비스가 아서 빅 보이 크럽업 Arthur Big Boy Crudup의 공연을 관람하는 장면에서 'That's All Right'가 들려오고 있다.

이 노래는 엔딩 크레디트에서 한번 더 흘러나오고 있다.

41-6. Craw - Fever performed by Elvis Presley

엘비스 노래 'Crawfish'와 'Fever'를 융합 mashup시켜 발표한 노래가 'Crawfish'로 알려져 있다.

파커 대령이 엘비스를 단독 매니지먼트 하기로 결정한다.

엘비스 가족과 전속 계약을 맺는다.

이것은 엘비스의 삶에 혁명적 변화를 가져오는 단초(緞綃)가 된다.

이러한 장면에서 배경 노래로 'Crawfish'가 들려오고 있다.

41-7. Can't Help Falling In Love performed by Kacey Musgraves

카에시 무스그레이브스 Kacey Musgraves 버전의 'Can't Help Falling In Love'. 엘비스가 독일에서 군 복무를 할 때 현지를 방문한 프리실라와 엘비스가 재회의 기쁨을 만끽 하면서 키스를 나눌 때 배경 노래로 들려오고 있다.

41-8. Product of the Ghetto performed by Nardo Wick

파커 대령과 엘비스는 영화가 끝나갈 무렵 그동안 축적된 음악 유산(the legacies)에 대해 서로 상세한 의견을 주고받는다. 영화 엔딩에서 이러한 의견에 대한 설명이 텍스트로 보여 지면서 'Product of the Ghetto'가 흐르고 있다.

41-9. If I Can Dream performed by Måneskin

마네스킨 Måneskin은 2016년 이태리 로마에서 출범한 록 밴드.

얼터너티브, 하드 록, 그램 록 장르 노래를 꾸준히 발표, 유럽 록 음악 팬들의 환대를 받고 있다. 이들 밴드가 불러 주고 있는 'If I Can Dream'은 엔드 크레디트에서 들을 수 있다.

41-10. Cotton Candy Land performed by Stevie Nicks and Chris Isaak

영화 초반. 탐욕스런 파커 대령이 뇌졸중으로 쓰러진다.

이런 장면의 배경 노래로 'Cotton Candy Land'가 흘러나오고 있다.

41-11. Baby, Let's Play House performed by Austin Butler

영화 초반. 엘비스가 루이지애나 헤이라이드 Louisiana Hayride에서 수많은 관중 앞에서 현란한 춤과 노래 솜씨를 펼쳐 준다.

공연을 지켜 본 파커 대령은 흐뭇한 표정을 짓고 있다. 관객들의 뜨거운 호응이 보내지면서 'Baby, Let's Play House'를 열창해 주고 있다.

41-12. I'm Coming Home performed by Elvis Presley

군 복무를 무사히 마친 엘비스. 제대 후 곧바로 영화 출연 제안을 받는다.

그가 영화배우 경력을 시작하는 장면의 배경 노래로 'I'm Coming Home'이 들려오고 있다.

41-13. Hound Dog performed by Shonka Dukureh

영화 초반. 빌 스트리트 Beale Street 거리 풍경을 보여주는 몽타쥬 장면에서 숀카 두쿠레 Shonka Dukureh 버전의 'Hound Dog'이 들려오고 있다.

41-14. Tutti Frutti performed by Les Greene

엘비스와 B.B. 킹 B.B. King.

두 음악인이 빌 스트리트 Beale Street에 위치한 클럽 핸디 Club Handy에서 리틀 리차드 Little Richard 공연을 관람하고 있다.
이때 들려오는 노래가 레스 그린의 'Tutti Frutti'이다.

41-15. Hound Dog performed by Austin Butler

밀튼 벌 쇼 The Milton Berle Show에 초대 가수로 출연한 엘비스.
요란한 골반 춤을 추면서 'Hound Dog'을 열창해 준다.
공연 이후 외설(猥褻)스런 무대 공연은 한동안 논란을 불러일으킨다.

〈엘비스〉. © Warner Bros, Bazmark Films, Roadshow Entertainment

41-16. Let It All Hang Out performed by Denzel Curry

엘비스는 어머니와 말다툼을 벌인다.
솟구치는 화를 풀기 위해 클럽 핸디 Club Handy를 찾아가려고 집을 나선다.
이러한 장면의 배경 노래로 'Let It All Hang Out'이 흘러나오고 있다.

41-17. Trouble performed by Austin Butler

엘비스의 인기가 치솟으면서 여러 구설수가 제기 된다. 언론에서는 엘비스가 모창을 하고 있으며 가짜 인물을 내세우고 있다는 논란이 제기된다.

파커 대령으로부터 이러한 소문의 진상을 전해 듣게 된 엘비스는 콘서트를 통해 '진짜 엘비스 the real Elvis'는 자신이라는 것을 상기시키기 위해 열정적 가창력을 발산하면서 'Trouble'을 불러준다.

41-18. I Got A Feelin In My Body performed by Lenesha Randolf

엘비스가 할리우드에서 스티브 바인더와 만나기 직전 'I Got A Feelin In My Body'가 들려오고 있다.

41-19. Edge of Reality (Tame Impala Remix) performed by Elvis Presley and Tame Impala

마틴 루더 킹 주니어 Martin Luther King, Jr에 대한 정치적 암살이 벌어졌던 1968년으로 시기 전환이 벌어지는 동안 배경 노래로 'Edge of Reality'가 들려오고 있다.

41-20. Summer Kisses/ In My Body performed by Elvis Presley

엘비스 노래 'Summer Kisses, Winter Tears'와 'I Got A Feelin In My Body'를 융합시킨 mashup 곡이 'Summer Kisses/ In My Body'
엔딩 크레디트 장면에서 들려오고 있다.

41-21. 68 Comeback Special (Medley) performed by Elvis Presley

'68 Comeback Special (Medley)'에는 엘비스의 주옥같은 명곡 중 'Heartbreak Hotel' 'Hound Dog' 'Blue Suede Shoes' 'Jailhouse Rock' 등을 연속으로 들려주고 있다. 이 메들리는 엘비스가 TV 스페셜 프로그램으로 출연한 '68 Comeback Special'에서 처음 시도한 메들리 곡이다.

41-22. Sometimes I Feel Like a Motherless Child performed by Jazmine Sullivan

애증 관계였던 모친이 사망한다. 엘비스는 부친과 그레이스랜드 Graceland 앞에 함께 앉아 적절한 심사를 드러낸다.
이러한 다소 씁쓸한 장면의 배경 노래로 'Sometimes I Feel Like a Motherless Child'가 들려오고 있다.
엘비스 컴백 쑈 '68 Comeback Special'을 녹화하고 있는 도중 TV에서는 존 F. 케네디 미국 대통령 동생 로버트 F. 케네디 암살 사건을 다룬 심층 보도가 방영된다.
이러한 장면에서 'Sometimes I Feel Like a Motherless Child'가 다시 한 번 들려오고 있다.

41-23. If I Can Dream performed by Elvis Presley

1968년 종교 지도자 마틴 루더 킹 주니어 Martin Luther King, Jr와 야심만만한 정치인 로버트 F. 케네디 Robert F. Kennedy가 연이어 암살 당하는 불운한 사건이 벌어진다.

대다수 미국인들은 그 어느 해 보다 뒤숭숭하고 심리적 불안에 시달리게 된다.

이러한 상황에서 엘비스(오스틴 버틀러)는 '68 컴백 스페셜 68 Comeback Special' 공연 중 'If I Can Dream'이라는 노래를 통해 잠시나마 위로의 메시지를 들려주고 있다.

41-24. Power of My Love performed by Elvis Presley and Jack White

'68 컴백 스페셜 68 Comeback Special'은 기대 이상의 뜨거운 호응을 받아낸다. 엘비스는 이 공연 이후 파커 대령이 예술적 방향을 제시한다는 명목으로 더욱 힘겨운 통제를 받기 시작한다. 파커 대령의 영향이 더욱 가열화 되기 직전 시기에 들을 수 있는 노래로 'Power of My Love'가 들려오고 있다.

41-25. Vegas Rehearsal/ That's All Right performed by Austin Butler and Elvis Presley

엘비스가 라스 베가스 인터내서널 호텔 International Hotel에서 첫 번째 콘서트를 준비하고 있다. 리허설 장면에서 불러 주던 'That's All Right'는 현장 공연 장면으로 이어져서 들려오고 있다.

41-26. Suspicious Minds performed by Elvis Presley

엘비스가 라스 베가스 인터내셔널 호텔에 투숙하면서 장기 공연을 진행하고 있다. 이 공연 프로그램에서 불러 주는 목록 중 한 곡이 'Suspicious Minds'이다.

〈엘비스〉. © Warner Bros, Bazmark Films, Roadshow Entertainment

41-27. Polk Salad Annie performed by Elvis Presley

엘비스는 라스 베가스 인터내셔널 호텔에서 장기 투숙하면서 공연을 진행한다. 콘서트 프로그램으로 들려주는 노래가 'Polk Salad Annie'이다.

41-28. Burning Love performed by Elvis Presley

엘비스의 'Burning Love'는 라스 베가스 인터내서널 호텔에서 진행되는 콘서트 공연 프로그램으로 불러워 지고 있다.

41-29. It's Only Love performed by Elvis Presley

1973년 하와이에서 진행된 콘서트 'Aloha From Hawaii'는 위성 중계를 거쳐 전 세계 주요 각국으로 실황 중계되는 이정표를 기록한다.

당시 기념비적 공연 실황에 대해 파커 대령이 나레이션으로 설명해 주고 있다.

이러한 장면에서 들려오는 노래가 'It's Only Love'이다.

41-30. Suspicious Minds performed by Paravi

영화 〈엘비스〉의 거의 마무리 되는 장면.

엘비스와 프리실라가 공항에서 이별하기 직전 마지막 만남을 갖게 된다. 이러한 장면에서 파라비 Paravi가 커버한 'Suspicious Minds'가 들려오고 있다.

41-31. In the Ghetto performed by Elvis Presley and Nardo Wick

영화가 거의 마무리 될 무렵. 파커 대령과 엘비스 프레슬리는 음악 유산(the legacies)에 대해 상세하게 설명하고 있다.

'In the Ghetto'가 들려오면서 화면은 엔딩 크레디트가 펼쳐진다.

이에 음악도 나르도 윅 Nardo Wick이 불러주는 'Product of the Ghetto'로 전환 되고 있다.

41-32. Unchained Melody performed by Elvis Presley

엘비스가 요절하기 직전 진행됐던 마지막 공연에서 'Unchained Melody'가 들려오고 있다.

노래가 진행되는 동안 생전 엘비스 행적이 자료 화면으로 보여지고 있다.

〈엘비스 Elvis〉는 2023년 아카데미 어워드에서 작품, 메이크업 & 헤어스타일, 사운드, 주연 남우, 촬영, 의상 디자인, 편집, 프로덕션 디자인 등 무려 8개 부문 후보작에 지명 받지만 단 1개도 수상하지 못하는 불운을 겪는다.

더욱이 바즈 루어만이 내심 기대했던 작곡 혹은 주제상 후보에서는 철저하게 외면 받는다.

감독은 이런 푸대접에 대해 언론 인터뷰를 통해 '1960년대 전성기를 보낸 가수 음악을 현대 음악으로 편곡해서 삽입한 시도가 아카데미 회원들에게 오해를 불러일으킬 수 있는 여지를 던져 준 것 같다. The attempt to arrange and insert the music of a singer who had his heyday in the 1960s into modern music seems to have left room for misunderstanding among the members of the academy'는 아쉬움을 드러냈다.

〈엘비스〉. © Warner Bros, Bazmark Films, Roadshow Entertainment

여름 시즌에 듣는 최고의 사운드트랙 베스트 12

블록버스터들의 치열한 흥행 경쟁이 펼쳐지는 여름 시즌.

관객들을 끌어 모으기 위해 눈길을 끌고 있는 선전 문구를 비롯해 자동차 추격전, 다양한 성격파 배우 기용, 시선을 떼지 못하게 하는 특수 효과 그리고 청각을 자극시켜 율동을 불러일으키는 사운드트랙 등은 이 시즌 영화들의 공통적인 흥행 포인트들이다.

여기서 한 가지 눈여겨 볼 사항이 있다.

블록버스터들 끼리 양보 없는 흥행 다툼을 벌이다 보니 팝콘 위에 추가로 약간의 소금과 버터를 얹어 구매 촉진을 확장시키듯 스토리 보다는 배경 노래에 치중해서 사운드트랙의 비중을 높이고 있는 작품도 다수 공개되고 있다는 점.

여름 시즌 개봉된 뒤에도 배경 음악 때문에 노래가 장수 인기를 누리고 있는 영화들이 다수 있다. 그렇다고 영화는 하급이고 노래만 상급이라는 이야기는 아니다. 사운드트랙으로 선곡된 일부 노래 중에는 B급도 있다.

너무 과장된 분위기로 듣는 이들의 신경을 날카롭게 하는 경우도 있다.

그러나 어찌됐든 이들 노래 덕분에 흥행가에 이야깃거리를 제공하는 경우도 있다.

록 음악 전문지들은 〈록키 3〉 주제가였던 서바이버 그룹 Survivor의 'Eye of the Tiger'를 필두로 해서 디즈니 애니메이션 진가를 입증시켰던 〈라이온 킹 The Lion King〉의 'Can You Feel The Love Tonight', 필 콜린스 Phil Collins가 주제가를 헌정했던 〈타잔 Tarzan〉 등을 여름 시즌 최고 음악으로 추천하고 있다.

팝 뮤지션이나 록 밴드 가운데는 폴 매카트니(Paul McCartney)와 윙스(Wings), 밥 시거(Bob Seger), 에어로스미스(Aerosmith) 등이 불러 준 노래들이 영화 히트에 견인차 역할을 해낸 바 있다.

'제임스 본드' '백 투 더 퓨처' 시리즈 등을 포함해 환타지 뮤지컬, 연기진 들 가운데 에밀리오 에스테베즈, 키퍼 서덜랜드, 루 다이아몬드 필립스, 찰리 쉰 등이 출연한 영화들은 1980-1990년대 팝 사운드트랙 전성시대를 이끌어 낸 주역이다.

다음은 할리우드에서 발간된 음악 전문지들이 여름 시즌 개봉 된 영화 가운데 사운드트랙 때문에 박수갈채를 보내고 있는 리스트들이다. 〈노래 순번은 영화 개봉 연도 순서, 그룹 및 아티티스, 노래 제목, 영화 제목, 개봉 연도 順〉

42-1. 그룹 윙스 Wings, Live and Let Die – 〈죽느냐 사느냐 Live and Let Die〉(1973)

'Live and Let Die'는 가장 영화적인 분위기를 맞추어준 대표적 록 곡으로 공인 받고 있다.

이런 덕분에 제임스 본드 시리즈와 콤비를 이룬 것은 어찌보면 당연한 수순(手順)인지도 모른다.

폴 맥카트니가 이끌던 그룹 윙스와 발표한 007 제임스 본드 주제가 'Live and Let Die'. © EMI Records

폴 맥카트니 Paul McCartney가 잠시 이끌던 밴드 윙스 Wings는 의기투합해서 1973년 LP 'Red Rose Speedway'를 위해 'Live and Let Die'를 취입한다.

맥카트니는 열성을 담아 복잡한 편곡을 가미시켰다고 한다.

이러한 음악 열정 덕분에 앨범은 오래 도록 환대를 받아낸다.

'Live and Let Die'는 오프닝 교향곡 팡파르에서 막간에 레게 펑크 리듬까지 극적인 톤 변화를 자유자재로 시도해 음악계에서는 '심포닉 록 Symphonic rock'이라는 명칭을 부여해 준다.

1973년 6월 1일 발매 된다.

빌보드 핫 100 2위까지 진입해 아델이 불러준 'Skyfall'(2012)이 1위를 차지할 때까지 본드 역대 주제가 중 가장 많은 환대를 받은 노래라는 기록을 보유했다.

아카데미 주제가 후보에도 올랐지만 바브라 스트라이샌드 Barbra Streisand의 'The Way We Were'에게 트로피를 넘겨주게 된다.

하지만 1974년 진행된 '16회 그래미 어워드 보컬 및 편곡상 the Best Arrangement Accompanying Vocalist(s) at the 16th Annual Grammy Awards'을 수여 받는다.

록 밴드 건즈 앤 로지스 Guns N Roses가 1991년 앨범 'Use Your Illusion

I'에 커버 곡을 수록한다.

밴드의 노래는 1993년 35회 그래미 어워드 '하드록 공연 부문 Best Hard Rock Performance' 후보로 지명 받는다.

2012년 맥카트니는 BMI: Broadcast Music, Inc로부터 미국 방송을 통해 누적 400만 번 송출을 인정받아 '밀리언-에어 어워드 the Million-Air Award'를 수여 받는다.

애니메이션 〈슈렉 3 Shrek The Third〉(2007) 사운드트랙에서는 헤롤드 왕 장례 의식 때 개구리들이 애도 곡으로 불러주고 있다.

2022년 94회 아카데미 시상식장에서 발표된 제임스 본드 프랜차이즈 60주년을 기념하는 몽타주 장면 배경 곡 중의 한 곡으로 흘러나왔다.

MZ 세대 관객들에게 'Live and Let Die'를 감상할 수 있는 기회를 제공한 것이 데이비드 O. 러셀 감독의 〈아메리칸 허슬〉(2013).

사기꾼 어빙(크리스찬 베일) 아내 로잘린 로젠펠드(제니퍼 로렌스)

천방지축 성격의 로잘린.

그녀가 진공청소기를 돌리면서 청소를 할 때 'Live and Let Die' 리듬에 맞추어 춤을 추는 장면을 보여주어 관객들에게 강한 여운을 남겨 주었다.

42-2. 올리비아 뉴튼-존 Olivia Newton-John + 일렉트릭 라이트 오케스트라 Electric Light Orchestra, Xanadu - 〈재나두 Xanadu〉(1980)

ELO 밴드 리더 제프 린 Jeff Lynne은 올리비아 뉴튼 존 Olivia Newton-John과 긴밀하게 조율 된 콜라보레이션 'Xanadu'를 위해 자신이 갖고 있던 몽환적인 팝 우아함을 모두 쏟아 부었다는 찬사를 받았다.

올리비아 뉴튼 존과 록 밴드 일렉트릭 라이트 오케스트라가 화음을 맞추어 발표했던 'Xanadu'. © Polygram Records

차밍한 피아노 선율, 휘몰아치는 현, 화려한 화음 변화로 이어 지는 이 노래는 린의 작곡과 보컬만이 해 낼 수 있는 특징이 담겨 있다.

팝 비평가들은 ELO 밴드의 특색이 담겨 있는 전형적인 노래라는 찬사를 보낸다.

그와 화음을 맞춘 올리비아 뉴튼-존도 최상의 보컬을 펼쳐주고 있다.

결정적으로 아쉬운 점은 주제가를 위해 이렇게 팀웍을 이루었지만 환타지 영화 〈재나두〉는 그만 흥행 참패작으로 외면 받았다는 것.

하지만 타이틀곡은 뉴튼-존의 히트 목록에 가입이 된다.

한편 영화 〈재나두〉는 로버트 그린월드 Robert Greenwald가 메가폰을 잡고 1980년 공개한 뮤지컬 환타지. 올리비아 뉴튼-존이 히로인 역할을 맡고 있다.

1950-60년대 뮤지컬 장르 최고 스타 진 켈리의 영화 은퇴작이다.

타이틀은 영화 속에 등장하고 있는 나이트클럽.

중국 원나라 쿠빌라이 칸의 여름 수도인 재나두에서 차용했다고 한다.

이 도시는 1816년 사무엘 테일러 콜레리지 Samuel Taylor Coleridge가 발표한 시 'Kubla Khan'에 처음 등장한 것으로 기록되고 있다.

영화 내용은 이렇다.

예술의 도시 LA에서 활동하고 있는 아티스트 소니 말론(마이클 벡).

프리랜서 아티스트로 생계를 꾸려 나가기가 점점 힘겨워진다.

급기야 다소 B급으로 치부했던 레코드 음반 커버를 만들어 낸다.

이런 과정을 통해 그는 예기치 않게 자신의 예술적 비전을 마음껏 펼칠 수 있는 기회를 얻게 된다.

그런 어느 날 롤러스케이트를 타고 다가온 젊은 여성에게 단번에 호기심을 느끼게 된다. 그녀는 탈출구를 찾지 못하고 있는 소니의 예술적 비전을 달성하도록 돕기 위해 보내진 뮤즈 키라(올리비아 뉴튼 존)였다.

그는 이런 사실을 모르고 있다.

키라를 만난 그 날 저역. 소니는 현재는 건설 회사를 운영하고 있지만 라이브 음악 공연장을 복귀시켜 청년 시절 활동을 중단했던 밴드 뮤지션으로 복귀할 꿈을 갖고 있는 나이 든 운영주 대니 맥과이어(진 켈리)를 만나게 된다.

두 사람의 만남도 우연이 아니었다.

소니는 곧 키라가 대니의 과거 일부라는 것을 알게 된다.

대니는 소니에게 키라의 행적을 쫓으라고 말한다. 급기야 소니는 뮤즈 Muses의 벽화에 롤러 스케이트를 타고 키라의 집으로 들어간다.

신들의 영역 안에서 키라 아버지 제우스는 지구로 돌려보내 달라는 소니의 탄원을 거부한다.

키라는 소니에 대해 느끼는 감정을 아버지에게 고백한다.

이에 키라의 아버지는 잠시 소니와 함께 할 수 있도록 허용한다.

키라와 뮤즈들은 자신들의 영역으로 돌아가기 전에 재나두 Xanadu 그랜드 오프닝에서 공연을 펼친다. 소니는 공연이 끝나고 그들이 떠나는 것에 슬퍼한다.

하지만 곧 키라와 똑같이 생긴 웨이트리스를 발견하고 그녀에게 대화를 요청한다.

*** 〈재나두〉 사운드트랙 해설**

1. Whenever You're Away from Me+Xanadu-오프닝 크레디트를 장식해 주고 있는 곡
2. Whenever You're Away from Me-여명(黎明)이 밝아올 무렵 바닷가에

서 대니가 클라리넷으로 연주해 주고 있는 곡
3. 연주곡 Xanadu-소니가 드로잉을 거쳐 그림을 그릴 때 배경 음악
4. I'm Alive(ELO)-벽화에 그려진 뮤즈 The Muses들이 생명을 얻어 밖으로 뛰쳐나올 때
5. Whenever You're Away from Me-대니가 바닷가에서 클라리넷을 연주할 때 다시 흘러나오고 있는 곡
6. Magic'-키라와 소니가 어두운 실내 체육관에서 롤러스케이팅을 타면서 처음 대화를 나누는 장면의 배경 곡
7. You Made Me Love You-대니가 집에서 볼룸 댄스를 연습할 때 배경 곡. 글렌 밀러가 연주해 주는 곡이 흘러나오고 있다.
8. Whenever You're Away from Me-볼룸 댄스를 추면서 대니와 키라가 불러주는 노래
9. Suddenly-키라와 소니가 음반 녹음 스튜디오에서 롤러 춤을 출 때 들려오고 있는 배경 노래
10. Dancing-대니와 소니는 이상적인 클럽에 대해 서로 다른 비전을 생각하고 있다. 소니가 꾸려 나가고 있는 하드 록 글램 밴드가 들려주는 화음에 맞추어 립싱크를 하고 있는 대니의 빅밴드 여성 트리오. 이들은 마침내 동아리 이름을 '재너두'로 합의 한다. 이런 장면에서 흘러나오는 곡이 'Dancing'이다.
11. Don't Walk Away (ELO)-소니는 물고기, 키라는 새(鳥)로 변해서 로맨틱한 관계를 주고 받는 장면이 애니메이션으로 처리되어 보여지고 있다. 이런 장면에서 일렉트릭 라이트 오케스트라가 불러주는 'Don't Walk Away'가 흘러나오고 있다.
12. All Over the World (ELO)-비버리 힐즈 피오루치 Beverly Hills Fiorucci에 있는 '프랜차이즈 그리츠 딜러 매장 franchised glitz dealer'.

이 곳에서 대니는 롤러 스케이트를 타면서 여러 댄스 스텝을 시도한다. 이어 여러 가지 의상을 착용하면서 한껏 호기스런 분위기를 연출하고 있다. 이런 장면의 배경 노래로 일렉트릭 라이트 오케스트라의 'All Over the World'가 흘러나오고 있다.

13. The Fall (ELO)-소니를 키라를 찾기 위해 롤러 스케이트를 타고 재나두 입구로 들어선다. 이런 장면에서 일렉트릭 라이트 오케스트라의 'The Fall'이 흐르고 있다.
14. Suspended in Time (ONJ)-제우스가 소니를 집으로 돌려보낸다. 이런 상황을 지켜 본 키라는 소니에 대한 그녀의 변함없는 사랑을 드러내기 위해 'Suspended in Time'을 애처롭게 불러주고 있다.
15. Drum Dreams (ELO)-재나두에서 흥겨운 롤러 디스코 파티가 펼쳐진다. 대니는 한껏 흥에 겨워 스케이트 부대를 이끌고 현란한 댄스 향연을 주도하고 있다. 이런 장면에서 'Drum Dreams'가 울려 퍼지고 있다.
16. Xanadu (ONJ and ELO)-소니가 잠시 이별했던 소니와 반갑게 재회 하게 된다. 이런 모습을 축하하기 위해 올리비아 뉴튼-존과 일렉트릭 라이트 오케스트라가 화음을 맞춘 타이틀 곡 'Xanadu'를 합창해 주고 있다.
17. Fool Country (ONJ)-키라가 8명의 뮤즈 Muses가 백 코러스를 해주는 가운데 춤과 노래를 불러 준다.
    이러한 장면에서 열창해 주고 있는 노래가 'Fool Country'이다.
18. Xanadu reprise-키라가 또 다른 8명의 뮤즈 Muses와 함께 노래하고 춤을 추고 있다. 이들은 잠시 후 키라와 함께 하늘로 사라진다.
    이러한 장면에서 타이틀 곡 'Xanadu'가 다시 들려오고 있다.
19. Magic (ONJ) reprise-소니는 키라가 사라진 뒤 텅 빈 회전 댄스 플로어를 응시하고 있다. 환상 속에서 냉정한 현실로 돌아오는 이러한 장면에서 'Magic'이 울려 퍼지고 있다.

20. Instrumental riff from Xanadu-키라와 소니가 실루엣으로 보여지면서 극이 종료됐다는 'The End'가 보여지고 있다. 이때 짧은 연주곡으로 'Xanadu'가 들려오고 있다.
21. Xanadu (ONJ and ELO)-클로징 엔딩 크레디트.
올리비아 뉴튼-존과 일렉트릭 라이트 오케스트라가 화음을 맞추어 'Xanadu'를 불러주면서 환타지 드라마가 종료됐음을 알린다.

42-3. 케니 로긴스 Kenny Loggins, I'm Alright - 〈캐디색 Caddyshack〉(1980)

골프 전용구장.

뻔뻔스러운 신입 회원과 파괴적인 춤추는 땅쥐 destructive dancing gopher 때문에 곤혹스런 상황에 빠진다.

엘리트 부시우드 컨트리 클럽.

뭔가 수상한 일이 벌어지고 있다.

케니 로긴스. © Columbia Records

클럽하우스의 교활한 회장인 엘리후 스마일스(테드 나이트)가 그 일과 관련이 있다.

상냥한 골프 거물 타이 웹(처비 체이스)과 불쾌하고 추잡한 부자 건설계 거물 알 체르빅(로드니 데인저필드)이 호시탐탐 엘리후를 노리고 있다.

한편, 젊은 캐디 대니 누난(마이클 오키프)은 자신의 삶을 정상 궤도로 되돌리기 위해 고군분투하고 있는 중이다.

그의 현재 목표는 심사위원으로부터 직접 장학금을 받을 수 있는 '권위 있는 대회 캐디 데이 골프 토너먼트 the demanding Caddie Day golf tournament'에서 우승하는 것이다.

대니는 꿈을 이루기 위해 지하에서 사람들의 계획을 위태롭게 하려고 위협하고 있는 땅쥐부터 처리해야 한다는 것을 알게 된다.

프로 골퍼 golfers와 땅 쥐 gophers들을 모두 춤추게 했던 케니 로긴스의 노래는 1980년대 상징적 코미디 〈캐디색 Caddyshack〉 주제가이다.

케니 로긴스는 촬영된 필름을 시청한 뒤 노랫말을 구상했다고 한다.

노래 발표 직후 진행된 '탬파 베이 타임즈 Tampa Bay Times'와 진행한 인터뷰를 통해 '나에게는 대니(마이클 오키프가 연기한 10대 캐디 역할)의 캐릭터가 강한 여운을 주어 가사를 만드는데 큰 도움이 됐다.'는 작곡 비화를 공개했다.

대니는 '자신의 정체성과 노력의 결과를 얻으려고 고군분투하는 캐릭터이다. 동시에 사람들이 그에게 기대 이상의 참견을 포기하고 자신의 길을 찾도록 내버려 두기를 원하는 인물'이다.

대니가 추구하고자 하는 목표를 가정(假定)에서 가사를 구성한 노래가 '내가 하는 일이 모두 순조롭게 되고 있다'는 'I'm Alright'이라고 한다.

에디 머니(Eddie Money)가 백 보컬 화음을 맞추어준 이 노래는 빌보드 핫 100 7위까지 진입하는 성과를 거둔다.

42-4. 그룹 서바이버 Survivor, Eye of the Tiger' – 〈록키 3 Rocky III〉(1982)

실베스타 스탤론이 〈록키 3 Rocky III〉 주제가로 염두에 두었던 노래는 록밴드 퀸의 'Another One Bites the Dust'였다.

하지만 여러 이유로 계획은 무산된다.

급하게 대체 노래로 선택된 것이 그룹 서바이버의 'Eye of the Tiger'이다.

치열한 승부 세계를 다룬 권투 드라마 주제가로 그룹 서바이버의 노래는 최적의 효과를 거두게 된다.

대타로 급하게 선택된 과정이 전화위복이 된 것이다.

시카고 출신 밴드 서바이버는 '중독성 있고 리프로 가득 찬 노래'를 들려주었다는 찬사를 받는다.

'Eye of the Tiger'는 지금도 작열하는 여름 태양 열기와 가장 잘 어울리는 '여름 시즌 영화 음악'으로 추천 받고 있다.

서바이버 그룹의 3번째 앨범에도 수록된 'Eye of the Tiger'는 1982년 아카데미 주제가상 후보에 지명 받는다.

1983년 그래미 어워드 듀오 혹은 그룹 록 보컬 상 Best Rock Performance By Duo or Group With Vocal을 수여 받는다.

〈록키〉 주인공 '발보아' 응원 곡 덕분에 서바이버는 일약 1급 록 밴드로 주목을 받게 된다.

그룹 서바이버가 주제곡을 불러준 〈록키 3〉. © Scotti Bros.

42-5. 휴이 루이스 앤 더 뉴스 Huey Lewis and the News, The Power of Love - 〈백 투 더 퓨처 Back to the Future〉 (1985)

'The Power of Love'는 1985년 마이클 J. 폭스가 출연한 시간 여행 코미디 〈백 투 더 퓨처 Back to the Future〉와 불가분의 관계를 형성하게 된 주제가이다.

극 중 전반에 걸쳐 여러 번 흘러나오면서 영화와는 단단한 결합 조직을 이루게 된다. 마티 맥플라이가 스케이트 보드를 타고 가상의 캘리포니아 주 힐 밸리 주변을 순례하고 있다.

이어 픽업트럭의 뒷부분을 붙잡고 스케이드 보드를 현란하게 움직이고 있는 인상 깊은 장면에서 'The Power of Love'가 흘러나오면서 강한 여운을 남겨주고 있다.

폭스가 배역을 맡은 마티는 학교에서 진행되는 밴드 배틀 오디션에 출전해 기타 연주와 노래를 열창하는 모습을 보여주고 있다.

〈백 투 더 퓨처〉는 록 밴드 휴이 루이스의 도움을 받아 블록버스터급 흥행을 무리 없이 달성하게 된다.

'The Power of Love'는 이들 밴드의 대표적 히트 곡으로 자리 잡게 된다.

휴이 루이스 앤 더 뉴스의 〈백 투 더 퓨처〉 주제가 'The Power of Love'. © 20th Century Fox

42-6. 케니 로긴스 Kenny Loggins, Danger Zone - 〈탑 건 Top Gun〉(1986)

탐 크루즈 Tom Cruise 주연 〈탑 건〉 사운드트랙은 영화 자체만큼이나 블록버스터 급 팝 아티스트로 구성됐다.

참여한 이들은 칩 트릭, 러버보이, 케니 로긴스 같은 1급 히트 뮤지션들이다.

여기에 이글거리 신세사이저를 전면에 내세운 찬가 anthem는 독일 출신 해롤드 팔터마이저와 디스코 신(神) 조르지오 모로더 Giorgio Moroder가 공동 작곡했다.

'Danger Zone'은 1980년대 록 주제가의 가장 영광스러운 방식을 담은 곡으로 칭송 받고 있다.

얇은 기타 크런치 the thin guitar crunch, 깔끔한 분위기의 제작 광택 the sanitized production sheen, 로긴스의 가슴을 강타하는 Loggins chesty belting 창법 등이 박수갈채를 받아내는 요인이 된다.

〈탑 건〉 주요 삽입곡들은 개봉 당시 젊은이들이 몰고 다니는 자동차 카 스테레오에서 빈번하게 들려 올 정도로 환대를 받아냈다.

케니 로긴스가 불러준 〈탑 건〉 주제가 'Danger Zone'. © Columbia Records

42-7. 밥 시거 Bob Seger, Shakedown' – 〈비버리 힐즈 캅 2 Beverly Hills Cop II〉(1987)

밥 시거의 흥겨운 록큰롤 'Shakedown'은 〈비버리 힐즈 캅 2 Beverly Hills Cop II〉 삽입곡으로 히트 차트에 등극된다. © MCA

밥 시거 Bob Seger는 〈비버리 힐즈 캅 2 Beverly Hills Cop II〉를 통해 'Shakedown'을 불러 주어 영화와 음악 모두 히트 차트에 진입하는 견인차 역할을 해낸다.

에디 머피 출세작 〈비버리 힐즈 캅〉 1편에서는 이글즈 출신 글렌 후레이 Glenn Frey가 불러준 'The Heat Is On'이 대박급 히트를 친 바 있다. 밥 시거 노래도 전작 히트 열기에 버금가는 호응을 받아낸다.

밥 시거 노래는 카리스마 넘치는 보컬에 부합되는 묵직한 건반과 율동을 자극시키는 신세사이저 베이스 여기에 리드미컬하고 중독성 있게 진행되는 곡조(曲調)가 일품이다. 빌보드 핫 100 1위를 차지하는 뜨거운 호응을 받아낸다.

1988년 아카데미 어워드 주제가 후보에도 지명 받는다.

수상 영예는 〈더티 댄싱〉의 '(I've Had) The Time of My Life'가 차지했다.

42-8. 존 본 조비 Jon Bon Jovi, Blaze of Glory – 〈영 건즈 2 Young Guns II〉(1990)

에밀리오 에스테베즈 Emilio Estevez 주역을 맡은 〈영 건즈 2〉 사운드트랙을 위해 밴드 본 조비 리더 존 본 조비에게 'Wanted Dead or Alive'을 사용하게 해달라는 의뢰를 한다.

하지만 밴드 리더는 거절한다.

대신 먼지 날리는 서부 극 풍경을 떠올리는 신곡을 빠르게 작곡해 영화 주제가로 제시한다.

이렇게 해서 선곡 된 'Blaze of Glory'는 빌보드 핫 100 1위를 차지하는 열띤 호응을 얻어낸다.

존 본 조비는 〈영 건즈 2〉 주제가 'Blaze of Glory'를 불러주었다. © Mercury/Polygram

42-9. 건즈 앤 로지스 Guns N Roses, You Could Be Mine – 〈터미네이터 2: 심판의 날 Terminator 2: Judgment Day〉 (1991)

록 밴드 건즈 앤 로지스는 빌보드 핫 100에서 30위권으로 'You could Be Mine' 'Use Your Illusion' 등을 연이어 올려놓으면서 대중적인 호응 지수를 얻어내는 데 성공하게 된다.

록 밴드 건즈 앤 로지스의 'You Could Be Mine'는 SF 묵시록 극 〈터미네이터 2: 심판의 날〉에서 들을 수 있다. © Warner Bros

'You Could Be Mine'은 제임스 카메론 James Cameron 감독이 1991년 개봉한 공상 과학 및 액션 블록버스터 〈터미네이터 2: 심판의 날 Terminator 2: Judgment Day〉에서 어린 주인공 존 코너가 등장하는 장면과 엔딩 크레디트에서 흘러 나와 인기 차트에 진입하게 된다.

42-10. 엘튼 존 Elton John, Can You Feel the Love Tonight – 〈라이온 킹 The Lion King〉(1994)

디즈니는 현대적인 팝 뮤지션들을 꾸준히 초빙해서 애니메이션의 호응 영역을 확장시키는 뛰어난 페어링 pairing 능력을 발휘해고 있다.

선호도가 높은 팝 음악과 온 가족을 끌어 들일 수 있는 애니메이션 장르의 결합은 〈라이온 킹〉으로 금메달 급 호응을 얻어낸다.

손수건을 꽉 쥐게 만드는 엘튼 존의 감성적 보컬이 일품인 'Can You Feel the Love Tonight'는 대형 화면으로 펼쳐지는 사자 왕의 로맨스를 마술처럼 펼쳐 보이는 역할을 해낸다.

빌보드 얼덜트 컨템포러리 차트 the Adult Contemporary chart, 아카데미 주제가 상 the Best Original Song Oscar 그리고 그래미 남성 보컬 상 Grammy for Best Male Pop Vocal Performance 등 주요 음악상을 모두 석권하는 위업을 기록한다.

엘튼 존의 'Can You Feel the Love Tonight'는 애니메이션 〈라이온 킹〉 사랑의 테마로 선곡돼 폭발적 성원을 받아낸다. © Walt Disney

42-11. 에어로스미스 Aerosmith, I Don't Want to Miss a Thing – 〈아마겟돈 Armageddon〉(1998)

연예 가문 타일러 가족 The Tyler family은 1998년 알찬 한 해를 기록하게 된다. 딸 리브 Liv는 마이클 베이 Michael Bay 감독 재난 영화 〈아마겟돈 Armageddon〉 히로인 역을 꿰찬다.

아빠 스티븐 Steven은 록 밴드 '에어로스미스 Aerosmith' 리드 보컬 자격으로 파워풀한 발라드 곡 'I Don't Want to Miss a Thing'을 불러 준다.

이 노래는 빌보드 핫 100에서 당당히 1위를 차지한다.

노랫말은 싱어 송 라이터 다이안 웨렌 Diane Warren의 솜씨.

거친 록 밴드와 매끄러운 보컬과 가사를 뽐내고 있는 재능꾼의 협업은 할리우드와 팝계를 모두 지배하게 된 것이다.

록 밴드 에어로스미스가 열창해준 'I Don't Want to Miss a Thing'는 〈아마겟돈〉 라스트 엔딩 곡으로 선곡돼 록 팬들의 환영을 받아낸다. © Columbia Records

42-12. 필 콜린스 Phil Collins, You'll Be in My Heart - 〈타잔 Tarzan〉(1999)

에어로스미스의 파워 발라드 모드 위력을 잠재우려는 듯 출현한 뮤지션이 필 콜린스이다. 드러머 출신 보컬 가수 필 콜린스는 유혹하는 듯한 유연한 창법이 트레이드 마크이다. 록 밴드 제네시스 프론트맨이 불러 준 노래는 아카데미 주제가 상을 수여 받는다.

'You'll Be in My Heart'는 빌보드 어덜트 컨템포러리 차트에서 무려 19주 1위를 차지하는 위업을 세운다.

그래미 어워드에서도 '영화와 TV를 위한 비주얼 미디어 부문 상 Grammy Award nomination for Best Song Written for a Motion Picture, Television or Other Visual Media' 후보로도 지명 받는다.

수상의 영예는 〈오스틴 파워 Austin Powers: The Spy Who Shagged Me〉에서 마돈나가 불러준 'Beautiful Stranger'가 가져간다.

필 콜린스가 애니메이션 〈타잔〉 주제가로 'You'll Be in My Heart'을 불러 주었다. © Walt Disney Records

영국 출신 록 밴드 더 애니멀즈 the Animals 노래가 주제가로 효과를 발휘한 8편의 영화

마틴 스콜세즈(Martin Scorsese)에서 부터 제임스 본드(James Bond)에 이르기 까지.

영국 출신 상징적인 록 그룹 더 애니멀스 The Animals가 발표한 주옥같은 선율은 수많은 할리우드 영화에서 배경 노래로 차용돼 그들의 음악성이 꾸준히 재조명 되는 행운을 누리고 있다.

많은 밴드 가운데 더 애니멀스 The Animals는 수년 동안 할리우드에서 공개된 영화와 TV 프로그램을 통해 그들의 노래를 들려준 바 있다.

2021년에는 디즈니 제작 〈크루엘라 Cruella〉와 넷플릭스의 가장 인기 있는 오리지널 영화 중 하나인 〈건파우더 밀크셰이크 Gunpowder Milkshake〉에서 선곡돼 관객들에게 이들 밴드의 존재감을 인식시킨 바 있다.

2022년에도 이들 밴드 노래는 넷플릭스 시리즈 〈엄브렐러 아카데미 The Umbrella Academy〉와 〈안젤린 Angelyne〉에 차용됐다.

할리우드 리포터는 '많은 할리우드 제작자들이 사운드트랙에 밴드 더 애니멀스 음악을 사용하고 있다.

드라마에서 액션 영화에 이르기까지 모든 장르에서 매우 효과적인 순간에 배경 선율로 채택되어 기대 이상의 흥행 지수를 높이는데 일조하고 있다. 이들이 본격 활동을 펼친 1960년대 이후 2020년대까지 근 60여 년 동안 영화와 TV 쇼에서 이들 밴드의 음악이 들려오고 있다'는 흥행 진단을 보도하기도 했다.

더 애니멀스가 발표한 노래 중 'The House of the Rising Sun'은 가장 많은 영화에서 단골로 들을 수 있는 곡으로 유명하다.

1960년대 미국 팝 시장에 영국 출신 음악인들이 대거 진출해서 주목을 받은 현상을 '브리티시 인베이전 운동 British Invasion movement'이라고 명명해 준 바 있다.

더 애니멀스 The Animals는 거친 블루스에서 영감을 받은 사운드와 리드 싱어 에릭 버든 Eric Burdon의 독특한 허스키 창법과 중량감 있는 보컬을 특징으로 내세워 널리 명성을 얻은 밴드이다. 아쉬운 점은 더 애니멀스는 실력에 부응하지 못하는 부실한 매니지먼트로 인해 1963년 출범한 뒤 1969년 해산된다.

2003년-2008년 2차 해체 뒤 2016년 3번째 재결집해서 2023년 현재까지 '에릭 버든과 더 애니멀스 Eric Burdon and the Animals'로 활동을 이어나가고 있다.

여타 록 밴드와 마찬가지로 더 애니멀스가 발표한 주옥같은 노래들은 일선 영화감독과 제작자들에게 창의적인 아이디어를 제공하는 자극제가 됐다는 칭송을 보내고 있다. 마틴 스콜세즈와 007 제임스 본드에서 이들의 음악을 가장 잘 활용했다는 지적을 듣고 있다.

다음은 밴드 더 애니멀스 노래가 효과적인 역할을 했던 대표적 작품 8편이다.

43-1. It's All Over Now, Baby Blue – 〈건파우더 밀크셰이크 Gunpowder Milkshake〉(2021)

〈건파우더 밀크셰이크〉는 카렌 길런이 샘 역할로 출연하고 있다.

그녀는 의로인으로 부터 용역을 받고 납치범들로부터 어린 소녀를 구출해 낸다.

이 과정에서 얻은 많은 돈을 본의 아니게 잃게 되는 젊은 암살자 역할을 기대 이상으로 해냈다.

드라마에서는 여성 암살자가 소원해진 어머니와 어머니의 전직 동료로 일했던 도서관 사서 그룹과 팀을 이루는 강력한 여성의 모습을 보여주고 있다.

〈건파우더 밀크셰이크〉. © Netflix

샘이 죽음 직전에 처해진다.

운명을 받아들일 준비를 하고 있을 때 그녀 엄마와 동료들이 나타난다.

'It's All Over Now, Baby Blue'가 흘러나오면서 여성들은 식당을 지나 목숨을 위협하는 모든 마피아, 갱스터, 암살자를 죽이면서 클라이맥스가 슬로우 모션으로 바뀐다.

더 애니멀스 노래는 그녀 엄마와 친구들이 위기에 빠져 있는 그녀의 생명을 구하기 위해 나타나는 순간 울려 퍼지고 있는 것이다.

43-2. Inside Looking Out – 〈크루엘라 Cruella〉(2021)

'크루엘라 Cruella'는 '크루엘라 드 빌 Cruella De Vil'의 기원 이야기를 디즈니가 재구성한 작품이다.

먼저 공개됐던 〈말레피센트 Maleficent〉와 마찬가지로 이 영화는 디즈니 역사상 가장 사악한 악당 중 한 명 뒤에 숨겨진 인간성을 가감 없이 노출시켜주고 있다.

그녀가 나중에 왜 그렇게 냉담해 졌는지 설명해 주어 관객들의 공감을 얻어낸다.

영화에서 처음 펼쳐지는 액션 장면에서 더 애니멀스의 'Inside-Looking Out'이 흘러나오고 있다.

애니멀스 음악은 전염성 강하고 가차 없는 비트가 매력이다.

크루엘라 드 빌이 무도회장을 혼란에 빠뜨리기 시작할 때 흐르기 시작한다.

달마시안이 큰 추격전을 마무리하는 시점까지 이어서 들려오고 있다.

이 노래는 캐서린(에밀리 비참)이 죽는 중요한 순간까지 계속되고 있다.

노래 전체 보컬은 그 순간에 크레센도로 이어진다.

화면과 완벽한 음악적 조화를 이루고 있다는 찬사를 받았다.

〈크루엘라〉. © Disney+

43-3. Don't Bring Me Down - 〈블랙 매스 Black Mass〉(2015)

디파티드에서 잭 니콜슨의 캐릭터는 화이티 벌거를 느슨하게 기반으로 했지만, 보스턴 범죄 보스의 이야기는 조니 뎁이 2015년 블랙 매스에서 그를 연기할 때까지 화면에 나오지 않았습니다.

마틴 스콜세즈 감독의 〈디파티드 The Departed〉에서 잭 니콜슨이 맡은 배역이 화이트 벌거 Whitey Bulger.

벌거의 형제는 주 상원의원이었지만 그는 사우스 보스턴 역사상 가장 악명 높은 폭력 범죄자.

마피아 가족을 무너뜨리기 위해 FBI 정보원이 된 실존 인물이다.

〈블랙 매스〉. © Apple TV & Prime Video

2015년 공개된 스코트 쿠퍼 감독의 〈블랙 매스〉에서 자니 뎁도 화이트 벌거 역할로 등장하고 있다.

1970년대 후반 보스턴. FBI는 도시 북쪽을 지배하고 있는 마피아의 장악력을 와해시키기 위한 다각도의 작전을 실행 중이다.

정예 요원 존 코놀리(조엘 에저튼)는 이번 작전을 주도하고 있는 핵심 인물. 그는 목표 달성을 위해 어떤 일이든 할 용의가 있는 각오를 다지고 있다.

사우스 보스턴 출신인 존. 그의 주요 적이 마피아이기 때문에 사우스 보스턴 범죄 두목 제임스 화이트 벌거(자니 뎁)에게 FBI와 전략적 협력 관계를 요청하려는 위험한 거래를 구상한다.

매사추세츠 주 상원의원으로 재직하고 있는 형제 빌리 벌거(베네딕트 컴버비치)를 통해 화이트에게 접근한 코놀리. 화이트를 마피아 동향을 제보 받는 정보원이자 FBI와 동맹을 맺는 관계로 끌어 들이는데 성공한다.

하지만 이 동맹은 벌거에게 처벌받지 않고 그가 공권력을 마음대로 행사하고 막대한 부를 축적하는 수단으로 전락하고 만다.

벌거의 음흉한 술수에 의해 자신이 속고 있다는 사실을 깨닫지 못한 코놀리.

그는 결국 법, 질서, 정의보다는 벌거의 행동을 막후 지지하는 자신을 발견하게 된다.

조엘 어저톤이 벌거와의 관계를 통해 자신의 범죄자 처벌 능력을 구축하려는 FBI 요원 존 코놀리 역할로 출연하고 있다.

더 애니멀스의 'Don't Bring Me Down'은 결국 권력 남용 혐의로 코놀리가 체포당하는 장면에서 흘러나오고 있다.

코놀리의 의욕적인 초기 모습과 결국에는 불가피한 몰락의 길을 걷게 되는 것에 대한 암시적인 노래라는 풀이를 받는다.

43-4. The House of The Rising Sun - 〈수어사이드 스쿼드 Suicide Squad〉(2016)

〈수어사이드 스쿼드〉. © HBO Max+Warner Bros

데이비드 에이어(David Ayer) 감독의 〈수어사이드 스쿼드 Suicide Squad〉은 연출자의 의욕은 넘쳐 났지만 본질적으로 지루하고 엉망인 장편 모험 극이라는 지탄을 받게 된다.

그나마 영화가 주목 받게 된 것은 마고 로비가 할리 퀸 역, 자레드 레토가 조커 역 등으로 출연해 몇 가지 볼거리를 제공하고 있는 동시에 멋진 사운드트랙이 있다는 점이다.

그룹 더 애니멀스 The Animals 명성을 높여 준 대표적 히트 노래 'The House of the Rising Sun'이 오프닝 장면에서 흘러나오고 있다.

43-5. We Gotta Get Out of This Place – 〈햄버거 힐 Hamburger Hill〉(1987)

베트남 전쟁을 다룬 가장 잔인한 작품 중 한 편.

〈햄버거 힐〉. © Starz

단일 군사 작전 사연을 통해 베트남 전쟁 전반을 이해할 수 있는 전개 방법이 주목을 받아 낸다.

베트남 전쟁 영화가 관객들의 주목을 받아낸 많은 요소 중 한 가지는 전쟁 배경 시대인 1960년대 히트됐던 많은 대중음악을 들려주고 있다는 점이다.

〈햄버거 힐〉도 이런 제작 관행을 충실하게 따르고 있다.

〈햄버거 힐〉에서 더 애니멀스의 '우리는 이곳에서 나가야 돼 We Gotta Get Out of This Place'라는 노래를 선곡하고 있다.

이런 곡 설정은 베트남 전쟁에 참전한 대다수 군인들의 생각을 요약해서 들려주는 것 같다는 공감을 얻어 낸다.

영화 공개 당시 '노래를 듣는 관객들도 참전 군인들이 느끼는 절망적인 상황을 체감할 수 있었다.'는 의견이 제기됐다.

43-6. We Gotta Get Out of This Place - 〈화씨 9/ 11 Fahrenheit 9/11〉(2004)

마이클 무어(Michael Moore) 감독의 〈화씨 9/11〉은 부시 행정부 그리고 테러와의 전쟁에 대한 통렬한 고발 메시지를 담고 있다.

무어의 다큐멘터리를 인기 있게 만든 것은 그가 다큐멘터리의 가장 건조한 하위 장르 중 하나에서 신선한 공기를 불어 넣는 진정으로 재미있는 영화를 만들기 때문이다.

이런 찬사의 일정 부분은 라이센스가 부여 된 왕년히트 팝송을 가득하게 채운 사운드트랙을 빼놓을 수 없다.

R.E.M, 닐 영 Neil Young, 제쓰로 툴 Jethro Tull을 포함한 다양한 아티스트 노래를 들을 수 있다. 〈화씨 9/11 Fahrenheit 9/11〉에는 정치적 메시지와 전쟁 영화와의 깊은 연관성을 제시한 주제와 완벽하게 일치하는 더 애니멀스 The Animals의 'We Gotta Get Out of This Place'가 포함되어 있다는 것이 주목받는 이유 중 하나가 됐다.

〈화씨 9/ 11〉. © Peacock

43-7. Boom Boom – 〈스카이폴 Skyfall〉(2012)

하비에르 바르뎀(Javier Bardem)이 잊을 수 없는 악당 라울 실바(Raoul Silva)로 출연하고 있는 007 시리즈가 〈스카이폴 Skyfall〉.

스코틀랜드 저택에서 내려와 공격용 헬리콥터에 탑승해서는 외부 스피커를 통해 더 애니멀스 The Animals의 'Boom Boom'을 틀어 놓는다.

이 노래는 클라이막스에서 펼쳐지는 전투를 아름답게 무대로 꾸며 주는데 일조하고 있다.

실바는 요원으로서 부당한 대우에 대한 보복으로 M을 죽이려고 한다.

제임스 본드는 그녀를 보호하기로 결심한다.

그렇지만 본드 계획은 실패하고 만다.

〈스카이폴〉. © MGM, Universal Pictures

43-8. The House of The Rising Sun - 〈카지노 Casino〉(1995)

직설적이 아닌 우회적인 진행 방식으로 펼쳐지는 스토리텔링, 빠른 진행, 친숙한 캐스팅, 음성 해설, 팝 히트 곡으로 가득 찬 사운드트랙.

마틴 스콜세즈의 〈카지노〉의 특징이다.

감독이 전작 〈좋은 친구들 Goodfellas〉 전개 방식을 태연하게 모방하고 있다는 따가운 질책을 들었다.

이러한 약점에도 불구하고 영화에는 많은 장점이 노출되어 있다.

샤론 스톤이 놀라운 연기를 선보였다.

라스 베가스를 조직 범죄에 대한 배경지로 선택한 것은 새로운 시각을 제공했다.

여기에 사운드트랙은 흠잡을 데가 없이 화면과 어울리고 있다는 칭송이 제기된 것이다.

마피아 중간 보스와 하수인들을 한 명 씩 제거해 나갈 때 스콜세즈 감독은 더 애니멀스 The Animals의 'The House of the Rising Sun'을 들려주고 있다.

화면에서 펼쳐지고 있는 비극을 관객들에게도 각인시켜 주었던 것이다.

마틴 스콜세즈 감독, 로버트 드 니로 주연의 〈카지노〉. © Hulu & Peacock, Universal Pictures

영화 덕분에 다시 한 번 대중적 인기를 얻게 된 팝 송 10곡

10 Songs That Became Popular Again After Being in A Movie, according to Rolling Stone

흘러간 팝송이지만 운 좋게도 영화에 등장한 후 다시 인기를 얻은 곡이 꽤 있다.

하이틴 스타 코리 하트 Corey Hart가 1984년 뉴 웨이브/신세사이저 팝 트랙으로 발매했던 'Sunglasses at Night'.

2022년 조단 필 Jordan Peele의 공상 과학/공포 컴백 영화 〈노프 Nope〉에 등장하면서 MZ 세대들의 관심을 받게 된다.

미니 시리즈 〈스트레인저 씽즈 Stranger Things〉 시즌 4에서는 케이트 부시 Kate Bush가 1985년 발매했던 신세사이저/ 아트 팝 싱글 'Running Up

That Hill'이 삽입 되면서 역시 팝 애호가들의 주목을 받아낸다.

영화와 TV 시리즈를 통해 한동안 잊혀졌던 노래가 재조명을 받는 행운을 얻게 된 것이다.

신작 영화 배경 음악으로 선택 받은 뒤 팝 및 영화 애호가들의 관심을 받게 되는 사례는 꾸준히 발생되고 있다.

만일 신세대 가수들이 커버 버전으로 발표했을 경우에는 오리지널 원곡을 찾아내서 비교해서 감상해 보려는 움직임도 벌어지고 있다.

어떤 노래는 향수를 불러일으킨다.

또 다른 노래는 신선한 청취자에게 완전히 새로운 음악 세계로 안내하는 역할도 해낸다.

음악 전문지 '롤링 스톤'은 수 년 동안 인기 영화 배경 노래로 선택된 뒤 다시 주목을 받게된 대표적 노래 10곡을 언급했다.

44-10. A Thousand Miles - 바네사 칼튼 Vanessa Carlton

2004년 공개된 키난 아이보리 웨이안스 Keenan Ivory Wayans 감독의 〈화이트 칙스 White Chicks〉.

형제지간인 숀 Shawn과 말론 웨이안즈 Marlon Wayans가 공동 출연하고 있다.

엄청난 웃음을 선사하고 있는 코미디 영화에서 바네사 칼튼의 'A Thousand Miles'를 들을 수 있었던 덕분에 공개 당시 음악계 토픽을 제공하게 된다.

2002년 발표됐던 노래는 '유쾌한 피아노 훅과 귀에 쏙쏙 들어오는 가사 A delightful piano hook and catchy lyrics'가 일품이다.

팝 적인 신랄함을 가득 담은 빛나게 노래라는 칭송을 받은 바 있다.

영화 〈화이트 칙스 White Chicks〉(2004)에 선곡됐던 바네사 칼튼의 싱글 'A Thousand Miles'.
© imdb, AFI, Hollywood Reporter, Wikipedia

노래는 장수 인기를 얻는데 성공했지만 정작 영화에서는 눈속임 장면 gimmicky scene의 배경 노래로 흘러나오고 있다.

이런 이유 때문에 팝 비평가들은 '이미 발표됐던 노래가 항시 긍정적인 잇점으로 활용되는 것은 아니다.'라는 지적을 했다.

44-9. The Sign – 에이스 오브 베이스 Ace of Base

〈피치 퍼펙트 Pitch Perfect〉는 인기 있는 주크박스 뮤지컬 영화 프랜차이즈로 유명세를 얻고 있다. 시리즈 3부를 통해 여러 곡이 재조명을 받게 된다.

1부에서 채택했던 에이스 오브 베이스 Ace of Base 그룹의 'The Sign'은 가장 많은 주목을 받아낸다.

관객들은 지금도 이 노래를 듣고 있으면 '극중 구토를 하는 장면과 등장인물들이 막 춤을 추는 장면이 떠오르고 있다.'고 언급하고 있다.

1993년 발매된 노래는 유로 팝과 테크노 레게 음표를 매끄럽게 융합시켜 팝

〈피치 퍼펙트 Pitch Perfect〉(2012)에 수록된 에이스 오브 베이스 그룹의 히트곡 'The Sign'.
© imdb, AFI, Hollywood Reporter, Wikipedia

계에 신선한 열풍을 몰고 왔다.

경쾌한 곡은 〈피치 퍼펙트〉에서 노래 경연 그룹 바든 벨라스 Barden Bellas가 아 카펠라 버전으로 들려주어 찬사를 얻어낸다.

벨라스의 리더 오드리(안나 캠프)가 긴장해서 구토를 하는 장면은 노래를 듣는 도중 매우 흥미로운 순간을 제공했다.'는 반응을 얻는다.

44-8. In Your Eyes – 피터 가브리엘 Peter Gabriel

피터 가브리엘 Peter Gabriel은 1986년 'In Your Eyes'와 함께 'Sledgehammer' 등을 연속 히트시키면서 팝계 주역으로 각광 받는다.

이들 2곡은 아트 록 분위기와 아프리카 펑크 음표를 사용해서 주목을 받아낸다.

1989년 〈세이 애니씽〉에서는 존 쿠색이 머리에 노래를 틀 수 있는 붐박스 boombox를 올려놓고 이 노래를 들려주어 관객들의 이목을 끌어낸다.

카메론 크로우 Cameron Crowe 감독이 선보인 10대 드라마에는 따뜻함,

연약함, 사랑으로 가득 차 있다.

세련되고 미묘한 로맨스 발라드 노래 'In Your Eyes'는 여러 장애물이 있지만 로이드(쿠색)가 여자 친구 다이안(아이오네 스카이)에 대한 열정적 사랑을 드러내는 노래로 활용되고 있다.

영화 개봉 이후 〈세이 애니씽〉에서 보여 준 '붐박스 장면 boombox scene'은 CF와 여러 드라마에서 빈번하게 인용되는 명장면으로 기억된다.

〈세이 애니씽 Say Anything〉(1989)에서 피터 가브리엘 'In Your Eyes'를 들을 수 있다. © imdb, AFI, Hollywood Reporter, Wikipedia

44-7. Mad World – 티어스 포 피어스 Tears For Fears

〈도니 다코 Donnie Darko〉의 배경 노래로 사용된 'Mad World'는 흡사 신곡처럼 뜨거운 인기를 얻어낸다.

2001년 공개 된 심리/ 공상 과학 스릴러 〈도니 다코〉는 한정된 예산으로 인해 사운드트랙에 배정된 예산이 매우 적었다고 한다.

이런 난관을 극복하기 위해 잘 알려지지 않은 노래를 선택할 수밖에 없었는데 이것이 오히려 전화위복이 된다.

영화와 노래가 함께 주목을 받게 된 것이다.

〈도니 다코〉에서는 영국에서 출범한 2인조 록 밴드 티어스 포 피어스가 1982년 발표한 싱글 'Mad World'를 마이클 앤드류스 Michael Andrews와 게리 줄스 Gary Jules가 커버한 곡을 사용했다.

마이클 앤드류스(Michael Andrews)의 침울한 보컬과 게리 줄스(Gary Jules)의 달콤 씁쓸한 피아노 코드는 잊을 수 없을 정도로 아름다운 조합을 이루게 된다.

원곡에서 시도했던 경쾌한 팝 신세사이저를 우울한 느낌으로 편곡시켜 영화 분위기에 적절하게 조화를 이뤘다는 호평을 듣게 된다.

〈아메리칸 아이돌 American Idol〉 결선 진출자 아담 램버트 Adam Lambert도 시즌 8을 통해 음산한 버전으로 불러주어 이목을 끌어냈다.

커버 곡 인기 덕분에 티어스 포 피어스 Tears for Fears 원곡도 다시 한 번 주목을 받게 된다.

〈도니 다코 Donnie Darko〉(2001)의 배경 노래로 선택됐던 'Mad World'. © imdb, AFI, Hollywood Reporter, Wikipedia

44-6. Jump In The Line – 해리 벨라폰테 Harry Belfonte

환타지 공포 코미디 〈비틀쥬스 Beetlejuice〉(1988)에서 해리 벨라폰테의 'Jump in the Line'을 들을 수 있다. © imdb, AFI, Hollywood Reporter, Wikipedia

1961년 발표됐던 'Jump in the Line'는 〈비틀쥬스 Beetlejuice〉 덕분에 노래와 가수 해리 벨라폰테의 존재감을 다시 인정받게 된다.

팀 버튼은 거의 잊혀졌던 이 노래를 1988년 지하 세계 안팎에 떠돌아다니는 영혼에 관한 공포 코미디를 통해 환생시킨다.

자메이카 출신 미국 가수 벨라폰테는 'Jump in the Line'을 통해 칼립소와 살사를 융합시켜 '트로피칼과 1950년대 팝 바이브를 창조 creating a tropical/50s pop vibe' 했다는 찬사를 받아낸 바 있다.

〈비틀쥬스〉에서는 리디아 디츠(위노나 라이더)가 'Jump in the Line' 리듬에 맞추어 공중에서 춤을 추고 있다.

예상치 못한 결말은 영화의 엉뚱한 주제와 일치해서 관객들의 찬사를 얻어낸다.

노래가 들려오고 있다. 리디아 뒤에 '유령 축구 팀 football team of ghosts'이 등장하고 있는 것은 기억에 남는 영화 순간으로 회자(膾炙)된다.

44-5. Layla - 데렉 앤 더 도미노스 Derek and the Dominos

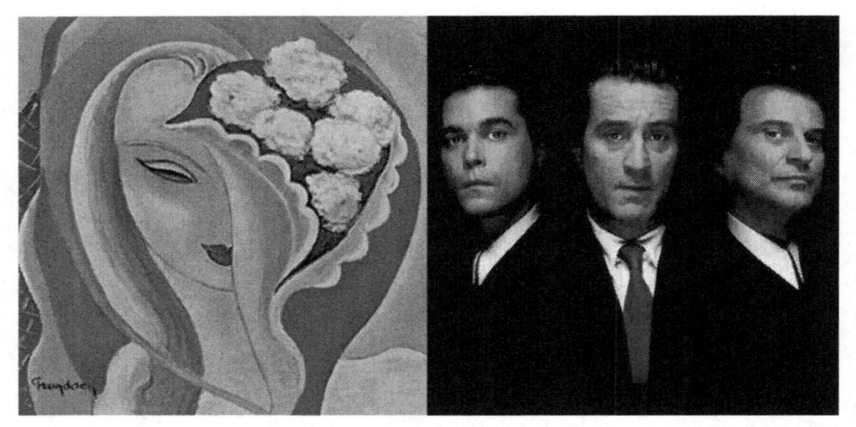

〈좋은 친구들 Goodfellas〉(1990)에서 팝 명곡 'Layla'가 선곡됐다. © Warner Bros, imdb, AFI, Hollywood Reporter, Wikipedia

데렉 앤 더 도미노스 Derek and the Dominos의 'Layla'는 〈좋은 친구들 Goodfellas〉 덕분에 1990년대 팝 팬들의 열띤 응원을 받고 부활되는 행운을 얻게 된다.

1990년 공개된 범죄 전기 영화의 클라이막스를 제공하는 노래는 1971년 발표된 추억의 노래이다.

〈좋은 친구들〉 1978년 에피소드. 헨리는 가석방 된다.

폴리의 명령이 있었지만 지미 및 토미를 규합해서 코카인 사업을 확장시킨다.

지미는 일행을 끌어 들여 존 F. 케네디 국제공항의 루프트한자 금고를 습격, 600만 달러의 현금과 보석을 훔친다.

일부 일행이 지미의 명령에 거역하고 훔친 돈으로 값 비싼 품목을 구매하고 도주 트럭이 경찰에 의해 발견 된다.

이에 지미는 토미와 헨리를 제외하고 대부분의 일행을 제거한다.

1978년 루프트한자 공항 금고 습격 장면.

매혹적인 어쿠스틱 기타와 피아노 연주가 일품인 'Layla'가 들려오고 있다.

'Layla'는 〈좋은 친구들 Goodfellas〉 엔딩 크레디트에서 다시 한 번 흘러나오고 있다.

44-4. The End - 도어즈 The Doors

〈지옥의 묵시록 Apocalypse Now〉(1979). 포연(砲煙)이 가득한 베트남 전쟁 풍경을 보여주는 오프닝 장면에서 음산하게 들려오고 있는 도어즈 그룹의 'The End'. © imdb, AFI, Hollywood Reporter, Wikipedia

프란시스 포드 코폴라 Francis Ford Coppola가 1979년 공개한 전쟁 서사극 〈지옥의 묵시록 Apocalypse Now〉.

제작에서 극장 개봉까지 수년 동안 한글 제목처럼 '지옥과 같은 늪지대에 빠져 고충'을 겪은 일화로 유명하다.

그룹 도어즈 The Doors가 1967년 발표했던 노래 'The End'가 오프닝 장면에서 재생된다.

영화 음악 팬들은 '화려한 음악 카탈로그가 이제 시작됐다 Brilliant music catalog has just begun'는 환호성을 보낸다.

최면을 거는 듯한 오르간 Hypnotic organs, 인디안 현악기 Indian strings, 짐 모리슨의 부드러운 보컬 Jim Morrison's smooth vocals.

'The End'는 '사이키델릭/ 고딕 록 하이브리드를 창조해냈다. create a psychedelic/gothic rock hybrid'는 찬사가 쏟아진다.

'도마뱀의 왕 The Lizard King'이라는 애칭을 들었던 짐 모리슨.

노래 가사를 통해 '죽음과 환생의 주제를 많이 포함시켰기 때문에 전쟁 영화에서 들려오고 있는 'The End'는 절묘한 융합이 되고 있다.'는 풀이를 듣는다.

44-3. Canned Heat - 자미로콰이 Jamiroquai

〈센터 스테이지〉와 〈나폴레옹 다이나마이트〉 등에 연속 사용됐던 자미로콰이의 'Canned Heat'. © imdb, AFI, Hollywood Reporter, Wikipedia

1999년 발매된 자미로콰이 Jamiroquai의 'Canned Heat'는 영화 배경 음악 덕분에 새롭게 인지도를 얻은 곡이다.

2022년 공개된 〈나폴레옹 다이나마이트 Napoleon Dynamite〉는 다소 과대평가 된 코미디 극으로 간주되고 있다.

타이틀 롤을 맡았던 존 헤더가 록 밴드 자미로콰이 연주 행태에 맞추어 펼쳐주는 연기로 관객들의 환호성을 받아낸다.

'Canned Heat'는 펑크 및 누-디스코 톤 The funk and nu-disco tones을 표방하고 있는 노래.

존 헤더는 노래 리듬에 맞추어 혈기 넘치는 댄스 동작을 실연(實演) 해서 박수갈채가 쏟아졌다.

2000년대 공개된 댄스 극 〈센터 스테이지 Center Stage〉에서는 'Canned Heat'를 리믹스 댄스로 편곡시킨 노래가 선곡돼 신선한 반응을 얻어낸다.

44-2. Tiny Dancer - 엘튼 존 Elton John

〈올모스트 페이모스 Almost Famous〉(2000)에서 들려오고 있는 엘튼 존의 'Tiny Dancer'.
ⓒ imdb, AFI, Hollywood Reporter, Wikipedia

카메론 크로우 Cameron Crowe 감독의 고전 클래식 영화인 〈올모스트 페이모스 Almost Famous〉는 10대 시절 팝 전문지 롤링 스톤 Rolling Stone 음악 작가로 활동했던 크로우의 자전적 경험을 녹여 낸 작품으로 널리 알려져 있다.

엘튼 존 Elton John의 'Tiny Dancer'는 진심 어린 록 드라마를 표방한 영화에 수록되면서 젊은 관객들에게 노래에 대한 존재를 알리게 된다.

1972년 발매된 싱글이다. 일렉트릭 현과 의미심장한 후렴구 여기에 화답하는 사랑스러운 피아노 반주가 일품인 노래이다.

노래가 갖추고 있는 구성 요소는 영화에 등장하는 가상 록 밴드 스틸워터(Stillwater)와 그들의 팀원들이 순회공연을 떠나면서 버스 안에서 합창하는 노래로 불리워지고 있다.

음악 영화답게 객석에 앉아 있는 관객들에게도 '무리지어 합창'을 할 수 있는 분위기를 만들어 냈다.

2022년 엘튼 존은 미국 팝 요정으로 대접 받았던 브리트니 스피어스 Britney Spears를 초빙해서 'Tiny Dancer'를 리메이크 한 'Hold Me Closer'를 발매해 팝 팬들의 호응이 이어졌다.

44-1. Bohemian Rhapsody – 퀸 Queen

미국 성인 토크 및 라이브 쇼 '새터데이 나이트 라이브 Saturday Night Live'에서 가장 많은 인기를 얻은 소재를 영화화 한 것이 〈웨인즈 월드〉이다.

〈웨인즈 월드 Wayne's World〉는 퀸 리드 보컬 프레디 머큐리 전기 음악 영화 〈보헤미안 랩소디〉가 공개되기 오래 전에 이미 'Bohemian Rhapsody'가 '팝 역사상 가장 위대한 노래 중 한 곡'이라는 것을 입증시킨 바 있다.

영화 개봉 이후 1990년대 극장을 찾은 당시 신세대들에게 'Bohemian Rhapsody' 진가를 널리 전파시키는 공적을 세운 것이다.

1975년 발매 당시 '록 심포니 rock symphony'로 주목 받았던 'Bohemian Rhapsody'.

웨인(마이크 마이어스)과 가스(다나 카비)는 그들의 친구들과 어울러 이 노래 리듬에 맞추어 고개를 정신없이 흔들어 대는 '헤드뱅잉 headbanging'을 시도 한다.

영화 공개 이후 젊은 층 사이에서는 극중 장면을 모방하는 행동이 한동안 유행 이 된다.

2018년 라미 말렉이 프레디 머큐리 역할을 맡은 〈보헤미안 랩소디 Bohemian Rhapsody〉로 인해 타이틀 노래가 재차 팝 시장에서 성원을 받아낸다.

2021년 미국음반협회(RIAA)는 영화 〈보헤미안 랩소디〉 공개 이후 타이틀 노래가 100만장 판매됐다는 '다이아몬드 diamond' 인증을 부여한다.

〈웨인즈 월드 Wayne's World〉(1990). 퀸의 명곡 'Bohemian Rhapsody'가 재차 호응을 얻는 기회를 제공한다. © imdb, AFI, Hollywood Reporter, Wikipedia

영화보다 더 인기를 얻은 주제가 10곡

10 Songs That Are More Popular Than The Movies They Came From

일부 영화는 세월이 흐르면서 자연스럽게 잊혀진 작품이 되는 경우가 있다.

그렇지만 일부 노래는 영화보다 더욱 긴 생명력을 갖고 꾸준한 인기를 누리고 있는 경우도 있다.

영화 흥행을 위해 제작자나 감독들은 연주곡으로 구성된 스코어 또는 인기 팝 아티스트 노래로 구성된 사운드트랙을 출시하고 있다.

일부 노래는 영화 보다 앞서 자신들의 음반 스튜디오 앨범으로 발표한 것을 영화를 위해 재수록 하는 경우가 있다.

신작 영화를 위해 특별하게 작곡되는 노래도 있다.

'사랑과 기억에 대한 주제 themes about love and memory'와 관련된 노래는 〈타이타닉 Titanic〉 주제가 'My Heart Will Go On'을 꼽을 수 있다.

팝 디바 셀린 디온(Céline Dion)의 호소력 있는 창법이 돋보였던 노래는 블록버스터 영화만큼 전 세계 음반 시장에서 뜨거운 환대를 받은 바 있다.

팝 전문가들은 '주제가 My Heart Will Go On은 영화에 대한 인기를 능가하는 대표적인 사례이다.'라고 평가해 주고 있다.

빌보드는 등 음악 전문지들은 흥미기사로 '영화 보다 주제가가 더욱 오래 환대 받고 있는 대표적 10곡'을 소개하고 있다.

그 면면을 인용, 소개하면 다음과 같다.

45-1. 9 To 5 - 〈나인 투 파이브 9 To 5〉

1980년대 공개된 코미디 영화 중 〈나인 투 파이브 9 to 5〉는 단순한 제목과는 달리 직장 내에서 여성들이 부당하게 당하고 있는 성적 차별 실태를 고발하고 있다.

2000년대 들어 봇물처럼 터져 나온 '나도 당했다 #MeToo' 운동의 시발을 제공한 작품이기도 하다.

컨트리 가수 달리 파튼(Dolly Parton)이 영화배우 겸업 선언을 하면서 주제가 까지 불러주고 있다.

영화는 쇼비니즘적이고 폭군적인 남성 상사를 응징하려는 3명의 직장 여성들의 음모 극을 펼쳐주고 있다.

여성 관객들의 열성적 반응에 힘입어 2008년 브로드웨이 뮤지컬뿐만 아니라 같은 이름의 TV 쇼로 확장 방영된다.

동명 주제가는 1981년 아카데미 주제가 상 후보, 1981년 피플 초이스 영화

직장 여성들의 애환을 소재로 한 〈나인 투 파이브〉. 컨트리 가수 달리 파튼이 동명 주제가를 불러주고 있다. © Amazon, imdb, AFI, Hollywood Reporter, Wikipedia

주제가 상 수상, 1982년 그래미 어워드 컨트리 송, 여성 컨트리 보컬 부문 등 2개 부문상을 수여 받는다.

노래 '9 to 5'는 지금도 좌절한 직장인들을 위로해 주고 있는 찬가 anthem로 대접 받으면서 2020년대 들어서도 장수 인기를 누리고 있다.

45-2. Que Será, Será (Whatever Will Be, Will Be) - 〈나는 비밀을 알고 있다 The Man Who Knew Too Much〉

감독이 오래 전에 발표했던 자신의 영화를 리메이크하고 원작보다 더 나은 영화를 만드는 경우는 매우 드물다.

알프레드 히치콕(Alfred Hitchcock) 감독이 1956년 발표한 〈나는 비밀을 알고 있다 The Man Who Knew Too Much〉는 이러한 사례를 제공한 영화이다.

관광객 커플이 정치적 음모에 휘말려 고충을 당한다는 내용은 이미 히치콕 감독이 1934년 공개한 바 있는데 1950년대 중반에 자신의 영화를 다시 손질해서 발표한 것이다.

오리지널과 리메이크는 모두 흥행에서 성공하는 기록도 수립한다.

리메이크 작품에서 눈에 띄는 요소 중 하나는 'Que Será, Será (Whatever Will Be, Will Be)'를 삽입시켜 아카데미 주제가 상을 비롯해 여러 음악상을 석권했다는 점이다.

알프레드 히치콕 감독의 스릴러 〈나는 비밀을 알고 있다〉. 행방불명된 아들을 찾기 위해 불러주고 있는 노래로 들려오고 있는 'Que Sera Sera'. © Amazon, imdb, AFI, Hollywood Reporter, Wikipedia

노래하는 연기자로 합류한 도리스 데이(Doris Day)가 청아한 음색으로 불러준 노래는 이후 〈심슨 가족 The Simpsons〉과 여러 다크 코미디 darkly comedic 배경 노래로 재차 활용된다.

45-3. Raindrops Keep Fallin On My Head - 〈내일을 향해 쏴라 Butch Cassidy and The Sundance Kid〉

1950년대와 1960년대를 흥행가를 주도했던 장르는 단연 '서부 극 Western movie'이다.

비평가들은 이 장르에 대해 대체적으로 비호감을 드러냈지만 〈내일을 향해 쏴라〉의 경우는 이례적으로 환대를 보낸 영화이다.

가상(假想)으로 설정한 서부 무법자들이 행적을 펼쳐주고 있다.

버치(폴 뉴먼)와 그의 여자 친구 에타(캐서린 로스)가 자전거를 함께 타고 과

로버트 레드포드와 폴 뉴먼 황금 콤비가 전성기 시절 출연했던 〈내일을 향해 쏴라 Butch Cassidy and the Sundance Kid〉. © Amazon, imdb, AFI, Hollywood Reporter, Wikipedia

수원 주변을 유유자적 산책하는 장면에서 흘러나온 'Raindrops Keep Fallin on My Head'는 1970년 아카데미 주제가 상 및 작곡상(버트 바카락)을 차지하는 성원을 받아낸다.

노래를 불러준 B. J. 토마스 B. J. Thomas의 대표적 히트 리스트에 등록 된다.

최신작 중 〈스파이더-맨 2 Spider-Man 2〉에서도 들을 수 있다.

45-4. Eye Of The Tiger - 〈록키 3 Rocky III〉

실베스타 스탤론의 출세작 〈록키 3〉. 록 밴드 서바이버가 3부 주제가를 불러 주어 인기몰이에 성공한다. © Amazon, imdb, AFI, Hollywood Reporter, Wikipedia

〈크리드 Creed〉와 그 속편을 통해 새로운 생명을 불어넣기 전에 〈록키 Rocky〉 프랜차이즈는 소재 고갈에 시달린다.

3부는 창의적인 걸림돌을 노출시켜준 작품으로 지탄 받는다.

일부 비평가들은 '불필요하게 만들어진 속편'이라는 뼈아픈 지적을 날리기도 했다.

관객들의 반응은 이전 1,2 편과 비교해 그렇게 초라한 성적은 아니었다.

3부가 흥행 호조(好調)를 기록한 것은 록 밴드 서바이버가 불러 준 박진감 넘치는 록 주제가가 한 몫을 해냈다.

별다른 존재감이 없었던 밴드 서바이버는 'Eye of the Tiger'로 1983년 아카데미 주제가상 후보로 지명 받는 등 단번에 인기 록 밴드로 주목을 받아낸다.

노래는 1980년대 중반 미국 정치인들이 선거 캠페인 배경 노래로도 활용했다.

라디오 인기 신청곡으로도 각광 받는다.

45-5. Kiss from A Rose - 〈배트맨 포에버 Batman Forever〉

팀 버튼은 〈배트맨 Batman〉(1989) 〈배트맨 2 Batman Returns〉(1992)에서 시종 음울하고 진지한 메시지를 던져 주었다.

조엘 슈마허가 연출을 맡은 3부 〈배트맨 포에버 Batman Forever〉(1995)는 발 킬머, 토미 리 존스, 짐 캐리, 니콜 키드만 등 연기파 1급 배우들과 만화적인 요소도 가미시켜 10대 관객들의 관람 욕구를 불러일으킨다.

1억 달러의 제작비를 투입해 3억 3천 만 달러라는 기대 이상의 흥행 성적을 거둔다. 사운드트랙도 여러 음악 차트에서 1위를 차지하는 성원을 받는다.

주제가로 쓰인 씰 Seal의 'Kiss from a Rose'는 1995년 MTV 비디오 뮤직 어워드 Video Music Awards (VMA)를 수여 받는다.

가창력에도 일가를 이루고 있는 코믹 배우 잭 블랙 Jack Black을 비롯한 많은 아티스트들이 커버 버전을 발표했다.

다양한 TV 프로그램 배경 노래로도 선택된다.

〈배트맨 포에버〉. © Amazon, imdb, AFI, Hollywood Reporter, Wikipedia

45-6. I Believe I Can Fly - 〈스페이스 잼 Space Jam〉

농구 스타 마이클 조단을 전격 출연시킨 〈스페이스 잼 Space Jam〉(1996)은 실사와 만화를 결합시킨 애니메이션 코미디로 발표해 주목을 받아낸다.

속편 제작은 차일피일 늦추어지다 르브론 제임스 LeBron James를 캐스팅해서 〈스페이스 잼: 새로운 시대 Space Jam: A New Legacy〉(2021)가 공개된다.

전작은 흥행 호조를 기록했지만 비평가들로 부터는 비우호적인 반응을 받는다.

전작은 농구 스타 마이클 조던이 워너 브라더스 애니메이션 캐릭터 루니 튠즈가 상호 작용하는 구성으로 전개 된 나이키 광고에서 영감을 받아 제작된 것으로 알려졌다.

객관적으로 〈스페이스 잼〉은 향수를 불러일으키는 요소와 1990년대의 인기 트렌드를 결합한 대형 광고를 보는 듯한 영화라는 풀이도 받았다.

영화에 대한 지지도를 높여준 요소는 'I Believe I Can Fly'와 같은 노래를 빼놓을 수 없다.

소재와 설정이 향수를 불러일으킨 것처럼 주제가 또한 영화 개봉 이후 다양한 매체에서 활용된다.

〈스페이스 잼〉. © Amazon, imdb, AFI, Hollywood Reporter, Wikipedia

45-7. I Will Always Love You - 〈보디가드 The Bodyguard〉

〈보디가드〉는 현역 가수가 극중 리듬 앤 블루스 가수 배역으로 출연해 갈채를 받아 낸다.

2,500만 달러 $ 25,000,000라는 중급 규모의 제작비를 투입해서 4억 1천만 달러 $ 411,046,449 이상의 수익을 얻는 초특급 히트작이 된다.

1990년대 중반 이후 공연된 여러 뮤지컬에도 많은 영향을 끼쳤고 주제가 'I Will Always Love You'와 사운드트랙도 믿을 수 없을 정도로 훌륭했다는 찬사를 받아낸다.

'I Will Always Love You'는 널리 알려진 대로 달리 파튼의 컨트리 곡을 팝 버전으로 커버해서 히트 차트에 다시 진입하게 된다.

이 노래는 〈스파이더맨: 파 프롬 홈 Spider-Man: Far From Home〉에서도 들을 수 있다.

휘트니 휴스턴의 샤우팅 창법이 돋보였던 'I Will Always Love You'. © Amazon, imdb, AFI, Hollywood Reporter, Wikipedia

45-8. Flash - 〈플래시 고든 Flash Gordon〉

'배트맨' '슈퍼맨' '헐크' '아이언 맨' 등과 같이 '슈퍼히어로' 영화의 경우 코믹 연재물이 원안인 경우가 대부분이다.

'플래시 고든 Flash Gordon' 또한 동명 이름을 내걸고 장기 연재 중이었던 코믹 북 시리즈를 대형 화면으로 각색한 작품이다.

1980년에 개봉된 〈플래시 고든 Flash Gordon〉은 록 밴드 퀸 Queen이 사운드트랙을 작곡했다는 이유로 음악 팬들의 관심을 촉발시킨 바 있다.

〈플래시 고든〉. © Amazon, imdb, AFI, Hollywood Reporter, Wikipedia

안타깝게도 영화는 미국 시장에서는 거의 참패에 가까운 외면을 받았다.

세월이 흐르면서 추종 매니어들이 형성돼 컬트 목록에 합류하게 된다. 트랙 중 메인 테마 'Flash' 'Flash's Theme' 등은 팝 시장에서는 꾸준한 주목을 받아낸다.

45-9. Come Together Cover Version By Aerosmith - 〈서전트 페퍼스 론리 하트 클럽 밴드 Sgt. Pepper's Lonely Hearts Club Band〉

유명한 비틀즈 앨범을 원작으로 한 〈서전트 페퍼스 론리 하트 클럽 밴드 Sgt. Pepper's Lonely Hearts Club Band〉.

〈어크로스 더 유니버스 Across the Universe〉보다 먼저 비틀즈 노래를 통합시켜 공개했던 뮤지컬 영화이다.

록커 피터 프램튼 Peter Frampton을 비롯해 비 지스 3형제,

에어로스미스, 엘리스 쿠퍼, 어스 윈드 앤 파이어 등 1급 뮤지션들과 스티브 마틴, 빌리 프레스톤 등 연기파 배우들이 합세한다.

초특급 라인 업에도 불구하고 흥행과 비평 측면에서 모두 기대 이하 점을 받게 된다.

그나마 체면을 세워준 것은 클라이맥스 장면에서 흘러나오는 'Come Together'.

비틀즈 원곡을 록 밴드 에어로스미스 Aerosmith가 커버로 불러주고 있는 곡이 사용됐다.

〈서전트 페퍼스 론리 하트 클럽 밴드〉. © Amazon, imdb, AFI, Hollywood Reporter, Wikipedia

빌보드 차트에서 1위를 차지하는 성원을 받는다.

지금도 록 음악 전문 라디오 음악 방송에서 단골로 신청 되는 노래로 환대 받고 있다.

45-10. The Prayer By Céline Dion – 〈퀘스트 포 카멜롯 Quest For Camelot〉

디즈니 르네상스가 번성함에 따라 경쟁 관계에 있는 메이저 스튜디오에서도 디즈니 공식을 원용한 다수의 애니메이션 영화를 속속 공개한다.

20세기 폭스의 〈아나스타샤 Anastasia〉는 흥행에서 성공했다.

하지만 〈퀘스트 포 카멜롯 Quest for Camelot〉에서는 기대 이하의 반응을 얻어내는 수모를 당한다.

워너 브라더스가 의욕적으로 제작한 모험 애니메이션이다.

도난당한 아서 왕의 검 엑스칼리버를 찾기 위해 머나 먼 여정을 떠나는 케일리라는 젊은 여성의 사연을 펼쳐주고 있다.

영화는 극장가에서 외면을 받는다. 그렇지만 셀린 디온(Céline Dion)이 부른 주제가 'The Prayer'는 1999년 골든 글로브 주제가 상 수상, 아카데미 주제가 상 후보 등에 지명 받는 관심을 받는다.

여러 가수의 커버 버전도 발표된다.

〈퀘스트 포 카멜롯〉. © Amazon, imdb, AFI, Hollywood Reporter, Wikipedia

영화와 TV 극에서 가장 일반적으로 선곡되는 10곡

10 Most Commonly Used Songs In Movies & TV Shows - 올뮤직 Allmusic 추천

영화나 드라마 속 음악은 관객과 소통하는 핵심적인 부분이라는 것은 기본적인 상식.

사운드트랙 배경 곡 중에는 다른 곡보다 더 많이 반복적으로 사용되면서 꾸준한 유명세를 얻고 있는 노래들이 다수 있다.

현장에서 영화 제작을 진두지휘하고 있는 일선 감독들은 '영화와 TV 쇼에서 올바른 음악을 사용하는 것은 관객을 이야기 세계에 완전히 몰입시키는 데 필수적이다. 이런 음악적 운용을 하다 보면 보다 친숙한 분위기를 위해 익히 알려져 있는 특정한 노래를 반복적으로 사용하는 경우도 많다.'고 설명해주고 있다.

〈슈퍼 마리오 브라더스〉 스타디움 대결에서 동키 콩에게 붙잡힌 마리오의 모습. 'Take On Me'를 들을 수 있는 장면이다. © Amazon, imdb, AFI, Hollywood Reporter, Wikipedia

감독 혹은 작곡가는 〈베이비 드라이버 Baperformed by Driver〉 혹은 〈가디언즈 오브 갤럭시 Guardians of the Galaxy〉와 같이 전체 스토리 내용과 부합되는 사운드 트랙을 만들어 내고 있다.

〈졸업 The Graduate〉에서 법대 졸업 후 사회 진출에 대한 막연한 두려움을 갖고 있는 20대 청년의 불안한 심리는 사이먼 앤 가펑클의 'The Sound Of Silence'를 통해 묘사했다.

노래 한 곡이 캐릭터가 갖고 있는 정서적 불안감을 매우 적절하게 묘사해 준 본보기로 기억되고 있다.

할리우드 현지 음악 비평가들은 〈저수지의 개들 Reservoir Dogs〉에서 경찰을 고문하는 동안 스틸러스 휠 Stealers Wheel의 'Stuck In The Middle With You'를 선곡한 것을 지금도 탁월한 음악 선택으로 누차 언급하고 있다.

노래 리듬에 맞추어 춤을 추고 있는 미스터 블론디 모습은 그가 예측불가능하고 공권력을 유린하고 있는 인물이라는 것을 확인시켜 주는 사례로 꼽고 있다.

이런 사례에서도 알 수 있듯이 오늘 날 영화와 텔레비전 드라마에서 들려오고 있는 음악은 전달하고자 하는 이야기핵심을 제시하는 방향타 역할도 하고 있다는 평가도 받고 있다.

흥미롭게도 세상에 산재해 있는 엄청난 양의 음악 중에서도 가장 빈번하게 활용되고 있는 몇 곡이 있어 눈길을 끌고 있다.

음악 전문지 '올뮤직 Allmusic'은 TV 드라마 & 쇼 및 영화에서 반복적으로 사용되는 노래 10곡을 추천했다.

그 면면은 다음과 같다.

46-10. Take On Me performed by A-ha

노르웨이 출신 신세사이저 팝 밴드 아-하 a-ha가 연주해 준 대표적 히트 곡 'Take On Me'.

〈패밀리 가이 Family Guy〉 〈골드버그스 The Goldbergs〉 〈슈퍼스토어 Superstore〉 등 주로 코미디 TV 쇼 29편에서 들려오고 있는 것으로 집계됐다.

〈라스트 오브 어스 The Last of Us〉 시즌 1, 에피소드 7에서 엘리 Ellie의 여정을 설명하는 장면 배경 노래로 들려오고 있다.

영화에서는 〈데드풀 2 Deadpool 2〉 〈개의 목적 A Dog's Purpose〉 및 〈슈퍼 마리오 브라더스: 영화 편 The Super Mario Bros. Movie〉 등에서도 선곡됐다.

1985년 10월 18일 닌텐도 엔터테인먼트 시스템의 야심작 '슈퍼 마리오'가 미국 시장으로 출시된다.

당시 미국 팝 차트 1위 곡이 바로 'Take On Me'.

이런 사연 때문에 2023년 공개된 〈슈퍼 마리오 브라더스: 영화 편〉에서도 이 노래가 선곡된 것은 매우 특별한 의미를 갖고 있는 것이라는 해석을 받았다.

46-9. Escape (The Piña Colada Song) performed by Rupert Holmes

영국 출신으로 미국 음악 시장에서 맹활약한 싱어 송 라이터가 루퍼트 홈즈 Rupert Holmes. 그의 대표 히트 곡 'Escape(The Piña Colada Song)'는 영화와 TV극에서 근 30여회 이상 선곡됐다.

재미있고 흥겨운 분위기의 팝 클래식한 록은 헤어진 부부가 탈출구를 찾는 노랫말을 담고 있다.

노래에서 결국 점시 결별했던 두 사람은 재결합해서 후반부 결혼 생활에서 진실 된 사랑을 찾게 된다는 내용을 들려주고 있다.

이 노래는 〈슈먹스 Schmucks〉 〈그로운-업스 Grown-ups〉 〈앵커맨 2 Anchorman 2: The Legend Continues〉와 스타-로드 Star-Lord가 우주 공간에서 우주선으로 돌아가는 〈가디언즈 오브 갤럭시 Guardians of the Galaxy〉에서 배경 노래로 사용됐다.

〈가디언즈 오브 갤럭시〉에서 우주선으로 날아가는 스타로드의 모습. 루퍼트 홈즈의 대표 히트 곡 'Escape (The Piña Colada Song)'가 배경 노래로 들려오고 있다. © Amazon, imdb, AFI, Hollywood Reporter, Wikipedia

〈베터 콜 사울 Better Call Saul〉 〈블러드라인 Bloodline〉 및 〈트레이닝 데이 Training Day〉에서도 들을 수 있다.

46-8. Pony performed by Ginuwine

미국 리듬 앤 블루스 장르 아티스트 지누와인의 'Pony'는 1996년 발매된 곡.

스트립 클럽에서 춤을 추는 장면에서 'Pony'가 들려오고 있다. © Amazon, imdb, AFI, Hollywood Reporter, Wikipedia

독특한 리듬과 퍼커션 스타일을 활용해 발매 직후 리듬 앤 블루스 차트 1위에 등극된 히트곡이다.

'Pony'는 〈섹스-테이프 Sex Tape〉, 190년대 미드 드라

마, 흑인이 주인공을 맡은 드라마, 〈숏건 웨딩 Shotgun Wedding〉 및 〈경찰이 되자 Let's Be Cops〉 등과 코미디 장르 영화 및 TV극 31편의 배경 노래로 흘러나오고 있다.

중년 여성 고객 상대, 파티 장 참석 등을 통해 쉽게 돈을 벌 수 있는 방법을 제시하고 있는 남성 스트리퍼 세계를 다룬 작품이 〈매직 마이크 Magic Mike〉.

시리즈 3부작이 공개되면서 채닝 테이텀의 성적 매력을 유감없이 드러내 준 히트 작이 된다.

〈매직 마이크〉 프랜차이즈 단골 곡으로 선곡된 노래가 'Pony'여서 음악계 토픽을 만들어 내기도 했다.

46-7. This is How We Do It performed by Montell Jordan

'This Is How We Do It'은 미국 출신 싱어 송 라이터 겸 레코드 프로듀서 몬텔 조단 Montell Jordan이 1995년 발표해 환대를 받았던 힙합 파티 곡.

〈옐로우재킷 YellowJackets〉 시즌 1에서 10대 여성들의 댄스 파티 배경 음악으로 선곡된 'This is How We Do It'. © Amazon, imdb, AFI, Hollywood Reporter, Wikipedia

발표 된 이후 31 편의 TV쇼와 영화 배경 음악으로 선택 됐다.

'This Is How We Do It'은 〈8 마일 8 Mile〉 〈아메리칸 리유니온 American Reunion〉 〈디스 민즈 워 This Means War〉 〈소닉 더 헤지호그 2 Sonic the Hedgehog 2〉 등과 같은 영화에서 들을 수 있다.

〈옐로우재킷 Yellowjackets〉 시즌 1.

일단의 소녀들이 팀을 이뤄 라커룸에 모여 있다.

휴대용 워크맨 Walkman 위에 금속 양동이를 덮어 씌워 소리를 증폭시킨다.

이때 들려오는 노래가 ''This Is How We Do It'.

노래 소리에 맞추어 흥겹게 춤을 추고 있는 소녀들의 활기에 찬 모습이 방영 당시 강한 여운을 남겨준 바 있다.

46-6. September performed by Earth, Wind, & Fire

〈나이스 가이 The Nice Guys〉 파티 장면의 배경 노래로 선곡된 'September'. © Amazon, imdb, AFI, Hollywood Reporter, Wikipedia

흑인 중창단 어스, 윈드 앤 파이어의 'September'.

그루비 스타일의 노래 groovy song로 널리 환대를 받은 바 있다.

여유로운 삶의 순간을 찬양하고 있는 노랫말을 담고 있다.

30여 편이 넘는 영화, TV극에서 배경 노래로 채택했다.

빌보드는 '동양 철학을 포용하고 종종 그들의 음악에 이러한 메시지를 통합시킨 밴드가 수행하는 즐거운 전망을 제시한 곡'으로 평가했다.

1978년 발표된 이후 장수 인기를 누리고 있다.

이 노래는 〈골드버그스 The Goldbergs〉 〈아메리칸 대드 American Dad〉 〈굿 닥터 The Good Doctor〉 등 여러 TV 드라마 배경 노래로 들려오고 있다.

영화 〈나이스 가이 The Nice Guys〉에서는 힐리와 마치가 파티 장에 도착하는 장면의 배경 노래로 흘러나오고 있다.

46-5. Let's Get It On performed by Marvin Gaye

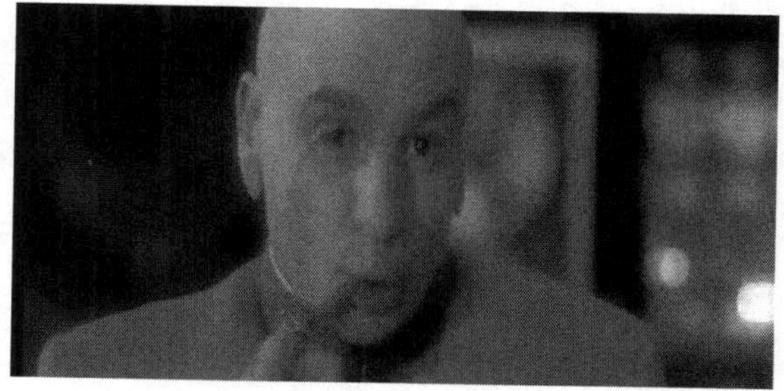

〈오스틴 파워 2 : 나를 쫓아 온 스파이 (Austin Powers : The Spy Who Shagged Me〉에서 닥터 이블이 입과 입술에 손가락을 대고 있는 장면에서 배경 노래로 들려오고 있는 'Let's Get It On'. © Amazon, imdb, AFI, Hollywood Reporter, Wikipedia

마빈 게이(Marvin Gaye) 대표 히트 곡 'Let's Get It On'.

한때 중증 알코올 중독에 시달렸던 마빈 게이.

다행히 질병을 극복하고 보다 열성적으로 삶을 살겠다는 의욕으로 곡을 작곡하기 시작했다고 한다.

그런데 노래를 완성되기 직전에 성(性)적 분위기를 담은 가사를 추가시켰다는 후일담이 밝혀졌다.

영화 〈플래시 The Flash〉 〈리미트리스 Limitless〉 〈어글리 베티 Ugly Betty〉 〈블레이드 오브 글로리 Blades of Glory〉 〈사랑할 때 버려야 할 아까운 것들 Something's Gotta Give〉 〈체인지-업 The Change-up〉 등에서 선곡됐다.

'Let's Get It On'은 〈오스틴 파워 2 : 나를 쫓아온 스파이 Austin Powers

: The Spy Who Shagged Me〉에서 닥터 이블이 오스틴 모조 Austin's mojo를 마시는 장면의 배경 노래로 들려와 이목을 끌어냈다.

46-4. Spirit in The Sky performed by Norman Greenbaum

〈아폴로 13〉에서 프레드 헤이즈가 우주선 안에서 공중 부양으로 이동하는 장면. 'Spirit in The Sky'가 배경 노래로 들려오고 있다. © Amazon, imdb, AFI, Hollywood Reporter, Wikipedia

미국 출신 싱어 송 라이터 노만 그린바움 Norman Greenbaum이 불러 주어 그의 대표적 히트곡으로 등극시킨 노래가 'Spirit in the Sky'이다.

35편의 영화 및 TV 드라마 배경 노래로 선곡되고 있다.

노만이 가스펠 노래 gospel song를 부르면서 예수 행적을 이야기 하는 모습을 보고 음악 동료 포터 왜고너 Porter Wagoner가 노랫말을 만들어 냈다고 한다.

'Spirit in the Sky'는 〈슈퍼내추럴 Supernatural〉 〈썬 오브 아나키 Sons of Anarchy〉 〈쉐임리스 Shameless〉 등과 같은 TV 드라마에서 들을 수 있다.

이 노래를 사용한 영화로는 〈오션스 11 Oceans 11〉 〈디스 이즈 디 엔드 This is the End〉 〈슈어사이드 스쿼드 Suicide Squad〉 〈리멤버 타이탄 Remember the Titans〉 등이 있다.

〈아폴로 13호〉.

우주 비행사들의 우주 임무 수행 과정이 지구에 있는 TV를 통해 중계 방송될 때 배경 노래로 들려와 음악 팬들에게 강한 여운을 남겨 주었다.

46-3. U Cant Touch This performed by MC Hammer

릭 제임스 Rick James가 발표했던 'Super Freak'을 기반으로 해서 MC Hammer가 취입한 노래가 'U Can't Touch This'.

39편의 영화와 TV 드라마 배경 노래로 선곡됐다.

시종 박력 있는 자신감을 발산하고 있는 것이 특징.

〈프로포즈〉에서 마가렛이 처녀 파티장에서 스트리퍼와 함께 무대에서 춤을 출 때 'U Cant Touch This'가 흥겨움을 부추겨 주는 노래로 흘러나오고 있다. © Amazon, imdb, AFI, Hollywood Reporter, Wikipedia

발표 당시 가장 인기 있는 랩 노래 중 한 곡으로 각광 받은 바 있다.

〈아이좀비 iZombie〉 〈풀러 하우스 Fuller House〉 〈맥가이버 MacGyver〉 및 〈루시퍼 Lucifer〉 등과 같은 TV 드라마 배경 노래로 원용됐다.

영화로는 〈태그 Tag〉 〈화이트 칙스 White Chicks〉 및 〈샌디 웩슬러 Sandy Wexler〉 등에서 들을 수 있다.

영화에서 가장 기억에 남는 장면은 앤 플레처 감독의 〈프로포즈 The Proposal〉. 성공가도를 달리고 있는 뉴욕 출판사 편집장 마가렛(산드라 블록).

마가렛이 모국 캐나다로 추방당할 위기에 처하자 부하 직원 앤드류(라이언 레이놀즈)에게 강압적인 결혼 승낙을 요구한다.

앤드류 결혼 대가로 승진할 수 있다는 유혹에 넘어가 마녀 같은 마가렛의 약혼자 행세를 하게 된다.

마가렛이 결혼식을 앞두고 성대한 처녀 파티 bachelorette party를 남성 스트립 바 the male strip bar에서 진행한다.

파티가 진행되는 클럽 안에서 혈기 넘치는 율동을 자극시키는 'U Can't Touch This'가 흘러나오고 있다.

46-2. Push It performed by Salt-N-Pepper

솔트-앤-페퍼 Salt-N-Pepper 그룹의 'Push It'.

힙-합과 댄스 음악의 결합을 시도한 노래로 환대를 받은 바 있다.

영화 〈썸씽 바로우드 Something Borrowed〉에서 팔과 집게손가락을 가리키며 춤을 추는 다시와 레이첼. 이 장면에서 배경 노래로 'Push It'을 들을 수 있다. © Amazon, imdb, AFI, Hollywood Reporter, Wikipedia

43편의 영화와 TV극에서 배경 노래로 차용했다.

영화 〈스캔들 Scandal〉 〈데리 걸스 Derry Girls〉 〈브룩클린 99 Brooklyn 99〉 등의 TV 프로그램에서 선곡됐다.

영화로는 〈홧 맨 원트 What Men Want〉 〈40살 까지 못해 본 남자 The 40 Year-Old Virgin〉 〈킹 오브 스테튼 아일랜드 The King Of Staten Island〉 등에서 들려오고 있다.

가장 인상 깊게 사용 된 영화가 〈썸씽 바로우드 Something Borrowed〉.

다시와 레이첼이 'Push It' 리듬에 맞추어 댄스 플로어로 나가서 함께 흥겨운 춤을 추고 있다.

46-1. Eye of The Tiger performed by Survivor

무명 록 그룹 서바이버 Survivor를 스타덤에 올려놓은 히트곡이 'Eye of the Tiger'. 목표로 설정한 것을 달성하려는 등장인물들의 각오를 부추겨주는 응원곡으로 단골 인용되고 있다. 47편의 영화와 TV 프로그램에서 들을 수 있다.

영화 〈코브라 카이 Cobra Kai〉 〈빌리온즈 Billions〉 〈브레이킹 배드

Breaking Bad〉 〈샤잠! Shazam!〉 〈킥킹 앤 스크리밍 Kicking and Screaming〉 〈나이트 스쿨 Night School〉 등에서 선곡됐다.

〈록키 3 Rocky III〉에서 록키가 클러버 랭과 치열한 시합을 펼치는 장면의 배경 노래로 선곡돼 〈록키〉 프랜차이즈가 지속적인 성원을 받을 수 있는 분위기를 조성해 주게 된다.

흥미롭게도 이 노래는 애초 실베스타 스탤론이 직접 취입하기 위해 록 밴드 서바이버 Survivor에게 작곡을 의뢰했다고 한다.

노래를 작곡해 나가는 동안 애착을 느낀 밴드가 직접 노래를 불러 주게 된다.

밴드 서바이버는 영화 공개 이후 자신들의 존재감을 확실하게 인정받는 메가톤급 히트곡이 되는 행운을 차지하게 된다.

록키가 필라델피아 예술 박물관 계단에서 두 팔을 하늘로 치켜세우면서 권투 선수로서 승부욕을 드러내는 모습. 〈록키〉의 가장 상징적 장면으로 기억되고 있다. © United Artists

영화와 TV에서 남용(濫用) 되어 사용되는 노래 10곡

The 10 Most Overused Songs In Movies And TV

대중음악은 영화와 TV 프로그램에 활기를 불어넣는데 도움이 될 수 있는 요소이다.

그렇지만 일부 음악의 경우 지나치게 반복, 사용되어 듣는 이들을 피곤하게 만든다는 지적도 듣고 있다.

2023년 방영된 〈스트레인저 씽즈 Stranger Things〉 시즌 4부가 다시 한 번 증명했듯이 완벽하게 배치 된 팝송은 영화와 TV 프로그램을 다음 단계로 끌어올릴 수 있다.

음악은 항상 영화 매체의 일부로 적절한 역할을 해오고 있는 것이다.

그렇지만 일부 노래는 너무 많이 반복 사용되어 한 때 가졌던 힘을 잃는 경우도 있다는 지적을 듣고 있다.

음악이 어떤 장르에서 유래 됐는가에 상관없이 팬들은 영화나 쇼를 즐기려고 할 때 히트 곡을 반복해서 듣는다면 이에 대한 식상감을 느낄 수 있다.

이처럼 일부 남용되는 노래가 다수 있는 것도 사실이다.

음악 마니아들이 꼽은 배경 음악을 과도하게 사용했던 대표적 노래 10곡을 소개하면 다음과 같다.

47-1. How to Save A Life performed by The Fray

의학 드라마 〈그레이 아나토미 Grey's Anatomy〉에서 로비에 집결한 의사들이 병원 당국의 공지 사항을 듣고 있는 모습. © Amazon, imdb, AFI, Hollywood Reporter, Wikipedia

밴드 더 프레이 The Fray는 인디 록 장르에서 활동하고 있었다.

이들 밴드는 'How to Save a Life'가 히트 되면서 단번에 주류 음악계에서 주목을 받게 된다.

그런데 안타깝게도 2000년대 초반 방영된 병원을 무대로 한 드라마와 영화에서 'How to Save a Life'가 반복 노출된다.

노래에 대한 강한 여운이 점차적으로 사라져 가는 자충수가 되고 만다.

이 노래의 강점은 가사가 거의 모든 상황에 적용될 수 있을 만큼 모호하면서도 감정적인 무게를 갖고 있다는 사실.

노래가 진행되면서 시도되는 '도발적 훅 evocative hook'은 모든 의학 드라마가 애용할 수 있는 장점으로 지적 된다.

그렇지만 안타깝게도 많은 의학 드라마에서 이 같은 장점을 과용(過用) 하는 바람에 시청자들은 반복해서 노래를 들어야 한다는 부담감이 제기되고 만다.

47-2. Send Me On My Way performed by Rusted Root

미스 허니와 마틸다가 yp를 찾고 있는 장면. © Amazon, imdb, AFI, Hollywood Reporter, Wikipedia

어떤 노래가 영화나 드라마에서 과도하게 사용됐는가?

이러한 질문을 받았을 때 음악 애호가들이 언급하는 곡 중 하나가 그룹 러스티드 루트 Rusted Root의 'Send Me On My Way' 이다.

대부분 사람들은 밴드나 노래 제목을 모를 수 있다.

그렇지만 'Send Me On My Way'를 듣게 되면 단번에 한-두 번 이상은 들었던 매우 친숙한 노래라는 반응이 제기된다.

이 노래는 1990년대 발표됐던 다수의 어린이 영화의 사운드트랙에 사용되었으며 애니메이션 〈아이스 에이지 Ice Age〉에서도 채택되는 등 2000년대까지 인기를 유지한다.

노래는 시종 밝고 흥겨운 분위기를 유지해 여행이나 흥미진진한 모험담과 완벽하게 어울리는 특징을 갖고 있다.

밴드는 대중적인 주목을 받지는 못했다.

그렇지만 'Send Me On My Way'는 예상하지 못한 주목을 받게 되는 상황을 지칭하는 '슬리퍼 히트 sleeper hit'로 지목 받는다.

다수의 영화와 TV에서 배경 음악으로 주목을 받게 된다.

47-3. Hallelujah performed by Leonard Cohen

〈슈렉〉에서 해질 녁 즈음에 슈렉과 피오나가 서로 손을 맞잡고 있는 모습. © Dreamworks Animation, Amazon, imdb, AFI, Hollywood Reporter, Wikipedia

포크 장르 음악의 아이콘이라는 애칭을 받은 레오나드 코헨 Leonard Cohen.

그가 구사한 음악 장르에서는 존경을 받았지만 사실 모든 음악 팬들을 사로잡는 폭발적 성공을 거두지는 못했다.

이런 상황에서 'Hallelujah'는 이변을 일으킨다.

2000년대 전 후 대다수 영화와 TV 쇼에서 코헨의 원곡을 쓰거나 커버 버전이 다수 발표된 노래가 채택되는 뜨거운 호응을 얻어낸 것이다.

강렬하고 시적인 가사를 담고 있는 것도 코헨이 불러준 노래의 장점이다.

여기에 코헨 노래들은 여타 가수들이 다양하게 커버할 수 있다는 매력 점 때문에 모든 종류의 이야기에서 포괄적으로 사용되고 있다.

애니메이션 〈슈렉〉과 같은 영화가 예기치 않게 좋은 사운드트랙을 갖도록 도운 것도 코헨의 노래 덕분이라는 지적이 나왔다.

그럼에도 불구하고 코헨의 노래를 반복해서 사용한 것은 결국 노래가 갖고 있던 힘을 빼앗아 갔고 끊임없는 오용은 애초 가졌던 감흥을 약화시키는 결과를 초래하게 됐다.

47-4. Gimme Shelter performed by The Rolling Stones

일부 팝송의 경우 여러 영화감독들이 반복적으로 배경 음악으로 채택하고 있다.

일부 감독은 특정 밴드의 노래를 자신의 작품 연보에서 꾸준히 사용하는 애착을 보이는 경우가 있다.

롤링 스톤의 'Gimme Shelter'를 선곡한 마틴 스콜세즈 감독의 〈카지노〉. © Warner Bros, Amazon, imdb, AFI, Hollywood Reporter, Wikipedia

롤링 스톤의 'Gimme Shelter'는 마틴 스콜세즈 영화에서 반복적으로 선곡돼 일부 음악 비평가들은 '음악에 관한한 마틴 감독의 필수 품목'이라는 풀이도 받고 있다.

음악 전문지 빌보드는 '마틴 스콜세즈 감독은 자신이 좋아하는 아티스트를 재사용하는 것으로 유명하다, 스콜세즈는 롤링스톤 밴드 라이브 공연 영화까지 만들었다.

이런 제반 사실을 고려할 때, 밴드 롤링 스톤은 마틴 감독 사운드트랙에서는 거의 생략되지 않고 반복 사용되고 있다.'는 의견을 내놓고 있다.

팝 전문가들도 'Gimme Shelter'는 가사가 너무 도발적이여서 감독들이 선곡하고 싶은 욕구를 불러일으키고 있다.'면서 빌보드 진단에 동조하고 있다.

47-5. Take Me Home, Country Roads performed by John Denver

특별히 컨트리 음악에 관한 영화가 아니어도 존 덴버 John Denver의 'Take Me Home, Country Roads'는 꽤 많은 영화와 TV 드라마에서 들을 수 있다.

심지어 비디오 게임 배경 음악으로도 'Take Me Home, Country Roads'가 애용되고 있는 실정이다.

컨트리 장르는 여타 음악과 흡사하게 분열되면서 자리 잡고 있는 형식이다.

이 장르 음악의 장점은 별다른 이질감 없이 많은 이들에게 공감을 얻을 수 있다는 것이 특징.

이런 이유 때문인지 다양한 소재 영화의 배경 음악으로 활용되고 있다는 풀이가 제기되고 있다.

존 덴버 John Denver의 메가톤 급 히트곡 'Take Me Home, Country Roads'는 컨트리 음악 영역에 너무 깊이 들어가지 않고도 시골 분위기가 필요할 때 적합한 노래 1순위다.

그렇지만 보편적으로 사랑을 받는다는 것이 결국 잦은 남용으로 활용되면서 최근 노래가 갖고 있는 위력이 상당히 떨어졌다는 아쉬운 지적을 듣고 있다.

미니 시리즈 <소프라노 The Sopranos>에서 토니 소프라노가 신문을 읽다 눈을 치켜뜨고 상대방을 쳐다보는 장면. © Amazon, imdb, AFI, Hollywood Reporter, Wikipedia

47-6. Bad to The Bone performed by George Thorogood and The Destroyers

〈터미네이터 2〉에서 T-800이 미니 건을 발사하는 모습. © Amazon, imdb, AFI, Hollywood Reporter, Wikipedia

활기차게 진행되는 록 음악은 어떤 장면에서든 어느 정도 원초적인 힘을 부추겨 주는 역할을 해내고 있다.

'Bad to the Bone'은 액션 영화에서 기본적으로 선량(善良)한 캐릭터를 위한 음악으로 단골로 쓰이고 있다.

노래에 대한 약점이라면 '고전적인 록 음악 표준에서는 다소 깊은 인상을 전달시켜 주지 못하고 있다.'는 것. 'Bad to The Bone'은 공포 스릴러 〈크리스틴 Christine〉에서도 적절하게 사용된 바 있다.

〈터미네이터 2〉에서도 유효한 배경 노래로 들려오고 있다.

그렇지만 '너무 반복 된 사용은 음악 팬들에게는 어떤 맥락에서든 노래를 듣는 것을 지치게 한다.'는 따가운 지적을 받았다.

47-7. Fortunate Son performed by Creedence Clearwater Revival

이 시기를 배경으로 한 〈풀 매탈 자켓〉에서 '행운의 아들'이라는 의미의 'Fortunate Son'이 선곡됐다.

이 노래를 활용한 것에 대해 '미국의 부당한 전쟁 개입 현장을 목격하게 되는 기회 혹은 죽음의 수렁에서 탈출하게 됐다는 것에 대한 칭송' 등을 염두에 둔 것 등 여러 가지 풀이가 제기 됐다.

크리던스 클리어워터 리바이벌 Creedence Clearwater Revival은 베트남 전쟁 시기 활약한 밴드이다.

'Fortunate Son'은 반전 메시지를 담고 있어 이런 주제를 내세우고 있는 영화에서는 항의하는 의미의 노래로 반복 사용되고 있다.

〈풀 메탈 자켓〉에서 매튜 모딘이 '살인 본능 Born to Kill'이라고 적힌 헬멧을 착용하고 전투에 나서는 장면. 베트남 전쟁은 세계 전쟁 역사에서 많은 논란의 여지를 남겨 준 분쟁으로 남아 있다. © Warner Bros, Amazon, imdb, AFI, Hollywood Reporter, Wikipedia

이 노래는 발표 된 지 50년이 지난 지금도 가사에 담겨 있는 힘을 잃지 않고 있다.

하지만 영화와 TV 드라마에서 빈번하게 활용되면서 다소 식상감을 던져주고 있는 것도 무시 못 할 약점이 되고 있다.

47-8. Chariots of Fire performed by Vangelis

영화와 TV에서 가장 많이 사용되는 노래는 팝 뮤지션들이 발표한 작품에서 인용되고 있다.

반면 'Chariots of Fire'는 영화를 위해 특별하게 창작된 연주 음악이다.

〈불의 전차〉 메인 테마곡으로 사용된 뒤 스포츠 혹은 해변가를 달리기 하는 장면의 배경 음악으로 단골로 선택되고 있다.

영화 자체는 사람들의 마음에서 빠르게 사라졌다.

그렇지만 신세사이저 연주가 반젤리스 Vangelis가 발표한 기억에 남는 주제 선율은 '놀라운 운동 위업을 상징시켜 주는 테마곡'으로 각인 된다.

〈불의 전차〉에서 해롤드와 에릭이 해변 가를 달리는 장면. © Amazon, imdb, AFI, Hollywood Reporter, Wikipedia

연주곡은 심지어 코미디 영화에서도 인용되면서 애초 등장했던 스포츠 장르를 벗어나는 포괄적 호응을 얻게 된다.

그렇지만 장르 불문하고 너무 많이 사용되는 바람에 결국 관객이나 음악 애호가들에게 비우호적인 반응을 초래하게 됐다.

47-9. September performed by Earth, Wind & Fire

저스틴 팀버레이크와 안나 캔드릭이 목소리 더빙으로 출연한 애니메이션 〈트롤스 월드 투어 Trolls World Tour〉의 한 장면. © Amazon, imdb, AFI, Hollywood Reporter, Wikipedia

음악이 영화 내용을 반드시 더 높은 의미로 끌어 올릴 필요는 없다.

그룹 어스, 윈드 앤 파이어 Earth, Wind & Fire가 불러 주는 'September'는 영화와 적절한 관계를 맺어가는 대표적인 노래라고 할 수 있다.

'September'는 디스코 클래식이라는 명분을 갖고 있는 노래이다.

그렇지만 이 노래 또한 수많은 작품 속에서 과도하게 재생되는 노래라는 따가운 지적을 받았다.

47-10. London Calling performed by The Clash

할리우드는 넓은 포용력으로 사람과 장소를 묘사해 오고 있는 것으로 유명하다. 흥미로운 점은 'London Calling'은 노래 제목에서처럼 영국과 동의어로 받아들여지고 있다.

록 밴드 클래시의 펑크 성향의 노래 'London Calling'은 런던을 배경으로 한 영화에서 '도시를 미화하는 방법'으로 반복 사용되고 있다.

이것은 밴드가 내세우고 있는 노래 메시지 요점을 왜곡시키는 동시에 같은 노래를 반복해서 듣게 되는 것도 식상 감을 초래하는 요인이 되고 있다는 불평이 제기 됐다.

〈박물관이 살아 있다〉의 한 장면. © Amazon, imdb, AFI, Hollywood Reporter, Wikipedia

왬 Wham 노래가 가장 잘 사용된 영화 및 TV 드라마

왬! Wham!은 1981년 영국 부시이 Bushey에서 출범한 2인조 팝 음악인.

조지 마이클 George Michael+앤드류 리글리 Andrew Ridgeley로 구성됐다.

1982년-1986년이라는 짧은 기간 동안 활동했지만 3,000만장의 앨범 판매고를 돌파해 1980년대 가장 성공적인 팝 뮤지션으로 등록됐다.

펑크+소울 음악의 영향을 받았다.

자신들이 겪은 청소년 시절의 사회적 불만을 노래 소재로 택해 공감을 얻어낸다.

1983년 데뷔 앨범 'Fantastic'은 영국 실업 문제와 성인기로 접어들면서 느끼는 10대들의 불안 심리를 노래 소재로 택해 공감을 얻어낸다.

1984년 2집 'Make It Big'은 영국과 미국 앨범 차트 1위를 차지하는 뜨거운 호응을 받는다.

MTV는 '미국 팝 시장에 2번째 영국 음악인들이 침공했다 Second British

Invasion of the US'는 반응을 보인다.

싱글 'Wake Me Up Before You Go-Go' 'Everything She Wants' 'Careless Whisper'는 빌보드 핫 100에서 연이어 1위를 차지한다.

1985년, 왬!은 서양 팝 그룹으로는 처음으로 10일 동안 중국 현지 공연을 펼친다.

이들의 콘서트는 중국과 서방 사이의 우호적 관계를 구축하는 분기점을 제공했다는 찬사를 받아낸다.

절정의 인기를 누릴 1986년 왬!은 전격 해체를 발표한다.

리드 보컬 조지 마이클은 '10대가 아닌 보다 정교한 성인 음악을 해보고 싶다.'는 결별 이유를 밝힌다.

고별 싱글 'The Edge of Heaven'과 해산 콘서트 실황을 담은 앨범 'The Final'을 발매한다.

고별 공연 'The Final'은 1986년 6월 28일 유서 깊은 웸블리 스타디움 Wembley Stadium에서 진행된다.

관객 72,000명이 몰려드는 뜨거운 성원을 받는다.

작별 공연장에는 엘튼 존 Elton John, 밴드 듀란 듀란 멤버 사이몬 르 본 Simon Le Bon 등이 찬조자로 무대에 올랐다.

전성기 시절 발표했던 주옥같은 히트곡들은 영화와 TV 드라마에서 꾸준히 활용돼 이들의 음악 업적을 지속시켜 주고 있다.

왬 Wham이 해체된 뒤에도 이들의 노래는 가장 좋은 용도인 영화와 TV 드라마 배경 노래로 선택되면서 지금까지 관객들과 노래에 대한 기억을 간직시켜 주고 있다.

영국 출신 팝 듀오 왬! Wham!은 20세기 가장 성공적인 밴드 중 하나로 자리 잡고 있다.

왬! Wham!이 생소할 수 있는 MZ 세대들에게도 영화나 TV 쇼에서 그들의

〈박물관이 살아 있다〉의 한 장면. © Amazon, imdb, AFI, Hollywood Reporter, Wikipedia

노래가 흘러나오는 것을 한번쯤은 들어봤을 것이다.

왬!이 발표한 노래들은 무게감을 갖고 있으며 유머를 제공하고 있다.

현대적인 시트콤과 고전 코미디 영화, 어두운 코미디 쇼와 강렬한 드라마 시리즈 등 거의 전 장르에 걸쳐서 배경 곡으로 선택돼 이야기 전개 과정의 감초 역할을 해내고 있다.

듀오 왬!의 노래가 대중문화 순간을 기억하게 만들어 주고 있는 대표적 작품 10을 소개하면 다음과 같다.

48-10. Wake Me Up Before You Go-Go-〈주랜더 Zoolander〉

개봉된 지 20년이 넘었음에도 불구하고 〈주랜더 Zoolander〉에서 가장 기억에 남는 장면에서 왬의 노래 'Wake Me Up Before You Go-Go'를 들을 수 있다.

데릭 주랜더(벤 스틸러)가 동료들에게 '인생에는 정말, 정말, 정말, 우스꽝스럽게 잘생긴 것보다 더 많은 것이 있다. there's more to life than being really, really, really, ridiculously good-looking'라고 열변을 토한다.

그의 발언에 대해 주변 사람들은 공감을 표시한다.

데렉과 그의 친구들이 오렌지 모카 프라푸치노 orange mocha Frappuccinos'를 잡는 장면을 몽타주로 보여주는 장면에서 'Wake Me Up Before You Go-Go'가 흘러나오고 있다.

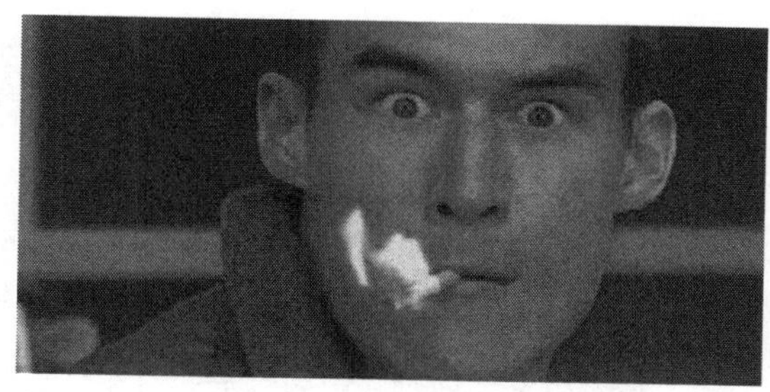

〈쥬랜더〉 싸움 장면에서 불이 붙은 담배를 든 벤 스틸러의 모습. © Rolling Stone Mag, Amazon, imdb, AFI, Hollywood Reporter, Wikipedia

몽타주가 갑작스럽게 비극적이고 극도로 우스꽝스러운 결말로 이어지게 된다.

이런 장면에서 왬의 경쾌한 노래가 계속되고 있다.

48-9. Young Guns (Go For It) – 〈스크림 퀸즈 Scream Queens〉

대학 교정을 배경으로 한 코미디와 슬래셔 영화를 풍자하는 어두운 코미디 공포 시리즈 〈스크림 퀸즈 Scream Queens〉.

사운드트랙에서 왬! 노래를 들을 수 있다.

〈스크림 퀸즈〉 시즌 2, 에피소드 1 'Scream Again' 편.

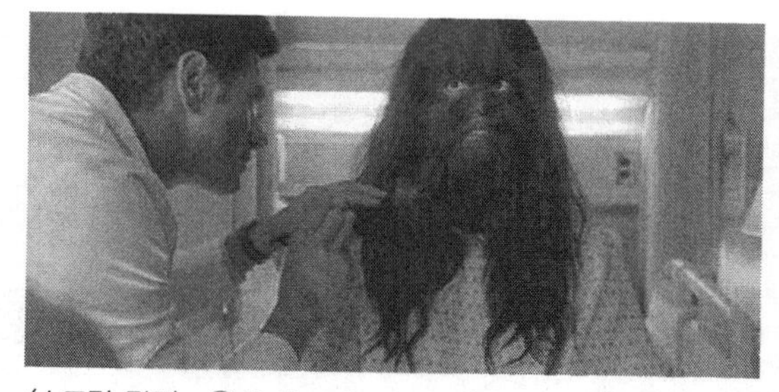

〈스크림 퀸즈〉. © Rolling Stone Mag, Amazon, imdb, AFI, Hollywood Reporter, Wikipedia

첫 번째 환자 캐시 문치(제이미 리 커티스)가 병원에 입원하는 장면에서 왬!

Wham!의 'Young Guns(Go For It)'가 들려오고 있다.

닥터 브록 홀트(존 스타모스)와 닥터 캐시디 캐스케이드(테일러 로트너).

두 사람이 함께 복도를 걸어가다가 늑대인간 증후군을 앓고 있는 캐서린 호바트(세실리 스트롱)를 발견하게 된다.

1990년대를 배경으로 하고 있는 〈스크림 퀸즈〉 시즌 2에서 1980년대 유행했던 왬의 노래는 복고적인 분위기로 전화시키는 양념 역할을 해내고 있다.

48-8. I'm Your Man - 〈스크림 퀸즈 Scream Queens〉

〈스크림 퀸즈〉 시즌 1 에피소드 3 'Chainsaw' 편.

레드 데빌(라일리 슈미트)이 살인 사건에 연루됐다는 것이 밝혀진다.

이어서 아론 코헨(데이비드 심슨)이 등장하고 있다.

아론이 기숙사 방으로 돌아 왔을 때 전기톱을 휘두르는 레드 데빌의 공격을 받아 허무하게 피살당한다.

돌발적 살인 사건 상황에서 왬!의 'I'm Your Man'이 들려오고 있다.

극한의 폭력 장면이 경쾌한 1980년대 팝 리듬과 혼합되고 있다.

〈스크림 퀸즈〉. © Rolling Stone Mag, Amazon, imdb, AFI, Hollywood Reporter, Wikipedia

대학과 병원 등 다양한 장소.

연쇄 살인범에게 당하고 있는 여러 캐릭터들의 사연이 본격적으로 펼쳐질 것임을 선포해주고 있다.

48-7. Everything She Wants - 〈프라이빗 프랙티스 Private Practice〉

의학 드라마 〈그레이 아나토미 Grey's Anatomy〉 스핀오프로 방영된 드라마가 〈프라이빗 프랙티스 Private Practice〉. 피트(팀 데일리)와 애딕슨(케이트 월시).

아이들을 낳고 있는 환자들을 돌보고 있다.

〈프라이빗 프랙티스〉 시즌 4, 에피소드 17 'A Step Too Far'편.

환자와 부부 사이가 3각 관계를 이루고 있다는 설정을 보여주고 있다.

〈프라이빗 프랙티스〉. © Rolling Stone Mag, Amazon, imdb, AFI, Hollywood Reporter, Wikipedia

한편 에디슨 남자 친구 샘(타예 디그스)이 화장실에서 그녀가 아픈 것을 발견하게 된다.

나중에 음성 가정 임신 테스트 결과 애디슨은 샘이 아기를 가질 준비가 되었는지 의문을 갖게 된다.

듀오 왬! 이 불러주고 있는 'Everything She Wants'는 이런 배경에서 흘러나오고 있다.

말썽꾸러기 커플 이야기를 노래하고 있는 가사 내용은 〈프라이빗 프랙티스〉에서 가장 양극화된 관계를 갖고 있는 환자 사례에 대한 공감을 상징하는 노래로 쓰이고 있는 것이다.

48-6. Careless Whisper - 〈데드풀 Deadpool〉

이별을 통보한 연인에 대한 뒤늦은 후회의 감정을 노래하고 있는 왬의 'Careless Whisper'.

흥미롭게도 코미디 영화의 효과를 위해 반복적으로 선곡되는 곡이기도 하다.

〈데드풀〉에서도 매우 적절하게 활용되고 있다.

웨이드 윌슨(라이언 레이놀즈)으로도 알려진 데드풀.

라스트 무렵. 바네사(모레나 바카린)에게 키스할 때, 그는 전화기에서 'Careless Whisper'를 틀어 주는 바람에 다정한 순간은 잠시 중단되고 만다.

그런 다음 윌슨은 '왬이 약속한대로 Wham! As promised'를 외친다.

바네사를 즐겁게 해 주었던 과거 추억을 소환(召喚) 한다는 행동인 것이다.

노래가 더욱 크게 흘러나오면서 엔딩 크레디트가 시작된다.

두 사람은 키스한다. 라스트 크레디트 장면.

춤추는 귀여운 데드풀이 애니메이션으로 등장한다.

색소폰을 연주하는 움직임이 추가되면서 절절한 노랫말에 대한 여운을 각인 시켜 주고 있다.

라이언 레이놀즈 주연의 돌연변이 슈퍼 영웅 이야기 〈데드풀〉. © Rolling Stone Mag, Amazon, imdb, AFI, Hollywood Reporter, Wikipedia

48-5. I'm Your Man - 〈쟈니 잉글리쉬 스트라이크 어게인 Johnny English Strikes Again〉

2003년 첫 공개된 스파이 액션 코미디 〈쟈니 잉글리쉬 Johnny English〉. 〈쟈니 잉글리쉬 2 : 네버다이 Johnny English Reborn〉(2011)에 이어 프랜차이즈 3번째 이자 시리즈 마무리 작품으로 〈쟈니 잉글리쉬 스트라이크 어게인 Johnny English Strikes Again〉이 공개된다.

쟈니 잉글리쉬(로완 아트킨슨)와 앙거스 보우(벤 밀러).

보우가 쟈니가 아끼는 자동차 토마토-레드 V8 애스톤 마틴 tomato-red V8 Aston Martin에 탑승하고 있다.

보우는 자동차 안에 있는 카세트 테이프를 발견하고 요원의 비밀 장치라고 생각되어 쟈니에게 '이것이 무슨 역할을 합니까? What does this do, sir?'라고 묻는다. 쟈니는 '노래 믹스 테이프야! 보우 It's a mixtape, Bough!'라고 재빠르게 응답한다.

쟈니가 카세트를 플레이어를 밀어 넣자 'I'm Your Man'이 들려오고 있다.

본드를 모방한 완전히 우스꽝스러운 영화에서 드물게 따뜻하고 향수를 불러일으키는 장면을 조성시켜준 것은 다름 아닌 왬!이 불러주는 노래였다.

코미디언 로완 아트킨슨이 출연하고 있는 007 제임스 본드 패러디극 〈쟈니 잉글리쉬 스트라이크 어게인〉. © Rolling Stone Mag, Amazon, imdb, AFI, Hollywood Reporter, Wikipedia

48-4. Freedom - 〈잇츠 어 씬 It's A Sin〉

〈잇츠 어 씬 It's a Sin〉은 1981년부터 1991년까지 영국에서 HIV/ AIDS 전염병에 초점을 맞춘 게이 남성의 삶을 묘사해준 미니 시리즈이다.

〈잇츠 어 씬 It's A Sin〉 에피소드 3.

콜린 모리스-존스(캘럼 스코트 하웰즈)는 복사 집 뒤에서 일하다가 갑자기 발작을 일으킨다. 병원에 이송되어 진찰 결과 콜린과 그의 절친 친구 두 명이 AIDS에 걸렸다는 사실이 밝혀진다.

이 에피소드의 결말은 당시 청소년을 위한 팝 록 찬가로 애창됐던 왬! Wham!의 'Freedom'으로 장식되고 있다.

치유될 수 없는 질병에 걸린 뒤 자신의 삶이 완전히 바뀌었다는 것을 깨닫게 되는 주인공의 처지를 'Freedom'이 가슴 아프게 마무리 해주는 역할을 해내고 있다.

팝 비평가들은 '왬 노래가 성장 영화 주제 coming-of-age themes와 적절하게 어울리고 있다.'는 호평을 보냈다.

〈잇츠 어 씬〉. © Rolling Stone Mag, Amazon, imdb, AFI, Hollywood Reporter, Wikipedia

48-3. Heal The Pain - 〈라스트 크리스마스 Last Christmas〉

로맨틱 코미디 〈라스트 크리스마스 Last Christmas〉.

가수 지망생 케이트(에밀리아 클라크). 현재는 생계를 위해 친구 집을 전전하면서 쇼핑 몰 판촉을 위한 호객 행위를 하고 있다.

케이트는 스스로 '막다른 직업을 유지하고 유목민처럼 생활하며 생계를 유지하고 있다.'는 약간의 패배 의식에 휩싸여 있다.

〈라스트 크리스마스〉에서는 어린 시절을 보낸 유고슬라비아에서 교회 합창단을 이끄는 장면을 통해 케이트가 항상 가수의 꿈을 갈망하고 있다는 것을 짐작시켜주고 있다.

10대 시절의 케이트가 18번 노래로 기회 있을 때 불러주는 노래로 왬의 'Heal The Pain'이 선택되고 있다. 이 노래는 교회 성가대원들이 불러 주는 가스펠 노래와 흡사한 곡조(曲調)를 갖고 있다는 해설을 들었다.

〈라스트 크리스마스〉라는 영화 제목과 왬이 들려주는 노래는 적절하게 융합이 되고 있다는 찬사도 제시됐다.

〈라스트 크리스마스〉. © Rolling Stone Mag, Amazon, imdb, AFI, Hollywood Reporter, Wikipedia

48-2. Last Christmas - 〈라스트 크리스마스 Last Christmas〉

영화 〈라스트 크리스마스 Last Christmas〉는 타이틀에 걸맞게 왬!의 대표적 히트 곡 'Last Christmas'를 가장 훌륭하게 활용한 본보기로 언급되고 있다.

영화가 끝날 무렵.

케이트는 톰(헨리 골딩)이 자원 봉사를 하고 있는 노숙자들을 위한 쉼터에서 축하 행사를 갖기로 준비한다.

영화의 핵심 주제를 마무리하는 멋진 개회 연설 후 청중이 케이트에게 노래를 부르도록 분위기를 몰아간다.

그녀는 톰과 지냈던 시간을 반추하면서 왬!의 히트 곡 'Last Christmas'를 아 카벨라 버전 a cappella cover으로 불러주고 있다.

석별의 분위기를 새삼 떠올려 주는 가슴 아픈 선율이 되고 있다.

노래가 진행되자 케이트 뒤 커튼이 갑자기 열린다.

쉼터 이용 노숙인들로 구성된 밴드가 모습을 드러낸다.

'Last Christmas'의 경쾌하고 친숙한 에너지가 갑자기 주변을 감싸면서 매우 흐뭇한 분위기로 영화는 마무리되고 있다.

〈라스트 크리스마스〉. © Rolling Stone Mag, Amazon, imdb, AFI, Hollywood Reporter, Wikipedia

48-1. Wake Me Up Before You Go-Go - 〈웨딩 싱어 The Wedding Singer〉

〈웨딩 싱어〉. © Rolling Stone Mag, Amazon, imdb, AFI, Hollywood Reporter, Wikipedia

1990년대 흥행가에서 호응을 얻었던 로맨틱 코미디가 〈웨딩 싱어 The Wedding Singer〉.

극이 거의 끝나갈 무렵.

로비(아담 샌들러)는 술에 취한 채 집으로 향한다.

이때 헤어진 약혼녀 린다(안젤라 페더스톤)를 만나게 된다.

로비에게 아직도 사랑의 감정이 남아 있는 린다. 함께 로비의 집으로 동행한다.

다음날 아침. 로비는 부드럽게 노래하는 린다 목소리를 듣고 잠에서 깨어난다.

'그대가 가기 전에 날 깨워 줘, 솔로처럼 날 매달리게 두지 마. 요-요 대신 솔로라고 말하는 것은 작은 실수에요. Wake me up before you go-go, Don't leave me hanging on like a solo, It's a small mistake to say solo instead of yo-yo'.

노래 가사가 영화 진행과 맞아 떨어진다.

그러나 이런 상황에 대해 로비는 짜증을 낸다.

그것은 린다가 듀오 왬을 좋아하는 스타일이 뮤지션 로비에게는 서로 조화를 이루지 못하는 설정이 되는 것이다.

마침내 로비는 웨이트리스 출신 줄리아(드류 배리모어)를 사랑의 반려자로 선택한다.

로비와 함께 음악 활동을 하는 밴드들은 결혼식장에서 축하 공연을 펼쳐준다.

위어드 알 Weird Al이 풍자한 영화 주제 베스트 7

위어드 알 앤코빅 Weird Al Yankovic.

히트 된 유명한 팝송이나 익히 알려져 있는 영화 음악 주제가를 코믹하게 패러디해서 발표해 독보적인 입지를 구축해 나가고 있는 음악인이다.

트레이드 마크인 아코디온 accordion 연주를 통해 익숙한 오리지널 곡을 폴카 메들리 등으로 편곡시켜 음악 팬들에게 이목을 끌어내고 있다.

독특한 음악 행적은 풍자 영화 소재로 채택되어 〈컴플릿 알 The Compleat Al〉 (1985) 〈위어드: 알 얀코빅 스토리 Weird: The Al Yankovic Story〉 (2022) 등으로 공개된다.

로쿠 채널 The Roku Channel이 공개 한 〈위워드: 알 얀코빅 스토리 Weird: The Al Yankovic Story〉는 기대 이상의 호응을 얻어낸다.

전기 영화를 표방한 이 영화는 정통 음악 전기 영화의 비유와 관습을 풍자하면서 패러디 뮤지션의 삶을 여유롭게 묘사해 주고 있다.

아코디언 연주자 겸 패러디 음악인의 여정을 시종 코믹하게 묘사해 주고 있는 〈위어드: 알 얀코빅 스토리 Weird: The Al Yankovic Story〉에서 '해리 포터' 아역 배우 출신 다니엘 래드클리프가 얀코빅으로, 이반 레이첼 우드가 팝 가수 마돈나 역으로 출연하고 있다.

'날카로운 자기 인식과 적절하게 엉뚱한 스타일 덕분에 Thanks to its sharp self-awareness and appropriately wacky style' 〈위어드: 알 얀코빅 스토리 Weird: The Al Yankovic Story〉는 비평가와 팬 모두에게 널리 찬사를 받아 낸다. 2022년 9월 8일 토론토 국제 영화제에서 첫 공개된다.

로쿠 채널을 통해서는 2022년 11월 4일 방영된다.

위어드 알 Weird Al의 독창성이 돋보이는 것 중 하나는 인기 노래를 철저하게 풍자해서 자신만의 스타일로 새롭게 발표해 오고 있다는 것을 빼놓을 수 없다.

'스타 워즈'에 등장하는 주요 캐릭터 인 '요다 Yoda'를 풍자해서 발표한 싱글 'Lola'에서부터 '쥬라기 공원 Jurassic Park'을 패러디한 'MacArthur Park' 등은 위어드 알의 인기 음반 트랙으로 그에게 성원을 보내는 열성 음악 팬들의 뜨거운 환대를 받아낸다.

그만의 독특한 풍자 감각이 돋보이는 7곡의 면면을 소개하면 다음과 같다.

49-7. 요다 Yoda

〈스타 워즈: 제국의 역습 The Empire Strikes Back〉이 영화 팬들에게 '요다 Yoda'의 존재를 소개한다.

위어드 알은 그룹 킹크스 The Kinks가 1970년 발표한 팝 클래식 'Lola'에 맞추어 '요다'에 대한 풍자 노래를 발 빠르게 공개한다.

<스타 워즈: 제국의 역습 The Empire Strikes Back>에 등장하고 있는 요다의 모습. © Rolling Stone Mag, Amazon, imdb, AFI, Hollywood Reporter, Wikipedia

'Yoda'는 원곡에서 언급한 런던 나이트클럽의 아름다운 여성을 묘사하는 대신 다고바 Dagobah 늪에 거주하고 있는 현명하지만 늙은 제다이 마스터 요다를 묘사해주고 있다.

노래 가사에는 루크 스카이워커가 제다이 훈련을 받는 과정도 언급하고 있다.

'Lola'는 '나는 오래된 소호에 있는 클럽에서 그녀를 만났지. I met her down in a club down in old Soho'로 포문을 열고 있다.

'Yoda'는 '나는 다고바에 있는 늪지대 아래에서 그를 만났네. I met him in a swamp down in Dagobah'로 시작되고 있다.

49-6. 록키 13부 Theme From Rocky XIII - The Rye Or The Kaiser

'록키 13부 테마 Theme from Rocky XIII'는 '라이 혹은 카이저 The Rye or the Kaiser'라는 애칭을 갖고 있다.

록키 시리즈가 무려 13번째 제작됐다는 것은 철저하게 얀코빅이 설정한 가상적인 설정이다.

다행이 '록키'는 '크리드 프랜차이즈 the Creed franchise'로 시리즈를 이어가고 있어 얀코빅의 예상이 머지 않아 맞아 떨어질지도 모른다.

'The Rye or the Kaiser'는 폴카 외에 위어드 알이 애착을 보이고 있는 영화 패러디와 음식을 소재로 한 가사로 구성되어있다.

'록키' 팬들은 짐작하겠지만 노래 제목은 〈록키 3 Rocky III〉에서 그룹 서바이버 Survivor가 불러준 테마곡 'Eye of the Tiger'를 풍자한 것이다.

록키 발보아가 훈련 도중 허공에 대고 주먹을 날리는 장면. © Rolling Stone Mag, Amazon, imdb, AFI, Hollywood Reporter, Wikipedia

'The Rye or the Kaiser'는 늙고 약해진 록키 발보아가 복싱에서 은퇴하고 지역 델리를 사들일 것이라는 가사를 들려주고 있다.

원곡 'Eye of the Tiger'는 '그것은 호랑이의 눈, 그것은 싸움의 스릴 / 우리 라이벌의 도전에 맞서는 것이다. It's the eye of the tiger, it's the thrill of the fight / Rising up to the challenge of our rival.'라는 내용으로 꾸며졌다.

〈록키 3〉에서 록키는 숙적(宿敵) 클러버 랭 Clubber Lang과 양보 없는 승부수를 펼쳐주었다.

얀코빅이 불러 주고 있는 'The Rye or the Kaiser'에서는 일단 록키가 레스토랑에서 손님들에게 샌드위치를 서비스 하고 있다. 그리고 '호밀이나 카이저를 드셔 보세요. 오늘 밤 우리의 스페셜입니다 / 원하시면 애피타이저를 드실 수 있어요 Try the rye or the kaiser, they're our specials tonight / If you want, you can have an appetizer'라고 권유하는 노랫말을 들려주어 음악 팬들의 웃음을 불러 일으켰다.

흥미롭게도 1984년으로 거슬러 올라가면 '록키' 프랜차이즈에서 비슷한 상황이 벌어진다.

'록키' 스핀 오프로 공개된 첫 번째 〈크리드 Creed〉 영화에서 은퇴한 록키는 죽은 아내 아드리안을 추모 하기 위해 이태리 레스토랑을 운영하고 있는 것이다.

흔하지 않은 수입 식품 등을 파는 가게 델리 deli는 아니지만 설정 자체가 매우 흡사했던 것이다.

49-5. 검프 Gump

탐 행크스 흥행작 〈포레스트 검프〉. © Rolling Stone Mag, Amazon, imdb, AFI, Hollywood Reporter, Wikipedia

〈포레스트 검프 Forrest Gump〉의 폭발적 흥행 성공을 지켜본 위어드 알 Weird Al.

록 밴드 프레지던트 오브 더 유나이티트 스테이트 오브 아메리카 the Presidents of the United States of America가 발표해 히트시킨 얼터너티브 록 'Lump'에 'Gump'를 대입시킨 풍자 노래를 발표한다. 'Lump'는 늪 주변을 언급하고 있다.

'늪 지대에 홀로 앉아있는 럼프/ 그녀의 마음을 제외하고는 완전히 감정이 없어요 Lump sat alone in a boggy marsh / Totally emotionless except for her heart'라는 노랫말로 시작된다.

'Gump'는 벤치에 앉아 있는 상태로 시작된다.

'검프는 공원 벤치에 홀로 앉아 있네/ 내 이름은 포레스트야!

그는 아무렇지도 않게 언급하고 있네 Gump sat alone on a bench in the park / My name is Forrest. he'd casually remark'.

포레스트 자신에 대한 캐릭터 연구를 언급하고 있는 'Gump' 패러디 가사는 그의 지적 능력에 대한 영화의 과장된 묘사에 초점을 맞추어 진행되고 있다.

'Lump'는 '그녀는 럼프, 그녀는 럼프, 그녀는 내 머릿 속에 있어 / 그녀는 럼프, 그녀는 럼프, 그녀는 럼프, 그녀는 죽었을지도 몰라 She's lump, she's lump, she's in my head / She's lump, she's lump, she's lump, she might be dead'로 이어지고 있다.

풍자 노래 'Gump'는 '그는 검프, 그는 검프, 그는 너무 똑똑하지 않지/ 그는 검프, 그는 검프, 그는 검프지만 그는 괜찮아! He's Gump, he's Gump, he's not too bright / He's Gump, he's Gump, he's Gump but he's all right!' 라고 구성되어 있다.

49-4. 쥬라기 공원 Jurassic Park

스티븐 스필버그 감독이 화면에 거대한 공룡들이 들끓는 블록버스터 〈쥬라기 공원 Jurassic Park〉을 발표해 단번에 박스 오피스를 장악하게 된다.

〈쥬라기 공원〉에서 렉스 공룡이 포효하는 장면. © Rolling Stone Mag, Amazon, imdb, AFI, Hollywood Reporter, Wikipedia

이런 상황을 지켜 본 위어드 알은 가수 지미 웹 Jimmy Webb이 연기자 리차드 해리스 행적을 음악적 오마쥬로 발표한 노래 'MacArthur Park'를 예의 주시한다.

위어드 알은 해리스 클래식의 침울한 멜로디를 적극 활용해서 '쥬라기 공원'에서 시도했던 공룡 복제 놀이공원 플롯의 부조리함을 꼬집는 노래를 발표한다.

'맥아더 공원은 어둠 속에서 녹아 내리네/ 모든 달콤한 초록 아이싱이 흘러 내리네 MacArthur's Park is melting in the dark / All the sweet, green icing flowing down'

원곡 가사를 얀코빅은 '쥬라기 공원은 어둠 속에서 무서워/ 모든 공룡들이 제멋대로 날뛰고 있어 Jurassic Park is frightening in the dark / All the dinosaurs are running wild'라고 비틀어 발표한다.

얀코빅의 패러디 송 'Jurassic Park'에 대해 비평가들은 '노래가 단순히 주요 줄거리를 나열함으로써 영화에 대한 논평에 실패했다고 느꼈지만 스타일과 주제의 병치는 아름답게 작동하고 있다.'고 의미 부여를 해준다.

49-3. 스파이 하드 Spy Hard

1980년대 패러디 영화 장르에서 독보적 인기를 얻었던 레슬리 닐슨 주연의 〈스파이 하드〉. 제임스 본드 James Bond 시리즈를 철저하게 풍자한 패러디 영화 〈스파이 하드 Spy Hard〉. © Rolling Stone Mag, Amazon, imdb, AFI, Hollywood Reporter, Wikipedia

위어드 알이 '스파이 하드'를 대상으로 다시 2차 패러디를 시도한다.

모리스 바인더 Maurice Binder가 창조해낸 상징적인 본드 영화 타이틀 디자인을 위어드 알은 'Spy Hard theme'에서 매우 흡사하게 모방해서 배치한다.

셜리 베시 Shirley Bassey가 들려 준 잊을 수 없는 '골드핑거 Goldfinger' 테마 선율을 차용해서 침울하고 매우 엄숙한 음악 스타일로 구성한다.

탐 존스 Tom Jones가 'Thunderball' 테마를 녹음하는 동안 너무 오랫동안 악보를 잡고 있어 잠시 기절했다는 흥미로운 토픽이 전해지고 있다.

이런 소문을 염두에 둔 듯 'Spy Hard' 테마를 녹음하는 도중에 얀코빅은 머리가 폭발할 정도로 오랫동안 악보를 들고 있는 모습을 보여주고 있다.

49-2. 슈퍼영웅에 대한 찬가 Ode To A Superhero

슈퍼 영웅담을 묘사하고 있는 〈스파이더-맨〉. © Rolling Stone Mag, Amazon, imdb, AFI, Hollywood Reporter, Wikipedia

샘 레이미 Sam Raimi 감독의 〈스파이더-맨 Spider-Man〉이 극장을 강타한다. 이것을 지켜 본 얀코빅은 'Ode to a Superhero'라는 제목의 풍자 노래를 발표한다.

이 노래는 빌리 조엘 Billy Joel의 'Piano Man'을 '스파이더-맨'에 대입시켜 유행을 선도하는 슈퍼히어로 블록버스터 사건을 노랫말로 들려주고 있다.

조엘의 눈길을 끌고 있는 후렴구는 '노래를 불러 줘, 당신은 피아노 맨 Sing us a song, you're the piano man'이다.

얀코빅이 제시한 후렴구는 '우리에게 거미줄을 던져, 당신은 스파이더맨!

Sling us a web, you're the Spider-Man!'으로 구성했다.

얀코빅의 '스파이더-맨' 테마 가사에는 '큰 힘에는 큰 책임이 따른다. With great power comes great responsibility'라는 문구를 남용하고 있다고 꼬집고 있다.

윌렘 대포우 Willem Dafoe가 배역을 맡은 그린 고블린 Green Goblin이 '저 멍청한 파워 레인져 마스크가 없으면 훨씬 더 무섭다. much scarier without that dumb Power Rangers mask'라고 떠벌리는 대사 등이 단점이 되고 있다는 것을 지적해 주고 있다.

49-1. 영웅담 시작 The Saga Begins

얀코빅이 선보인 스타 워즈 테마곡 'The Saga Begins'.

돈 맥클린 Don McLean의 'American Pie' 스타일을 '스타 워즈 에피소드 1: 보이지 않는 위험 Star Wars Episode I : The Phantom Menace'에 대입시켜 노랫말을 들려주고 있다.

'American Pie'는 '아주 오래 전, 아직도 기억이 나요. A long, long time ago, I can still remember'로 시작되고 있다.

'The Saga Begins'는 '아주 먼 옛날, 머나먼 은하계에서는 A long, long time ago, in a galaxy far away'으로 시작하고 있다.

위어드 알의 'Phantom Menace' 패러디는 영화의 가장 큰 논란 중 하나에 초점을 맞추고 있다.

즉, 무시무시한 시스 로드 다스 베이더 Sith Lord Darth Vader가 될 소년을 '회전이 좋은 묘기라고 생각하는 사랑스러운 젊은 포드레이서 adorable young podracer who thinks spinning is a good trick'로 묘사하고 있다는 것이다.

맥클린이 'Bye-bye, Miss American Pie'라고 노래하는 곳에서 얀코빅은 'My, my, this here Anakin guy!'라고 노래하고 있다.

맥클린이 '내 체비 자동차를 제방으로 몰았지만 제방은 말라 버렸지 Drove my Chevy to the levee but the levee was dry'라고 노래하는 곳에서 얀코빅은 '나중에 베이더가 될 수도 있지, 그는 단지 작은 치어(稚魚)일 뿐이야 May be Vader someday later now, he's just a small fry'라고 풍자 노랫말을 들려주고 있다.

〈스타 워즈 에피소드 1: 보이지 않는 위험 Star Wars Episode Ⅰ : The Phantom Menace〉. © Rolling Stone Mag, Amazon, imdb, AFI, Hollywood Reporter, Wikipedia

<익스펜더블 4 The Expendables 4>(2023), 레드 핫 칠리 페퍼스 그룹 'Can't Stop' 선곡

〈람보〉〈록키〉에 이어 근육질 스타 실베스타 스탤론이 영화 인생 후반에 몰입하고 있는 〈익스펜더블〉 시리즈.

4부 〈익스펜4블 Expend4bles〉은 스코트 워그 Scott Waugh가 메가폰을 잡고 스탤론, 제이슨 스타템, 50센트, 메간 폭스, 돌프 룬드그렌, 토니 자, 앤디 가르시아 등 화려한 출연진을 자랑하고 있다.

1부는 소말리아, 아덴만이 배경.

해적들을 일망타진한 이들은 군사적 목적을 달성하기 위해 희생될 수 있는 소모품 용병들로 '익스펜더블'이라 호칭되고 있다.

이들이 각지에서 벌어지는 분쟁 지역에 파견돼 활약하는 것이 기본 줄거리다.

〈익스펜더블 4〉. © EX4 Productions, Lionsgate

신세대 스타들을 내세워 아드레날린이 솟구치는 모험담을 펼쳐 주겠다는 것이 제작 의도. 손에 넣을 수 있는 모든 무기와 이를 사용할 수 있는 기술로 무장한 '익스펜더블 The Expendables'.

이들이 세계 최후의 방어선이자 다른 모든 옵션이 불가능할 때 소집되는 팀이다.

이들이 새로운 스타일과 전술을 갖추고 '새로운 팀원'과 주어진 과제를 해결해 나가려고 포진한다.

4부는 '익스펜더블'이 대규모 민간 군대를 운영하고 있는 무기 상인들을 괴멸시키기 위해 출동한다는 내용. 2023년 9월 22일 할리우드 현지에서 개봉됐다.

〈익스펜더블 4〉 홍보를 위해 일반 공개에 앞서 예고편을 통해 매우 다른 분위기를 주는 두 곡을 선곡했다고 밝혀 음악 애호가들의 관심을 촉발시켰다.

4부는 패트릭 휴즈가 연출을 맡은 〈익스펜더블 3 The Expendables 3〉(2014) 이후 9년만에 선보이는 작품이다.

실베스타 스탤론은 액션 프랜차이즈의 흥행을 위해 음악 선곡에 많은 관심을 쏟았다는 후문.

시리즈 3부작은 전 세계 흥행 시장에서 누적 7억 5천만 달러 이상의 수익을 올리는 뜨거운 반응을 얻은 바 있다.

제작사 라이온즈게이트 Lionsgate는 6월 4부 예고편을 주요 온라인 플랫폼으로 공개해 유사한 액션 영화의 관심을 초반에 제압하겠다는 적극적 마케팅 전략을 쓰고 있다.

스탤론은 '관객들에게 호쾌함을 선사할 많은 액션 장면을 담고 있다.'는 자신감을 드러내고 있다.

50-1. 클러지 & 어린 맥카리 Klergy & Erin McCarley의 'Bad Behavior'

4부 첫 번째 노래는 클러지와 어린 맥카리가 불러주는 'Bad Behavior'이다.

노래는 지나(메간 폭스)와 리 크리스마스(제이슨 스타템)의 관계를 보여주는 오프닝 예고편 배경 노래로 들려오고 있다.

'Bad Behavior'는 2022년에 출반된 노래이다.

4부에서 리 크리스마스가 새로운 연인 지나와 애정 다툼을 벌이는 장면의 배경 노래로 쓰여 팝 팬들의 관심을 재차 촉발시키고 있다고.

'아무 것도 나를 막을 수 없어 충분히 얻을 수 없어. 위험을 갖고 노는 것은 나쁜 행동이야 Nothing can stop me I can't get enough. Playing with danger is bad behavior'라는 노래 가사는 리와 지나 사이에 놓여 있는 여러 위험한 요소를 경고해주는 역할을 위해 선곡됐다는 후문.

50-2. 레드 핫 칠리 페퍼스 Red Hot Chili Peppers의 'Can't Stop'

라스트를 장식하는 노래는 레드 핫 칠리 페퍼스 그룹의 'Can't Stop'이다.

다양한 액션 장면이 몽타쥬로 보여질 때 배경 노래로 들려오고 있다.

다소 오래 전인 2002년 발표된 노래로 알려져 있다.

얼터너티브 록 밴드가 들려주는 노래는 에너지 넘치는 드럼과 안정적인 비트로 구성되어 있어 액션극 〈익스펜더블 4〉 스타일과 훌륭한 조화를 보여주는 곡이라는 평판을 듣고 있다.

리 크리스마스의 호쾌한 액션 장면에 맞추어 적절하게 비트가 들려오고 있어 '매우 영리한 선곡'이라는 칭송을 듣고 있다.

'Can't Stop'과 'Bad Behavior'는 노래 스타일이 완전히 다르다.

그럼에도 불구하고 4부 예고편 음악으로 기대 이상의 효과를 거두는데 일조했다는 긍정적 평가를 받고 있다. 4부는 이미 공개됐던 3편 보다는 좀 더 다양한 설정을 보여주고 있다는 자체 평가가 제기 됐다.

즉, 처음 세 편의 영화는 주로 액션 스타들이 등장해서 변명 없는 과장된 액션 장르로 극을 이끌어 나갔다.

4부에서는 눈에 띄는 미모의 여성 메간 폭스와 제이슨 스타뎀의 로맨스 설정을 가미시켜 건조한 액션 극에서 탈피하려는 의도를 보여주고 있는 것이다.

변화된 조짐을 위해 선곡된 2곡의 예고편 음악은 관객들에게 시리즈 4부에 대한 관람 욕구를 부추겨 주는데 일조했다는 평가를 듣고 있다.

〈익스펜더블 4〉. © EX4 Productions, Lionsgate

참고 자료(Reference Books)

이 책을 쓰기 위해 각국의 영화음악, 팝 전문지 외에도 단행본이 큰 도움이 되었다. 좀 더 전문적 영화음악 공부를 하려는 독자들을 위해 참고 자료를 밝힌다.

1. sound track-definition of sound track by Merriam-Webster.com. Merriam -Webster.
2. The 50 greatest film soundtracks. The Guardian. 18 March 2007.
3. Why Does Nearly Every Broadway Show Still Release a Cast Album. Vulture. October 6, 2015.
5. Savage, Mark. Where Are the New Movie Themes? BBC, 28 July 2008.
6. Bebe Barron: Co-composer of the first electronic film score, for Forbidden Planet, The Independent. London. May 8, 2008. Retrieved May 2, 2010.
7. Rockwell, John (May 21, 1978). When the Soundtrack Makes the Film. The New York Times. Retrieved August 10, 2010.
8. Karlin, Fred; Wright, Rayburn (January 1, 2004). On the Track: A Guide to Contemporary Film Scoring.
9. Kompanek, Sonny. From Score To Screen: Sequencers, Scores And Second Thoughts: The New Film Scoring Process. Schirmer Trade Books, 2004.

10. George Burt, The art of film music, Northeastern University Press.

11. Music on Film New Article in Variety about James Newton Howard's King Kong score. Archived from the original on 12 December 2007. Retrieved 30 July 2008.

12. About the Film Music Society. Film Music Society.

13. Film music: a history By James Eugene Wierzbicki.

14. Jump up to: a b Cooke, Mervyn (2008). A History of Film Music. New York: Cambridge University Press.

15. Are David Fincher And Trent Reznor The Next Leone and Morricone? October 4, 2014.

16. Elal, Sammy and Kristian Dupont (eds.). The Essentials of Scoring Film". Minimum Noise. Copenhagen, Denmark.

17. Harris, Steve. Film, Television, and Stage Music on Phonograph Records: A Discography. Jefferson, N.C.: McFarland & Co. 1988.

책자에 언급된 영화 제작 연도, 음반 출시사, 사운드트랙 리스트 등은 http://www.imdb.com, www.about.com, Rollingstone.com, Billboard.com, Premire, Movieline, Soundtracknet, EW article, www.Moviereporter.net, Variety article, www.amazon.com, www.wikipedia.org 등을 참고했다.

Photo References Notice

본 저술 물에서 인용된 이미지는 press release still cut을 활용했습니다.
저작권자는 각 스틸과 앨범 자켓에 명시했습니다.
단, 의도하지 않게 스튜디오 컷을 사용해 저작권을 침해했을 경우 합당한 사진 저작료를 지불하겠습니다.
영화 설명 가이드 및 해당 국가의 관광 정보 자료의 경우도 영화 홍보 사에서 제공하는 '보도 자료'를 참고했습니다. 홍보 사 제공 자료를 인용하는 과정에서 본의 아니게 텍스트 저작권을 침해했을 경우 정보 저작료를 지불하겠습니다.
아울러 본 책자에 게재된 사진들은 저작권법 제28조 '공표된 저작물은 보도, 비평, 교육, 연구 등을 위하여 정당한 범위 안에서 공정한 관행에 합치되게 이를 인용할 수 있다'에 의거해서 사용한 사진입니다.
출처가 인터넷의 경우 원저작권자는 영화 제작사임을 밝힙니다.

본 저술물에 대한 제반 문의:
영화 칼럼니스트 이경기 (LNEWS4@chol.com)

미국 영화연구소(AFI) 선정

영화, 할리우드를 뒤흔든
창의적이고 혁명적 사건 101 장면

영화 전공자 및 애호가들이 쉽고 평이하게 일독(一讀)할 수 있는 세계 영화 발달사에 대한 에세이 개론서

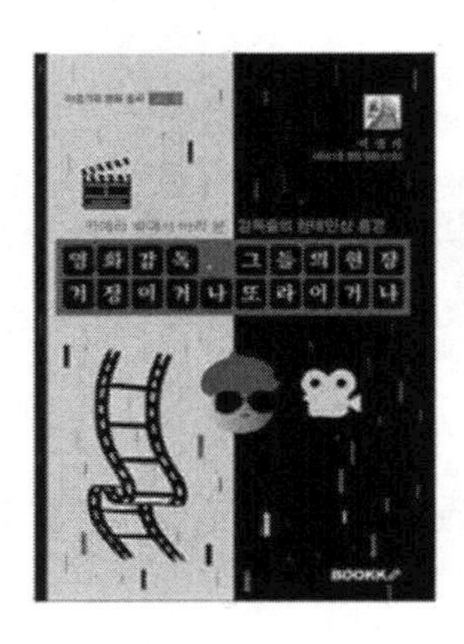

카메라 밖에서 바라 본
감독들의 천태만상 풍경

영화감독, 그들의 현장
거장이거나 또라이거나

카메라 밖에서 바라 본 할리우드 1급 감독들의 적나라한 천태만상 풍경

흥행작 타이틀에 숨겨 있는
재밌고 흥미있는 스토리

영화 제목, 아 하!
그렇게 깊은 뜻이!

약 5,700여 편에 달하는 방대한 작품에 대한 국내 최초 영화 타이틀 해제(解題) 도서.

와우(Wow)! 시네마 천국에서
펼쳐지는 발칙한 영화 100과

영화, 알고 싶었던 모든 것.
하지만 차마 묻지 못했던 여러 가지

영화가 제작되기 까지 기기묘묘한 일화 및 약 3,500여 편의 영화 종합 백과사전.

1960년대-2019년 팝 아티스트 212명의
사운드트랙 협력 에피소드

영화 음악을 만들어 내는 팝 아티스트 1권, 2권

록 음악과 영화계의 최전성시기로 꼽히고 있는 1960년대부터 2019년 최근까지 흥행가를 강타했던 히트 영화 속에서 차용됐거나 배경 음악으로 흘러나와 관객들을 매료시켰던 창작자들의 음악 이력을 살펴 본 이 분야 국내 최초이자 최대 분량을 담은 의미 있는 단행본이다.

제스처는 진실(眞實)을 말한다.

깜찍한 영화 속 주인공은 당신을 속이고 있다

타인의 속마음을 편견 없이 파악하는 동시에 내실 있는 대인 관계를 맺어 갈 수 있는 요령 제시.

A, B, AB, O 형에 담겨
있는 대인 관계 비법

혈액형을 알면 성공이 보인다

A, B, AB, O 형에 담겨 있는 대인 관계 비법 및 자신의 참모습을 발견할 수 있는 가이드 북.

발타자르 그라시안(Baltasar Gracián)이
제시한 삶의 지혜 234 가지

하마터면 밤새워 읽을 뻔 했네 읽어도 읽어도 가슴 벅찬 글들

400년 전 발타자르 신부가 제시한 인생과 삶의 나침반.

추리 익스프레스 특급
& 미스테리 걸작 소설

넌센스, 두뇌 퀴즈 및
추리 소설 베스트 컬렉션

수수께끼 같은 설정을 읽어나가는 동안 흡사 1급 탐정이 된 듯한 기분에 빠져 볼 수 있을 것이다.

촌철살인(寸鐵殺人), 세계 저명
셀럽(Celebs)들의 언어 퍼레이드

명사(名士)들이 남긴 말(言),
말(word), 말(speech)

이 책에 기술된 말들은 현재의 삶이 보다 풍요로워지는 가이드 역할을 해낼 것이라고 믿는다.

용기를 불어 넣어주는
인생 4막(幕) 이야기

오늘도 힘차게 살아간다.
성공+희망+복(행운)+사랑이 있기에!

다른 사람을 거울삼아 나를 돌아보았을 때,
인생의 많은 지혜를 얻어 갈 수 있을 것이다.

청춘의 책갈피를 장식했던 참 좋은 글

내 가슴을 뛰게 만든
명구(名句)들 - 제1권 -

독서를 통해 한 자락 감동을 느낄 수 있을 것이다. 적어두고 싶은 글, 공감을 하거나 여운을 주었던 명구들을 모아 보았다.

해외 OST 전문지 추천 베스트 콜렉션

영화 음악, 사운드트랙
히트 차트로 듣다

서구 영화 음악 히트 발달사에 대한 가장 핵심적인 베스트 영화 음악 자료를 소개한 책자.

007 제임스 본드 25부 + 〈조커〉
그리고 무성영화 걸작까지

영화, 스크린에서 절대 찾을 수 없는
1896가지 정보들

영화 관람에서 놓쳤던 기기묘묘한 영화 상식을 흥미롭게 증가시킬 수 있는 영화 정보 서적이자 영화 만물 사전.

푹 빠지게 만드는 또 다른 시네마 천국의 세계

영화 엄청나게 재밌는 필름용어 알파 & 오메가
1권, 2권, 3권

영화 용어는 영화를 효과적으로 관람하기 위한 최소한의 준비 재료이다 국내외 주요 일간지와 방송가에서 빈번하게 쓰고 있는 영상 용어를 국내 출판 사상 최초로 엄선해 용어의 탄생 유래와 구체적인 사용 사례를 보다 심층적이고 다양한 영상 세계에 대한 체계적인 학습을 할 수 있는 참고 자료로 꾸몄다.

스크린을 수놓은 고전 음악의 선율들

시네마 클래식 2022 Edition

영화계는 고전 음악을 배경 곡으로 차용함으로써 관객들에게 영화에 대한 호감도와 작품에 대한 품위를 높이는 이중 효과를 거두어 왔다. 클래식이 영화 음악으로 효과적으로 쓰일 수 있는 다양한 작품을 볼 수 있다.

당연히 알 것 같지만 전혀 몰랐던
영화제작 현장 일화들

영화 흥행 현장의 기기묘묘한 에피소드

이 책은 주로 할리우드 제작 현상에서 쏟아진 정보를 다양하게 집대성한 에피소드 모음집이다.

21C 언택트(Untact) 시대에서
〈기차 도착〉 까지

영화계를 깜짝 놀라게 한 이슈 127

이번 책자는 영화 역사에서 획기적인 계기를 초래한 사건을 파노라마처럼 엮은 영화 교양서이다.
필독서로 늘 유용하게 활용될 책자라고 자부한다.

서구(西歐) 소설+신화+감독+작가들이 창조한 영상 세계

영화계가 즐겨 찾는 흥행 소재

영화계가 가장 고민하고 큰 비중을 두고 있는 것이 '뭐 확 끌어당길 만한 이야기꺼리 없어?'라는 질문이다. 그에 대한 해답을 조금 엿보기로 하자.

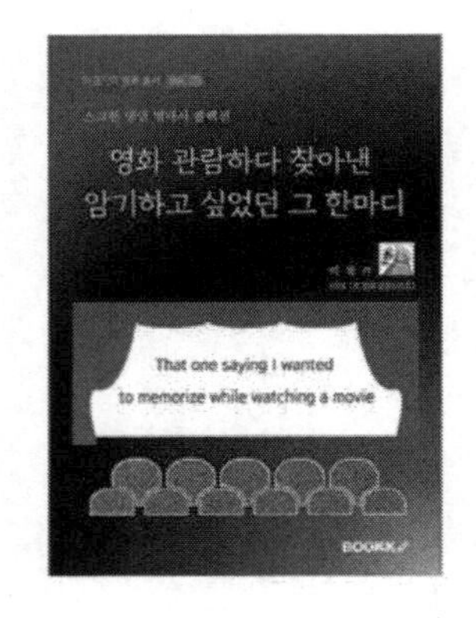

스크린 명언 명대사 콜렉션

영화 관람하다 찾아낸 암기하고 싶었던 그 한마디

작가들의 땀과 영화 혼이 배어있는 촌철살인의 지혜는, 영화 애호가들에게 대화의 소재를 다양하게 해 줄 언어 화수분이 되어 줄 것이라고 믿는다.

한국에서 영화칼럼니스트로 산다는 것은

영화 기자는 영화를 모른다

패기만만한 초년 기자 시절부터 직접 체험한 취재 뒷이야기와 국내외 유명 엔터테이너들을 만나고 나서 느낀 소회와 짧은 인연의 사연을 실었다.

사운드트랙이 남긴
달콤 씁싸름한 이야기들

영화 음악, 이런 노래 저런 사연

영화 배경 음악 단골로 활용되고 있는 팝 선율이나 클래식이 탄생되는 뒷이야기를 모아 본 탄생 스토리는 색다른 영화 음악 감상법을 제공할 것이다.

스크린을 바라보는 삐따기의 또 다른 시선

영화가 알려주는 세상에 대한 모든 지식

관객들이 무심코 흘려보낸 극중 사건의 의미, 등장 인물들이 제시한 귀감이 될 만한 인생 교훈 등 영화 한 편을 통해 다양한 정보와 상식으로 구성하였다.

사운드트랙이 남긴
달콤 씁싸름한 이야기들

영화 음악 2019-2022 시즌 핫 이슈 콜렉션

흥행작 중 영화 음악으로 재평가 받고 있는 작품들을 정리한 최신 영화 음악 뉴스 모음 칼럼집이다.

한 vs 영어 대역(對譯)으로 읽는

영화감독 31인 육성 고백 /

영화란 도대체 무엇인가?

한 vs 영어 대역(對譯)으로 읽는

영화음악 작곡가 22인 육성 고백

영화란 도대체 무엇인가?

인간의 희로애락(喜怒哀樂)을 부추겨 주고 있는 '영화라는 매체의 정체는 무엇일까?' 이 책을 통해 진솔하게 고백한 수많은 영화인들의 육성 메시지를 접할 수 있을 것이다.

한 vs 영어 대역(對譯)으로 읽는

영화음악 작곡가 22인 육성 고백

영화음악이란 도대체 무엇인가?

영화 음악을 직접 창작해 내는 일선 작곡가들의 육성 증언을 통해 '영화 음악에 대한 의견이나 직업적 가치관, 음악을 하게 된 성장 배경 등 허심탄회한 소회를 들어볼 수 있을 것이다.

2021-2022 시즌 핫 토픽
사운드트랙 앤소로지(anthology)

영화 음악 <미나리> <블랙 팬서>
그리고 OST 289

1950년대 흘러간 명화부터 2022년 근래 뜨거운 호응을 불러 일으켰던 작품과 영화 음악으로 이슈를 만들어낸 화제작 등 영화 음악 해설을 담고 있다.

2021-2022 시즌을 장식한 Hot OST

영화음악 크루엘라 + 캐시 트럭 그리고
빌보드 추천 사운드트랙 450

배경 음악 덕분에 꾸준히 상영되고 있는 흥행작, 팝 전문지 등에서 총력 특집으로 보도한 베스트 OST 등 원문(原文)을 병기해서 사운드트랙 해설을 접할 수 있도록 구성하였다.

『엠파이어』『할리우드리포터』
『버라이어티』탑을 장식한 핫 이슈

영화, 할리우드를 시끄럽고
흥미롭게 만든 엄청난 토픽들

할리우드 현지에서 발간되고 있는 영화 전문지와 엔터테인먼트 관련 매체에서 쏟아내는 뉴스와 토픽은 대형 화면에서 펼쳐지는 감동적 화면에 버금가는 호기심을 줄 것이다.

해외 음악 전문지 절대 추천 사운드트랙 퍼레이드

영화음악 21세기 최고의 사운드트랙 2525

미국 및 영국 등 영화 선진국에서 발행되는 영화, 영화 음악, 대중음악 및 연예 전문지 등에서 보도한 핫이슈를 특집 기획 기사를 꼼꼼하게 체크한 뒤 국내 영화 음악 애호가들의 정보 욕구에 충족할만한 내용을 중심으로 재구성했다.

할리우드 영화 음악 비평지 강력 추천
사운드트랙 퍼레이드 [1][2][3][4]

영화 음악에 대해 베스트 10으로
묻고 싶었던 것들

사운드트랙 발달에 획기적 계기를 제시했던 사건 등 주옥같은 팝 선율 중 영화 음악으로 단골 채택되고 있는 베스트 10을 선정, 핵심적인 내용을 조망해 볼 수 있도록 구성하였다.

베스트 10으로 할리우드 최신 흥행작 둘러보기

영화 틱! 톡! 100과 정보

〈영화 틱! 톡! 100과 정보〉는 책자 타이틀처럼 유튜브를 뜨겁게 달구고 있는 어플 '틱! 톡!'과 밀폐된 용기에 다양한 먹거리를 담고 있는 용기처럼 베스트 10 혹은 15 그리고 근래 극장가를 노크한 최신작 등을 30가지 주제로 묶어서 흥미로운 영화 에피소드 일화를 수록했다.

스크린을 장식한 바로 그 말(語)

영화 대사에는 뭔가 특별한 것이 있다

등장인물들이 주고받는 감칠 맛 나는 대사는 영화 흥행 성공의 1차적인 조건이다. 주인공의 성격이 규정되고, 관객이 그 주인공을 좋아하게 되는 지름길은 바로 영화 캐릭터가 구사하는 대사가 핵심적인 요소라는 점이다. 명작 영화에서 흘러나왔던 보석 같은 명대사를 엿보자.

호주 ABC Classic FM 선정 [1][2]

영화 음악을 뒤흔든 사운드트랙 100

지구촌 영화 음악 애호가들이 절대적으로 추천해주고 있는 최고의 음악 영화 100편을 소개한다.

스크린에서 펼쳐지는 우리가 몰랐던 이야기들

영화, 할리우드에서 벌어지는
무언가 특별한 이슈 2001

한 편의 영화 속에서 담고 있는 정치, 경제, 문화, 역사 등 다채로운 정보를 개별적 영화 해설보다는 유기적 관계를 맺고 있는 다양한 이슈를 분석, 재구성하였다.

최근 음악계를 놀라게 한 킬러 OST 퍼레이드

영화 음악, 흥행계를 강타한
거의 모든 사운드트랙

단순한 영화 음악 소개가 아닌 펼쳐지는 화면의 배경을 장식하는 선율이나 록 음악이 어떤 기능과 역할을 하고 있는지에 초점을 맞추어 구성했다.

사운드트랙의 감미로움을 명언 명대사로 읽기

음악 영화를 장식해 주었던
그런 대사, 저런 한 마디

영화 애호가들의 심금을 울려 주었던 '명대사들을 수집한 이색 흥미 교양서적'이라고 할 수 있다.

할리우드 통신이 전하는 핫이슈 컬렉션

영화, 화면에서 감추어 놓아
우리가 놓쳤던 이야깃거리들

공개적으로 밝히는 스토리라인 외에 주인공들의 행동 심리, 스쳐 지나가는 배경 장치 등 특색 있는 정보와 읽을거리를 담았다.

문장 천재를 감동시킨 OST 및
록 음악 매력 서너 가지

무라카미 하루키, 영화 음악과 팝을 말하다!

하루키의 작품에서 기술(記述)된 음악적 상황과 팝 아티스트에 대해 인용한 뒤 해당 뮤지션의 팝계 활동 상황을 해설하는 식으로 구성했다.

1980-2023년 흥행가를 장식한 음악영화들

영화음악, 빌보드 Pick-Up 사운드트랙 40

할리우드에서 공개되는 수백편의 영화에서 사운드트랙이 큰 비중을 차지하고 있는 작품들을 팝 전문지 '빌보드'에서 '특별 선정 pick up' 하였다.